NIVEAU C1

SICHER!

DEUTSCH ALS FREMDSPRACHE

ARBEITSBUCH

LEKTION 1–12

Michaela Perlmann-Balme
Susanne Schwalb
Magdalena Matussek

Hueber Verlag

Verweise und Piktogramme im Arbeitsbuch

Dieses Symbol verweist auf einen Hörtext auf der eingelegten Arbeitsbuch-CD-ROM (Format: MP3), hier auf Track 6.

zu Hören, S. 19, Ü3

Solch ein Hinweis verweist auf die dazugehörige Aufgabe im Kursbuch, hier auf die Seite Hören, Seite 19, Übung 3.

ÜBUNG 4

Dieses Symbol verweist auf wiederholende oder vertiefende interaktive Übungen im Internet unter www.hueber.de/sicher/lernen.
Die Übungen decken die Kategorien Wortschatz, Grammatik und Kommunikation ab.

Unter www.hueber.de/sicher/lernen finden Sie die Lösungen zu den Übungen im Arbeitsbuch.

Interaktive Übungen:
Christine Schlotter, Nürnberg

Phonetik:
Silvia Dahmen, Köln

3. 2. 1. | Die letzten Ziffern
2020 19 18 17 16 | bezeichnen Zahl und Jahr des Druckes.
Alle Drucke dieser Auflage können, da unverändert, nebeneinander benutzt werden.
1. Auflage

Redaktion: Karin Ritter, Isabel Krämer-Kienle, Hueber Verlag, München
Umschlaggestaltung, Layout und Satz: Sieveking · Agentur für Kommunikation, München
Zeichnungen: Jörg Saupe, Düsseldorf
Druck und Bindung: PHOENIX PRINT GmbH, Deutschland
Printed in Germany
ISBN 978-3-19-011208-1

Art. 530_04285_001_01

INHALT ARBEITSBUCH

INHALT ARBEITSBUCH

INHALT ARBEITSBUCH

INHALT ARBEITSBUCH

INHALT ARBEITSBUCH

INHALT ARBEITSBUCH

WIEDERHOLUNG WORTSCHATZ

1 Modernes und Unmodernes

a Ergänzen Sie die Nomen.

1 Florian ist seit drei Monaten wieder Single (INGSLE).
2 In der ______ (NERAGEONIT) meiner Großeltern war es undenkbar, dass unverheiratete Paare zusammenleben.
3 In den heute sehr verbreiteten „Patchwork"-Familien ist es wichtig, dass die neuen Partner vor den Gefühlen der Kinder des Partners ______ (SPREEKT) haben.
4 Eins bleibt immer gleich: In jeder guten Beziehung spielen Vertrauen, Wärme und ______ (BORGEGHIEENT) eine entscheidende Rolle.
5 Oft hält die Liebe nicht ewig: Es gibt in Europa Länder mit einer ______ (DUNGSCHEISTERA) von über 60 %.
6 Marion und Kevin haben eine Fernbeziehung, deshalb sehen sie sich nur alle zwei bis drei Wochen. Oft haben sie große ______ (HNSECHTSU) nach einander.
7 In einer globalen Welt wachsen die ______ (DERANUNGFOREN) an die Mobilität der Menschen.
8 Arbeitende Mütter haben oft ein schlechtes ______ (WIGESSEN), weil sie befürchten, dass ihre Kinder zu kurz kommen.
9 Durch die modernen Medien gibt es einen enormen ______ (ERÜBUSSFL) an Information. Wir müssen lernen, trotzdem den Blick aufs Wesentliche zu behalten.

b Was passt? Ordnen Sie zu.

1 interpretieren	A eine Krankheit feststellen
2 tolerieren	B einer Sache eine bestimmte Bedeutung geben
3 integrieren	C mit einer – oft unangenehmen – Sache einverstanden sein
4 diagnostizieren	D Personen oder Sachen respektieren, auch wenn man anderer Meinung ist
5 akzeptieren	E etwas verbrauchen (Essen, Trinken, Tabak)
6 konsumieren	F jemanden oder etwas zum Mitglied/Inhalt einer Gruppe machen

zu Sprechen, S. 14, Ü2

2 Meine Art zu leben

WORTSCHATZ

Welche Frage 1–7 passt zu welchem Thema (A–G)? Ordnen Sie zu. Geben Sie danach eine persönliche Antwort.

1 ~~Wie oft benutze ich mein Radio?~~
2 Wie pflege ich Kontakt zu Freunden und Bekannten?
3 Welche Partner begleiten mich durch die Lebensabschnitte?
4 Wie viel Kleidung werfe ich regelmäßig weg?
5 Wie viel gebe ich für Kino- und Theaterkarten aus?
6 Wo kaufe ich meine Lebensmittel?
7 Wie viel Wohnraum habe ich für mich persönlich?

Thema	Frage	Beispiel
A Kommunikationsverhalten		
B Konsumverhalten		
C kulturelles Leben		
D Mediennutzung	1	Ich höre Radio, sobald ich nach Hause komme.
E Partnerschaft		
F Essen		
G Wohnen		

zu Sprechen, S. 14, Ü2

3 Veränderungen in der Familie ÜBUNG 1

LESEN

Lesen Sie das Interview mit der Soziologin Gerda Berghaus, die gerade ein Buch zum Thema „Wie hat sich unsere Esskultur verändert?" veröffentlicht hat. Markieren Sie bei den Aufgaben 1–7 das Wort (a, b, c oder d), das in den Satz passt. Es gibt jeweils nur eine richtige Antwort.

Was ist eigentlich aus dem gemeinsamen Essen am Sonntagmittag geworden?
Den typischen „Sonntagsbraten" gibt es bei Familien heutzutage nicht mehr. Stattdessen ist der „Brunch" populär geworden, also ein ausgiebiges großes Frühstück, das sich in den Mittag hineinzieht. Das passt besser zum
5 Lebensrhythmus berufstätiger Eltern, die am Wochenende ausschlafen und **(0)** zusammen mit der Familie essen möchten.

Welche Familien schaffen es denn noch, gemeinsam zu essen?
Den Wunsch haben eigentlich fast alle Familien. Denn ein gemeinsames Essen verbindet. Oft lässt sich das aber nicht umsetzen, meist, weil alle zu
10 beschäftigt sind. Am ehesten schaffen es Frauen mit Halbtagsjob. Vollzeit arbeitende Mütter **(1)** daher oft großen Wert auf ein gemeinsames Abendessen.

„Es wird gegessen, was auf den Tisch kommt" – hört man so etwas heute noch?
Nein, dieser Spruch autoritärer Eltern ist passé. Was die Kinder in der Familie gerne mögen, wird berücksichtigt. Heute gibt es ein anderes Problem:
15 Töchter helfen ganz selbstverständlich beim Tischdecken, während Söhne nicht einsehen, warum sie das Mineralwasser aus dem Keller holen **(2)**.

Und gehört Fleisch noch zu einem Familienessen dazu?
In vielen Familien gilt es als gesund und wertvoll. Vor allem viele Männer verlangen ein „ordentliches" Stück Fleisch. Frauen richten sich oft stark
20 nach den Wünschen **(3)** Männer – und das ist häufig das Steak auf dem Teller.

Warum haben Sie für Ihre Untersuchung eigentlich nur Frauen befragt?
Frauen sind eben die Expertinnen des Essalltags – also muss man sie befragen. Das Statistische Bundesamt hat in einer groß angelegten Studie
25 erhoben, wer in einem Haushalt wie viel Zeit **(4)** verbringt. Das Ergebnis: Männer sind im Bereich „Ernährung der Familie" nicht sehr aktiv.

Und was ist mit den Männern, die begeistert Kochbücher, Messer und Induktionsherde kaufen?
(5) kochen manchmal, mit viel Genuss und großem Aufwand. Keiner darf
30 ihnen in die Quere kommen. Danach erwarten sie, dass ihnen alle Beifall spenden. Die unangenehmen Arbeiten bleiben dann den Partnerinnen.

Gilt das denn wirklich für alle?
Beruflich erfolgreiche Frauen haben oft Partner, **(6)** es nichts ausmacht, in der Küche zu stehen. Diese Frauen sind mit den männlichen Familien-
35 mitgliedern gleichberechtigt. Sie nehmen sich das Recht heraus, etwas von ihnen verlangen zu können.

Wie wird diese Entwicklung wohl weitergehen?
Alles hängt von den Arbeitszeiten von Männern und Frauen ab. **(7)** diese bleiben, wie sie sind, wird sich wenig ändern. Vielleicht werden auch die
40 Männer irgendwann verstehen, wie wertvoll diese gemeinsamen Zeiten für die Familie sind.

Beispiel:

(0)
- a wenn
- b obwohl
- c trotz
- ☒ d trotzdem

(1)
- a haben
- b legen
- c setzen
- d stellen

(2)
- a dürfen
- b können
- c sollen
- d wollen

(3)
- a ihr
- b ihre
- c ihren
- d ihrer

(4)
- a woran
- b wohin
- c womit
- d wozu

(5)
- a Das
- b Die
- c Der
- d Den

(6)
- a denen
- b der
- c welchen
- d welcher

(7)
- a Bevor
- b Sobald
- c Solange
- d Während

zu Sprechen, S. 14, Ü2

4 Konsumverhalten

KOMMUNIKATION

a **Was ist richtig? Markieren Sie das passende Wort in der linken Spalte.**

In unserer Gruppe haben wir uns mit dem Thema „Konsumverhalten“ ___(1)___ ☐ entschieden. ☐ vorbereitet. ☒ befasst.	☒ Aufbau vorstellen b Vortrag beenden
Als ___(2)___ lässt sich festhalten: Wir sollten mehr darüber nachdenken, was wir kaufen. ☐ Antwort ☐ Ergebnis ☐ Folge	a Aufbau vorstellen b Vortrag beenden
Wenn man die Entwicklungen der letzten Jahre ___(3)___, stellt man fest, dass wir immer öfter nach günstigen Angeboten im Internet suchen. ☐ ansieht ☐ zusammenzählt ☐ vergisst	a Aufbau vorstellen b Ergebnisse zusammenfassen
Danke, lieber Jakob. Zunächst möchte ich mich mit dem ersten Aspekt ___(4)___ Was kaufen wir eigentlich und wie ist unser Kaufverhalten? ☐ aufgreifen. ☐ beschäftigen. ☐ hervorheben.	a das Wort übernehmen b Vortrag beenden
Es wird ___(5)___, dass die meisten von uns viel zu viel kaufen. ☐ deutlich ☐ möglich ☐ besser	a Aufbau vorstellen b beschreiben, vergleichen
In meinem Beitrag geht es um einen anderen Aspekt des Konsumverhaltens. Anna wird ___(6)___ darüber sprechen, wofür Menschen unseren Alters heutzutage Geld ausgeben. ☐ anschließend ☐ dafür ☐ gern	a Aufbau vorstellen b das Wort übernehmen
Man ___(7)___ beobachten, dass die Lebensdauer von Konsumartikeln heutzutage nicht mehr so lang ist wie früher. ☐ ist zu ☐ lässt sich ☐ kann	a Aufbau vorstellen b beschreiben, vergleichen
Alex wird jetzt am ___(8)___ ein Beispiel dafür vorstellen, das uns zum Nachdenken bringen soll. ☐ Ende ☐ Vergleich ☐ Schluss	a das Wort übergeben b Aufbau vorstellen

b **Markieren Sie anschließend in der rechten Spalte die passende Funktion des Satzes.**

WIEDERHOLUNG GRAMMATIK

zu Hören 1, S. 15, Ü1

5 Vergangene Zeiten

Ergänzen Sie *wollen, sollen, dürfen, können* oder *müssen* in der richtigen Form. Achten Sie dabei auf den Kontext.

Können (1) Sie sich noch erinnern? Es geht um eine Zeit, als sich in der Hand- oder Jackentasche noch kein vibrierendes und ständig klingelndes Smartphone befand und man nicht ständig aus einem inneren Zwang heraus seine SMS und Mails checken ________ (2). Heute erinnert man sich kaum noch an diese Tage, an denen man einen Film im Kino ansehen ________ (3), ohne dass das Handy des Sitznachbarn klingelte. Tage, an denen Familienväter während des Spaziergangs nicht zwanghaft die Fußballergebnisse nachschauen ________ (4), sondern sich wirklich mit ihrer Familie beschäftigen ________ (5). Damals ________ (6) man auch noch Zug fahren – ja, das war möglich! –, ohne die Probleme der Mitreisenden mithören zu ________ (7). Dass diese privaten oder beruflichen Angelegenheiten wirklich niemanden interessieren, ________ (8) sich die lieben Mitreisenden mal klarmachen! Das wäre mal eine Empfehlung. Wer ________ (9) schon ständig gestört werden? Früher hatte man zumindest in der Luft noch seine Ruhe: in Flugzeugen ________ (10) man diese Dinger bis vor Kurzem nicht anstellen, das war verboten. Aber leider ist auch diese letzte Oase der Ruhe dahin.

zu Hören 1, S. 15, Ü1

6 Subjektive Bedeutung der Modalverben *müssen, dürfen* und *können*

GRAMMATIK ENTDECKEN

a **Wie sicher ist sich der Sprecher? Ergänzen Sie *50 %, 75 %, 90 %* oder *100 %* in der mittleren Spalte.**

1 ■ Tom will versuchen, eine Woche ohne Handy zu leben. Ich bin mir ganz sicher, dass er verrückt ist.	100 %	muss
2 ◆ Ich halte es für möglich, dass ihm eine Woche ohne Handy guttut.		
3 ■ Ich bin mir fast sicher, dass er den Artikel über Handymanie gelesen hat.		
4 ◆ Vielleicht fühlt sich das für Tom ja auch wie Urlaub an.		
5 ■ Wahrscheinlich hält er das eine Woche lang gar nicht durch.		
6 ◆ Mit absoluter Sicherheit sind Freunde von Tom auf diese Idee gekommen.		

b **Ordnen Sie den Ausdrücken in a in der rechten Spalte die Modalverben *müssen, dürfen* und *können* in der richtigen Form zu.**

c **Schreiben Sie die Sätze aus a mit dem passenden Modalverb neu.**

1 Tom will versuchen, eine Woche ohne Handy zu leben. Er muss verrückt sein.
2 Eine Woche ohne Handy ...

zu Hören 1, S. 15, Ü1

7 Subjektive Bedeutung der Modalverben: Ausdruck von großer Sicherheit

GRAMMATIK ENTDECKEN

a **Lesen Sie das Gespräch. Wie wird ausgedrückt, dass man sich (positiv wie negativ) sehr sicher ist? Unterstreichen Sie.**

Celina: Schau mal, der Typ da drüben. Das muss Rainer sein, den Anne vor Kurzem beim Joggen kennengelernt hat. Der sieht aber wirklich nett aus!
Mara: Nein, das kann er nicht sein. Anne hat doch gesagt, dass Rainer blonde Haare hat. Der da drüben hat schwarze.
Celina: Stimmt. Dann muss das Mika aus dem Tanzkurs sein, oder? Der hat ihr doch auch so gut gefallen.
Mara: Ja, das kann eigentlich nur Mika sein, denn der Typ da drüben, der auch schwarze Haare hat, ist ja in Begleitung. Und so vertraut, wie er mit der Frau redet, kann das nur seine Freundin sein, oder? Den kann Anne also nicht gemeint haben ...

b **Welche Modalverben / Ausdrücke mit Modalverben aus a entsprechen den Bedeutungen? Ordnen Sie zu.**

1 Ich bin mir ganz sicher! → das muss, ...
2 Das ist nicht möglich! →

zu Hören 1, S. 15, Ü1

8 Einschätzungen, Notwendigkeiten und Bitten ÜBUNG 2, 3

GRAMMATIK

a **Ist die Bedeutung der Sätze subjektiv (s) oder objektiv (o)? Markieren Sie.**

	s	o	G	V
1 ■ Mit wem telefoniert Max da eigentlich? ◆ Das muss seine neue Freundin sein, da bin ich mir sicher, sonst ist Max nämlich nicht so charmant.	x		x	
2 ● Wieso schaut Tina denn ständig auf ihre Uhr? ✖ Sie muss genau um 13.30 Uhr einen Kunden anrufen.		x		
3 ▲ Warum ist Leo denn so unruhig? ▼ Ich bin mir fast sicher, dass er auf den Briefträger wartet, denn Leo müsste heute sein neues Handy bekommen.				
4 Entschuldigung, dürfte ich Sie um einen Gefallen bitten? Reichen Sie mir doch bitte mal das Telefon.				
5 ■ Wie alt ist Sophie denn auf dem Foto? ◆ Sie dürfte zu der Zeit ungefähr 20 Jahre alt gewesen sein.				
6 Paul, könntest du mir kurz dein Handy leihen? Ich finde meins nicht.				
7 ● Frida und Linus sehen so glücklich aus, haben sie keinen Streit mehr? ✖ Ich weiß, dass sie sich letzte Woche lange miteinander unterhalten haben, da könnten sie sich versöhnt haben.				
8 ▲ Wer ruft denn um diese Zeit noch an? ▼ Das kann nur Paul sein, es gibt keine andere Möglichkeit.				

b **Unterstreichen Sie in a in den Sätzen mit subjektiver Bedeutung das Modalverb und den Infinitiv und markieren Sie, ob die Sätze in der Gegenwart (G) oder in der Vergangenheit (V) stehen.**

zu Hören 1, S. 15, Ü1

9 Toms handylose Zeit

GRAMMATIK

a **Tom hat sich vorgenommen, eine Woche lang kein Handy zu benutzen.
Lesen Sie die Einschätzung, die Toms Freund in einer E-Mail schreibt.
Wie sicher ist er sich, dass Tom das schafft? Unterstreichen Sie die Ausdrücke.**

Tom ohne Handy? Das halte ich für unmöglich! Das war meine erste Reaktion. Aber dann ist mir meine eigene handylose Zeit eingefallen ... Ich bin mir sicher, dass Tom einerseits die Ruhe genossen hat, andererseits hat er sich bestimmt gedacht, dass er etwas ganz Wichtiges verpasst. Das ist nämlich typisch für
5 die erste Zeit ohne Handy. Ich bin fast sicher, dass Tom in den folgenden Tagen immer nervöser geworden ist. Wahrscheinlich hat sich nach einer Woche eine große Ruhe eingestellt, denn man weiß dann: Wer mich erreichen will, der schafft das schon irgendwie. Ich halte es für möglich, dass Tom in der handylosen Zeit ruhiger, freundlicher und kontaktfreudiger geworden ist, denn man schreibt in dieser Zeit ja keine SMS mehr, sondern schenkt seinen Freunden mehr persönliche Aufmerksamkeit. Und als er das Handy nach einer Woche wieder
10 angestellt hat, hat er wahrscheinlich erlebt, dass ihm nichts wirklich Wichtiges entgangen ist. So war's bei mir damals auch.

b **Schreiben Sie den Text mit Modalverben neu.**

Tom ohne Handy? Das kann nicht sein! Das war meine erste Reaktion.
Aber dann ist mir meine eigene handylose Zeit eingefallen ...

zu Hören 1, S. 15, Ü2

10 Jugendliche sind immer online.

LESEN

Lesen Sie den Zeitschriftenartikel und ordnen Sie zu.

☐ dass Smartphones weitverbreitet und fast immer dabei sind • ☐ nutzen aber auch viele Sicherheitsmaßnahmen • ☐ sondern auch Bühne", erklärt Borgstedt • ☐ teilweise auch sorglos nutzen • 1 zeigt eine neue Studie

Jugendliche trennen nicht mehr zwischen online und offline

Viele junge Menschen machen keinen Unterschied mehr zwischen online und offline. Für sie spielt das Leben ebenso in der realen wie in der virtuellen Welt, (1) .
Praktisch alle Jugendlichen und jungen Erwachsenen in Deutschland nutzen das Internet, doch sie haben durchaus unterschiedliche Einstellungen zur digitalen Welt. Die größte Gruppe unter den 14- bis 24-Jährigen (28 Prozent) bewegt sich als „zielstrebige Profis" durchs Netz, so Silke Borgstedt vom Sinus-Institut bei der Vorstellung einer entsprechenden Studie am Donnerstag in Berlin. „Sie probieren gerne neue Anwendungen aus, (2) ." Fast ebenso groß ist die Gruppe der „Souveränen" (26 Prozent): „Für sie ist das Internet nicht nur Marktplatz, (3) . Sie nehmen fast alle Freundschaftsanfragen bei Online-Netzwerken wie Facebook an, kennen viele Webseiten und laden häufiger Musik herunter als ihre Altersgenossen. Im Gegensatz zu Erwachsenen gibt es bei Jugendlichen praktisch keine Trennung zwischen online und offline. „Da verschmilzt online und analoges Leben total", bestätigt auch Matthias Kammer vom Deutschen Institut für Vertrauen und Sicherheit im Internet (DIVSI), das die Studie in Auftrag gegeben hat. „Das liegt vor allem daran, (4) ", sind sich die Experten sicher. Insgesamt ordnet die Studie 72 Prozent der 14- bis 24-Jährigen in Gruppen ein, die das Internet viel und aufgeschlossen, (5) . Jeder zehnte Jugendliche ist dagegen eher kritisch und betrachtet etwa die großen Internetkonzerne mit Argwohn.

zu Lesen 1, S. 16, Ü2

11 Fremdwörter ÜBUNG 4

WORTSCHATZ

a **Was passt? Ergänzen Sie, wo nötig, den Artikel und ordnen Sie zu.**

analog • Glosse • hektisch • ironisch • ~~Reduktion~~ • reflektieren

1 eine Verringerung: die Reduktion
2 über etwas nachdenken, etwas noch einmal überlegen: ______
3 ähnlich/entsprechend: ______
4 unruhig und nervös: ______
5 wenn man das Gegenteil von dem sagt, was man meint, ist man: ______
6 kurzer, spöttischer Kommentar, oft zu Tagesereignissen: ______

b **Was passt? Ergänzen Sie die Wörter aus a.**

1 Tatjana liest morgens immer zuerst die witzige ______ in der Zeitung.
2 Stefan hat seinen Job als Manager gekündigt, er war ihm zu ______.
Auch am Wochenende hatte er keine Ruhe.

3 „Das war ja mal eine gelungene Präsentation!" Diese Bemerkung von Katharina war nicht ernst, sondern ______________ gemeint.
4 Manche Leute sollten mehr ______________, bevor sie ihre Meinung äußern, dann würden sie weniger Unsinn reden.
5 Den Zeitplan für das nächste Projekt haben wir jetzt erst einmal ______________ zum letzten erstellt. Wenn es neue Entwicklungen gibt, werden wir sie einarbeiten.
6 Für viele junge Mütter und Väter ist die ______________ der Arbeitszeit sehr wichtig, denn sonst hätten sie noch weniger Zeit für ihre Familie.

zu Lesen 1, S. 16, Ü2

12 Paraphrasen ÜBUNG 5

WORTSCHATZ

Welche Bedeutung haben die unterstrichenen Wörter? Markieren Sie.

1 Die Segel streichen bedeutet ...
[x] a aufhören. [b] etwas anderes tun. [c] Segeln gehen. [d] weggehen.

2 Unter Nahrungsaufnahme versteht man ...
[a] einkaufen. [b] essen. [c] fotografieren. [d] kochen.

3 Roberts schlechte Laune beeinträchtigt seine Arbeit. Das bedeutet, sie ... die Arbeit.
[a] behindert [b] verstört [c] versucht [d] verbessert

4 Kraulen ist ein Stil bei der Sportart ...
[a] Laufen. [b] Rudern. [c] Schwimmen. [d] Segeln.

5 Er benötigte weniger Zeit als alle vor ihm; das bedeutet, er war ... als alle anderen.
[a] fitter [b] langsamer [c] schneller [d] trainierter

6 Bei den Festspielen wird dieses Jahr ein gutes Programm geboten; das bedeutet, es wird ein gutes Programm ...
[a] aufgestellt. [b] geführt. [c] geliefert. [d] präsentiert.

WIEDERHOLUNG GRAMMATIK

zu Lesen 1, S. 17, Ü4

13 Unglaubliche Rekorde

Schreiben Sie Sätze mit *sollen*.

1 Ich habe gelesen, dass die größte Currywurst der Welt 175 kg wiegt und 320 m lang ist.
Die größte Currywurst der Welt soll 175 kg wiegen und 320 m lang sein.

2 Angeblich hat ein Japaner in zwölf Minuten 54 Hotdogs gegessen.
____

3 Es wird behauptet, dass eine Frau aus Las Vegas die längsten Fingernägel der Welt hat.
____

4 Es heißt, dass sie ihre Nägel seit 1990 nicht mehr geschnitten hat.
____

5 Laut AT-Zeitung wiegt die größte Lederhose der Welt 46 kg und ist 5 Meter hoch.
____

zu Lesen 1, S. 17, Ü4

14 Subjektive Bedeutung des Modalverbs *wollen*

GRAMMATIK ENTDECKEN

a **Unterstreichen Sie in der linken Spalte das Modalverb *wollen* und den Infinitiv.**

1 Erich sagt: „Ich spreche zwölf Sprachen fließend!" Markus erzählt seiner Frau: „Erich will zwölf Sprachen fließend sprechen. So ein Angeber!"	s
2 Erich sagt: „Ich habe mein Studium in Harvard in Rekordzeit beendet." Markus erzählt seiner Frau: „Erich will sein Studium in Harvard in Rekordzeit beendet haben."	
3 Erich sagt: „In Harvard bin ich der beste Sportler seit 100 Jahren gewesen." Markus erzählt seiner Frau: „In Harvard will er der beste Sportler seit 100 Jahren gewesen sein."	
4 Markus meint: „Ich will Erich mal sagen, dass er sich nicht immer so wichtigmachen soll. Das ist mein Plan für unser nächstes Treffen."	
5 Die Frau von Markus sagt: „Erich hat angerufen. Er wollte dich sprechen. Er will es morgen wieder versuchen."	

b **In welchen Sätzen aus a hat *wollen* eine subjektive Bedeutung (s), in welchen eine objektive Bedeutung (o)? Ergänzen Sie in der rechten Spalte.**

c **Was ist richtig? Markieren Sie.**

1 Mit dem Modalverb *wollen* in der subjektiven Bedeutung gibt der zweite Sprecher wieder, was der erste Sprecher (hier: Erich) ... sagt.
- ☐ über sich selbst
- ☐ über andere

2 Der zweite Sprecher (hier: Markus) ... ob diese Behauptung stimmt.
- ☐ zweifelt,
- ☐ zweifelt nicht,

3 In der Gegenwart hängt es ... ab, ob die subjektive oder die objektive Bedeutung gemeint ist.
- ☐ vom Kontext / von der Situation
- ☐ vom Modalverb

4 Die Vergangenheit bildet man mit
- ☐ dem Modalverb und dem Infinitiv Vergangenheit (zum Beispiel: *will gesehen haben*).
- ☐ *haben* und Infinitiv + Infinitiv Modalverb (zum Beispiel: *hat sehen wollen*).

zu Lesen 1, S. 17, Ü4

15 Eine Weltreise ÜBUNG 6, 7

GRAMMATIK

Formulieren Sie die nummerierten Ausdrücke mithilfe der Modalverben *müssen, dürfen, können, wollen* oder *sollen* um. Versuchen Sie, die subjektive Bedeutung zu erfassen.

Im Oldtimer um die Welt

Theresa Geder ist heute wahrscheinlich (1) schon über 70 Jahre alt und sie hat vor, die Welt in einem Oldtimer zu umrunden. Sie hat mit Sicherheit (2) großes Selbstvertrauen. Man sagt, dass sie 15 Oldtimer hat (3). Sie behauptet von sich, dass sie als Kind nur mit Schraubenschlüsseln und nie mit Puppen gespielt hat (4). Sie erzählt, dass sie auch schon bei der Rallye Monte Carlo mitgefahren ist (5). Ob das stimmt? Möglicherweise hat sie in ihrer Jugend aber an kleineren Autorennen teilgenommen (6). Es ist fast sicher (7), dass sie im nächsten Monat losfahren kann. Es heißt, dass (8) ihre Weltreise über Australien, Neuseeland und Südafrika führt. Ihre Reise stößt sicher (9) auf weltweites Interesse und so wird vermutlich (10) täglich in allen Medien über sie berichtet.

1 Theresa Geder dürfte schon über 70 Jahre alt sein und sie hat vor, die Welt in einem Oldtimer zu umrunden.

zu Schreiben, S. 18, Ü2

16 Blogbeitrag ÜBUNG 8

KOMMUNIKATION

Was passt stilistisch besser? Markieren Sie.

Im Internet las ich kürzlich einen *Aufsatz / Beitrag* (1) zum Thema „Glück". Der Autor *ging darauf ein / ließ sich darüber aus* (2), dass Glück eine Aufgabe für die Gesellschaft ist. Darüber habe ich auch schon oft nachgedacht. Ich finde, das ist *eine gute Idee / ein beachtlicher Gedanke, die / der* (3) viel zu selten geäußert wird. Zuverlässigkeit zum Beispiel hat für mich eine *große Bedeutung / extreme Wichtigkeit* (4), weil in einer Gesellschaft nicht jeder tun und lassen kann, was er will. Es macht Menschen glücklich, wenn sie sich auf andere verlassen können. Das konnte ich persönlich *beobachten / entdecken* (5), als es bei uns Hochwasser gab. Plötzlich gab es eine Welle der Solidarität. Nachbarn, die sich früher kaum grüßten, halfen sich gegenseitig mit den notwendigen Dingen. *Wenn ich die Macht hätte / Wenn ich es zu entscheiden hätte* (6), würde ich Steuern dazu verwenden, Menschen in Not schnell und effektiv zu helfen. Das bürgerliche Engagement, von dem *dieser Herr / der Autor* (7) schreibt, sollte in den Medien und durch die Politiker mehr Aufmerksamkeit erhalten. Außerdem sollte mehr Geld für Bildung *verschwendet / ausgegeben* werden (8), denn auch Bildung macht Menschen nachhaltig glücklich.

zu Wortschatz 1, S. 19, Ü1

17 Im Alltag

GRAMMATIK

Was passt? Markieren Sie.

1 Lassen Sie die Tablette langsam im Mund *zergehen / zerreden.*
2 Achtung, da ist eine Biene. Bitte nicht *zertreten / zerkauen.*
3 Diese Bluse ist aus einem ganz tollen Material. Der Look soll so *zerflossen / zerknittert* aussehen.
4 Ich suche dringend ein Mittel gegen Motten! Meine Teppiche sind schon ganz *zerfressen / zersetzt.*
5 Gestern habe ich mir wirklich lange den Kopf *zerplatzt / zerbrochen.* Aber ich kann einfach keine Lösung finden.
6 Das neue Produkt wird sich gut verkaufen, da bin ich sicher. Ich möchte Ihren Zweifel gern *zerstreuen / zerspringen.*

zu Wortschatz 1, S. 19, Ü1

18 Verben mit *miss-* und *zer-* ÜBUNG 9

GRAMMATIK

a **Ergänzen Sie die passende Vorsilbe und ordnen Sie die Sätze zu, die die Bedeutung des Verbs umschreiben.**

1 ______ pflücken
2 ______ gönnen
3 ______ brechen
4 ______ lingen
5 zer platzen — B
6 ______ schneiden
7 ______ schlagen
8 ______ trauen
9 ______ treten

A Die Bürgermeister durchtrennen zur Eröffnung des Gebäudes ein Band.
B Die Hoffnung auf Frieden hat sich nicht erfüllt.
C Der Redner nahm die Argumentation seines Vorredners auseinander.
D Die Farbauswahl für sein Gemälde ist ihm nicht so gut geglückt.
E Die Polizei hat einen Ring von Drogenhändlern aufgelöst.
F Nach dem Grillfest hat einer die Glut mit dem Fuß ausgemacht.
G Der Unternehmer war neidisch auf den Erfolg seines Konkurrenten.
H Als es auf den Boden fiel, ging das Glas kaputt.
I Er wollte sich auf seinen Geschäftspartner nicht verlassen.

b **Schreiben Sie Sätze in der Vergangenheit.**

1 Marion / sehr enttäuscht, weil / Freundin / Vertrauen / missbrauchen
Marion war sehr enttäuscht, weil ihre Freundin ihr Vertrauen missbraucht hat.
2 Michael / voller Vorfreude / Urlaub mit Gabi / , aber / Hoffnungen / zerbrechen
______
3 Dennis / sein Kollege / früher / jeden Erfolg / missgönnen
______
4 Oskar / Argumentation / Vorredner / in alle Einzelheiten / zerpflücken
______
5 Da / du / ganz schön / mich / missverstehen!
______
6 Vorfahrt / Autofahrer / missachten
______
7 Lottospieler / Traum / das große Geld / zerplatzen
______

zu Wortschatz 1, S. 19, Ü2

19 Alles auf den Müll? ÜBUNG 10

HÖREN

2 CD|AB

a **Lesen Sie die Fragen. Hören Sie dann das Gespräch im Radio und notieren Sie Stichpunkte.**

1 Thema der Sendung:
Alternativen zum Wegwerfwahn

2 Beruf des Studiogastes:

3 So viele Millionen Tonnen Sperrmüll gibt es pro Jahr in Deutschland:

4 Sperrmüll ist Müll, der ...

5 Zwei Möglichkeiten, um alte Sachen wiederzuverwerten:

6 Was hat Frau Petersen mit nach Hause gebracht?

7 Beruf von Herrn Petersen:

8 Warum hat Herr Petersen die alten Sachen repariert?

9 Unter nd3@radio.de kann man ...

b **Schreiben Sie Ihre Stellungnahme / Ihren Erfahrungsbericht an den Sender.**

Liebes nd3-Radio-Team,
ich habe Ihre Sendung vom 23. 05. mit großem Interesse verfolgt und ...

zu Wortschatz 1, S. 19, Ü3

20 Anleitung für Eintopf

GRAMMATIK

Ergänzen Sie *miss-* oder *zer-*. Manchmal gibt es mehrere Lösungen.

drücken • gehen • ~~klein machen~~ • kochen • laufen • (ge)lingen • pflücken • schneiden • fallen

Für dieses Rezept muss man alle Zutaten gut zerkleinern (1). Die Knoblauchzehe sollte man mit der Messerspitze __________ (2) statt sie zu schneiden. Die Butter langsam __________ (3) lassen. Die Petersilie sollte man nicht mit einem Messer __________ (4), sondern besser mit der Hand __________ (5). Das Gemüse auf keinen Fall zu lange auf dem Herd lassen, sonst __________ (6) es. Nicht auf zu hoher Temperatur kochen, sonst __________ (7) der Eintopf. Besonders die Bohnen __________ (8) sehr leicht. Lassen Sie sich dieses Gericht auf der Zunge __________ (9).

zu Hören 2, S. 20, Ü3

21 Richtig memorieren ÜBUNG 11

WORTSCHATZ

a **Merken Sie sich die sechs Wörter aus dem Songtext. Schließen Sie dann das Buch und notieren Sie diese auf ein separates Blatt. Wie viele Wörter haben Sie aufgeschrieben?**

der Fleck — satt
der Knast — der Trainer
das Bild — der Schwamm

b **Wiederholen Sie den Vorgang mit dieser Gruppe von Wörtern. Wie viele Wörter haben Sie sich gemerkt?**

die Polizistin — der Schiedsrichter
der Richter — der Platz
lebenslang — der Ersatz

c **Was ist Ihre Erfahrung? Markieren Sie.**

1 Man merkt sich neue Wörter, indem man sie
- ☐ im Kontext eines Wortfeldes lernt, zum Beispiel das Wortfeld *Fußball*.
- ☐ einzeln mit allen Formen (Artikel, Plural) aufschreibt.

2 Man schreibt Wörter, die man sich merken möchte, am besten so auf,
- ☐ dass sie thematische Gruppen bilden.
- ☐ dass alle alphabetisch geordnet untereinander stehen.

3 Es ist für das Memorieren effektiv, wenn man die zu lernenden Wörter
- ☐ fortlaufend in ein Heft schreibt.
- ☐ auf Kärtchen schreibt, digital oder in Papierform.

4 Vor dem Umdrehen einer Karte oder Abdecken einer Spalte mit Vokabeln muss man
- ☐ im Gedächtnis Gespeichertes abrufen.
- ☐ im Wörterbuch nachschauen.

zu Wortschatz 2, S. 21, Ü1

22 Verben mit *ent-* ÜBUNG 12

GRAMMATIK

a **Was passt? Ordnen Sie zu.**

entbürokratisieren • entfernen • entfristen • ~~enteisen~~ • enthaaren • entkalken • entlassen • entsalzen • entsorgen • entwässern • entwurzeln

im Haushalt	1 das Eisfach im Kühlschrank enteisen 2 den Plastik-Müll getrennt in Containern ______ 3 die Kaffeemaschine ______
Schönheitspflege	4 den Körper / die Achselhöhlen / die Beine ______ 5 den Nagellack ______
Umwelt & Klima	6 das Meerwasser ______ 7 sumpfige Gebiete ______ 8 Bäume ______
Soziales und Wirtschaft	9 einen Arbeitsvertrag ______ 10 wegen wirtschaftlicher Schwierigkeiten Mitarbeiter ______ 11 die Bearbeitung von Anträgen ______

b **Markieren Sie fünf Verben mit der Bedeutung „frei machen".**

- ☒ ein altes Fahrrad entrosten
- ☐ einen Fisch vor den Augen des Gastes entgräten
- ☐ eine Fahrkarte entwerten
- ☐ einen Plan entwerfen
- ☐ Ideen in der Gruppe entwickeln
- ☐ Probleme entstehen
- ☐ sich für ein Missgeschick entschuldigen
- ☐ sich zu einer Reise entschließen
- ☐ viele Vitamine enthalten
- ☐ die Weinflasche entkorken

zu Wortschatz 2, S. 21, Ü3

23 Aus dem Lateinischen? ÜBUNG 13

GRAMMATIK

Ergänzen Sie *ent-* oder *de-*.

1 Der Sportler ist vom Schwitzen total de hydriert. Er sollte dringend etwas trinken.
2 Für diesen Smoothie musst du die Äpfel ________ kernen und diese und die Orange dann ________ saften.
3 Lehrende sollten vermeiden, Lernende durch schlechte Noten zu ________ motivieren.
4 Könntest du bitte alle Programme ________ installieren, bevor du meinen alten Computer ________ sorgst?
5 Der Zug verunglückte gestern Nachmittag. Er ist in voller Fahrt ________ gleist. Dadurch wurde das regionale Bahnsystem für den Rest des Tages ________ stabilisiert.

zu Lesen 2, S. 22, Ü2

24 Neues aus der Welt der Medien ÜBUNG 14

HÖREN

CD AB

Hören Sie das Gespräch. Was ist richtig? Markieren Sie.

1 Welche Texte mag der Mann?
a gesellschaftsbezogene   b ironische

2 Wie findet die Frau die Idee, täglich eine Strecke zu gehen?
a absurd   b ansprechend

3 Der Mann lässt sich besonders von Filmen ins Kino locken, die ...
a gute Pointen haben.   b die Imagination anregen.

4 Welches Urteil fällt die Schwägerin der Frau über den Film? Er ist zu ...
a episch.   b langatmig.

5 Wie fand der Mann die Computeranimation?
a hektisch   b gelungen

6 Die Begeisterung für 3D Filme ...
a versteht die Frau nicht.   b deutet sich seit Jahren an.

zu Sehen und Hören, S. 23, Ü3

25 Inhaltsangabe: *Frau Ella*

WORTSCHATZ

Ergänzen Sie.

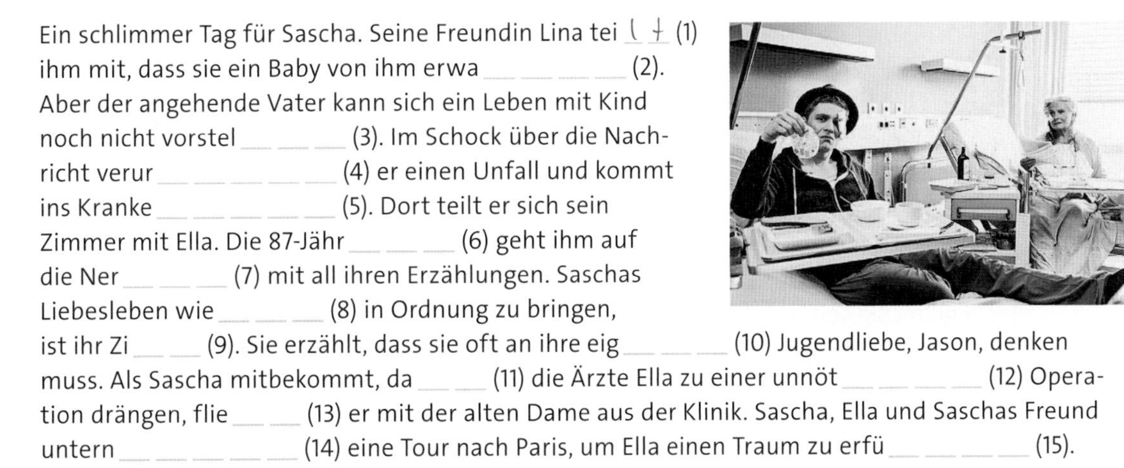

Ein schlimmer Tag für Sascha. Seine Freundin Lina tei lt (1) ihm mit, dass sie ein Baby von ihm erwa ________ (2). Aber der angehende Vater kann sich ein Leben mit Kind noch nicht vorstel ________ (3). Im Schock über die Nachricht verur ________ (4) er einen Unfall und kommt ins Kranke ________ (5). Dort teilt er sich sein Zimmer mit Ella. Die 87-Jähr ________ (6) geht ihm auf die Ner ________ (7) mit all ihren Erzählungen. Saschas Liebesleben wie ________ (8) in Ordnung zu bringen, ist ihr Zi ________ (9). Sie erzählt, dass sie oft an ihre eig ________ (10) Jugendliebe, Jason, denken muss. Als Sascha mitbekommt, da ________ (11) die Ärzte Ella zu einer unnöt ________ (12) Operation drängen, flie ________ (13) er mit der alten Dame aus der Klinik. Sascha, Ella und Saschas Freund untern ________ (14) eine Tour nach Paris, um Ella einen Traum zu erfü ________ (15).

zu *Wussten Sie schon?*, S. 23

26 Neue deutsche Komödien ÜBUNG 15

LANDESKUNDE / LESEN

Lesen Sie den Text. Was ist richtig? Markieren Sie.

Deutsche Komödien auf internationalem Erfolgskurs

Wenn Deutsche ins Kino gehen, sehen sie sich mit Vorliebe ausländische Filme an. Seit 2007 erfreuen sich deutsche Filme jedoch zunehmender Beliebtheit. 2014 erreichten sie einen Anteil von mehr als 40 Prozent am Inlandsmarkt. Warum sind deutsche Filme im eigenen Land plötzlich so erfolgreich?
5 Angefangen hat der Hype mit der Komödie „Keinohrhasen" von Til Schweiger: Im Jahr 2007 wollten 6,3 Millionen diesen Spaß über eine schwierige Beziehung sehen. Noch erfolgreicher war „Fack ju Göhte": Die Schulkomödie von dem Regisseur Bora Dagtekin brach mit 7,1 Millionen Zuschauern alle Rekorde. Welche Erfolgsfaktoren machen diese und andere Komödien zu Kassenknüllern? Komödien-Superstar Matthias Schweighöfer dazu: „Für mich sind deutsche Komödien oft wie Popsongs.
10 Jeder kriegt gute Laune und kann mitsingen. Ich glaube, wir dürfen immer frecher und radikaler sein. Das gefällt den Leuten."

Der 35-jährige Regisseur Bora Dagtekin hat mit „Fack ju Göhte" eine neue deutsche „Frechheit" begründet. Seine Formel: Bloß nicht zu politisch korrekt sein. Er lässt seine Figur Zeki Müller alias Elyas M'Barek als Aushilfs-Lehrer mit Paintballs auf seine undisziplinierten Schüler schießen. Die
15 Zuschauer sollen sich mit den Geschichten und den Figuren identifizieren. „Dazu braucht man gute Dialoge und Schauspieler", meint Til Schweiger. Vor allem sei es wichtig, mit Komödien die Zuschauer auch emotional zu berühren. Schweighöfer und Schweiger sind sich einig: Sie mögen Komödien, die zu Tränen rühren und über die man sich gleichzeitig totlachen kann. Dass so etwas funktioniert, hat Schweighöfer mit dem Film „Frau Ella" bewiesen.

20 Die Kunst der neuen Komödienmacher liegt darin, ein breites Publikum zu erreichen. Das gelingt Schweiger, Schweighöfer und Dagtekin mit großer Treffsicherheit. Schweiger: „Es gab natürlich auch schon in den 1980er- oder 1990er-Jahren immer wieder gute Kinokomödien, wie etwa ‚Männer' von Doris Dörrie. Aber solche Filme waren damals wirklich eine Seltenheit." Heute gibt es wieder Publikumslieblinge im deutschen Kino. Dazu gehört seit Jahren schon Matthias Schweighöfer.
25 Mit Filmen, bei denen er auch Regie führte, schuf er seine eigene Marke. Was allerdings auffällt: Die meisten Publikumsmagneten sind Männer. Das kritisiert auch Bora Dagtekin: „Stars, egal ob sie weiblich oder männlich sind, können sich nicht selbst erschaffen, sondern eine Industrie muss sie aufbauen und mit guten Projekten pflegen." Für Schauspielerinnen der jüngsten Kinoerfolge wie Ruth Maria Kubitschek (Ella) und Karoline Herfurth (Fack ju Göhte) wurde das getan. Es besteht also
30 durchaus Hoffnung, dass in Zukunft mehr Frauen die Lacher auf ihrer Seite haben werden.

1 Wie entwickelten sich die Zuschauerzahlen im deutschen Kino?
- a Deutsche Filme haben vergleichsweise mehr Zuschauer gewonnen.
- b Die Zahl der Zuschauer hat sich stabilisiert.
- c Über 40 Prozent mehr Zuschauer haben 2014 deutsche Filme gesehen.

2 Ein wichtiger Erfolgsfaktor ist:
- a Die Komödien sind lustiger geworden.
- b Die Regisseure achten auf politisch korrekte Filmstoffe.
- c Das Publikum ist emotionaler geworden.

3 Erfolgreiche deutsche Filmkomödien gibt es ...
- a erst seit ein paar Jahren.
- b gehäuft seit 2007.
- c regelmäßig seit den 80er- und 90er-Jahren.

4 Was ist auffällig bei den Darstellern? Es gibt ...
- a drei große Stars: Schweighöfer, Schweiger und Dagtekin.
- b wenige gute Schauspielerinnen.
- c wenige Komödien, in denen Frauen die Stars sind.

SPRECHEN, S. 14

verglichen mit, verglich,
hat verglichen

HÖREN 1, S. 15

die Manie, -n
das Navigationssystem, -e
die Sucht, ⸚e

etwas (Dat.)/jemandem
Aufmerksamkeit schenken

LESEN 1, S. 16–17

die Albernheit, -en
die Beschleunigung, -en
die Glosse, -n
der Held, -en
die Heldin, -nen
die Hyperaktivität, -en
die Kolumne, -n
die Nahrungsaufnahme (Sg.)
die Rastlosigkeit, -en
die Reduktion, -en
die Suchmaschine, -n

beeinträchtigen
benötigen
kraulen
reflektieren
sich widersetzen

zur Kenntnis nehmen, nahm,
hat genommen
die Segel streichen, strich,
hat gestrichen
sich einer Sache verschreiben

analog
hektisch
ironisch
unaufhaltsam
würdevoll

je (= jemals)
wohingegen

SCHREIBEN, S. 18

der Neid (Sg.)
die Priorität, -en
das Schicksal, -e
die Solidarität (Sg.)

gönnen
missglücken
missgönnen
zerreden

sich (Dat.) eine Sache bewusst
machen

bürgerschaftlich

inwiefern

WORTSCHATZ 1, S. 19

das Bewusstsein (Sg.)
die Einsicht, -en
der Misserfolg, -e

entschlüsseln
entsorgen
hacken
missachten
missfallen, missfiel,
hat missfallen
misslingen, misslang,
ist misslungen
missraten, missriet, ist missraten
missverstehen, missverstand,
hat missverstanden
platzen
schiefgehen, ging schief,
ist schiefgegangen
verzweifeln
zerdrücken
zerfallen, zerfiel, ist zerfallen
zerfließen, zerfloss, ist zerflossen
zergehen, zerging, ist zergangen
zerhacken
zerkochen
zerlaufen, zerlief, ist zerlaufen
zerlegen
zerplatzen
zerreißen, zerriss, hat zerrissen
zerschneiden, zerschnitt,
hat zerschnitten
zerspringen, zersprang,
ist zersprungen
zerstreuen

HÖREN 2, S. 20

die Anspielung, -en
der Aufbruch (Sg.)
die Ballade, -n
der Knast (Sg.)
der Schiedsrichter, -
der Schwamm, ⸚e
der Touch, -s

etwas legt sich

melancholisch

der Zahn der Zeit

WORTSCHATZ 2, S. 21

deaktivieren
dehydrieren
deinstallieren
demotivieren
destabilisieren
entgiften
entkernen
entkleiden
entmutigen
entsaften
entzaubern
entziehen, entzog, hat entzogen

verspannt sein

LESEN 2, S. 22

die Andeutung, -en
das Drama, die Dramen
die Imagination, -en
die Miene, -n
die Pointe, -n

sich andeuten
komponieren
locken
mithalten, hielt mit,
hat mitgehalten

Aufmerksamkeit erfordern
jemandem auf die Schliche
kommen, kam, ist gekommen

absurd
episch
kulturkritisch
langatmig
umwerfend

eine Sache an sich

SEHEN UND HÖREN, S. 23

etwas (Dat.) / jemandem
Beachtung schenken

Nomen mit der Angabe (Sg.) verwendet man (meist) nur im Singular.
Nomen mit der Angabe (Pl.) verwendet man (meist) nur im Plural.

1

LEKTIONSTEST 1

1 Wortschatz

Was passt? Markieren Sie.

1 Man nimmt etwas ☐ zur Kenntnis. ☐ zur Verantwortung. ☐ zur Entscheidung.
2 Man schenkt jemandem oder etwas ☐ Bezug. ☐ Beachtung. ☐ Bedeutung.
3 Man verschreibt sich ☐ einer Information. ☐ einer Sache. ☐ einer Kenntnis.
4 Man schenkt jemandem ☐ Eindrücke. ☐ Fragen. ☐ Aufmerksamkeit.
5 Man macht sich … bewusst. ☐ eine Beachtung ☐ einen Touch ☐ eine Sache

Je 1 Punkt **Ich habe ____ von 5 möglichen Punkten erreicht.**

2 Grammatik

a **Was passt? Ergänzen Sie *muss, müsste, dürfte, könnte, kann nicht, will, soll* (2 x).**

■ Ein Stück der Hochzeitstorte von Prinz Alexander und Prinzessin Miranda ________ (1) bei einer Auktion für mindestens 1500 Euro versteigert werden. Das habe ich irgendwo gelesen.
◆ Wer zahlt denn so viel für ein altes Kuchenstück? So jemand ________ (2) verrückt sein!
■ Bei dem Käufer ________ (3) es sich (vermutlich) um einen Fan der Königsfamilie handeln.
◆ Es ________ (4) auch sein, dass jemand damit ein gutes Werk tun will, das wäre möglich. Denn der Erlös ________ (5) an ein Kinderkrankenhaus gehen, das habe ich gehört.
■ Wenn das stimmt, dann ________ (6) das auch Dr. Brinkmann interessieren. Da bin ich mir fast sicher. Er hat viel Geld und unterstützt damit oft gute Zwecke.
◆ Gestern habe ich die Gräfin von Mettow getroffen. Sie ________ (7) bei der Hochzeit von Alexander und Miranda eingeladen gewesen sein. Glaubst du, das stimmt?
■ Das ________ (8) sein, das ist unmöglich! Denn sie hat Streit mit Alexanders Mutter.

Je 1 Punkt **Ich habe ____ von 8 möglichen Punkten erreicht.**

b **Bilden Sie mit *miss-, zer-, ent-, de-* Verben in der richtigen Form aus den Wörtern *achten, deuten, brechen, laden, maskieren, motivieren, rätseln, schneiden.***

1 Aus Versehen ____ Max sein Abiturzeugnis mit der Schere ________.
2 Thomas ____ die Vorfahrt ________ und so beinahe einen Unfall verursacht.
3 Katharinas Smartphone ____ sich ________, es ging nichts mehr.
4 Marina hat schlechte Noten und keine Lust zu lernen. Sie ist richtig ________.
5 Eine Vase ist heruntergefallen und ____ ________.
6 Alexandra ____ schließlich das Familiengeheimnis um ihren Urgroßvater ________.
7 Tanja hat Andreij eine Ohrfeige gegeben, weil sie seine Absichten ________.
8 Der falsche Bart ist verrutscht und so ____ sich der Betrüger ________.

Je 1,5 Punkte **Ich habe ____ von 12 möglichen Punkten erreicht.**

3 Kommunikation

Bringen Sie die Sätze in die richtige Reihenfolge.

A Zunächst möchten wir die Begriffe „Großfamilie“ und „Kleinfamilie“ definieren. ☐
B In unserem Vortrag befassen wir uns mit dem Thema „Veränderungen in der Familie“. ☐
C Danach werden wir auf die Veränderungen in der Familienstruktur eingehen. ☐
D Als Fazit lässt sich festhalten, dass es heute immer mehr Single-Haushalte gibt. ☐
E Das war Dimitry mit der Einführung. In meinem Beitrag geht es nun um das Thema „Großfamilie und Kleinfamilie“. ☐

Je 1 Punkt **Ich habe ____ von 5 möglichen Punkten erreicht.**

Auswertung: Vergleichen Sie Ihre Lösungen mit S. AB 201.
Ihre Erfolgspunkte tragen Sie unter jeder Aufgabe ein.

Ich habe ____ von 30 möglichen Punkten erreicht.

☺	😐	☹
30–26	25–15	14–0

WIEDERHOLUNG WORTSCHATZ

1 Reisende soll man nicht aufhalten.

a Ergänzen Sie in der richtigen Form.

Ausrüstung • Beliebtheitsskala • ~~Stammgast~~ • Ausgefallenes • Begleitung • Leihwagen • Dienstleistungen • abenteuerlustig • ursprünglich • mühelos • erholungsbedürftig • inbegriffen • wasserscheu

Es gibt verschiedene Arten, Urlaub zu machen: Viele fühlen sich am wohlsten, wenn sie als Stammgast (1) jedes Jahr ins gleiche Hotel reisen, andere wollen in den schönsten Wochen im Jahr etwas ______ (2) machen.

Ganz weit oben auf der ______ (3) stehen weiterhin Reisen, bei denen alles ______ (4) ist, also ein All-inclusive-Urlaub in einem gepflegten Hotel. Die Urlauber sind ______ (5) und schätzen die umfassenden ______ (6) des Hotelpersonals. Falls man doch allein oder nur in ______ (7) von Familienangehörigen oder Freunden etwas unternehmen möchte, besorgt man sich einen ______ (8).

Wer besonders ______ (9) ist, kann bei spezialisierten Reiseveranstaltern beispielsweise aufregende Wildwassererlebnisse, sogenannte Rafting-Ausflüge, buchen. Ist man eher ______ (10), könnte man stattdessen auf wackeligen Hängebrücken in schwindelerregenden Höhen Flüsse und Schluchten überqueren oder ganz ______ (11) an einer Seilrutsche hängend von Baum zu Baum gleiten. Diese aufregende Fortbewegungsart stammt aus den ______ (12) Urwäldern Südamerikas und Asiens. Natürlich stellen die Veranstalter eine sichere ______ (13) zur Verfügung.

b Welches Verb passt nicht? Streichen Sie durch.

1 Das Außenministerium *warnt davor* / ~~*macht darauf aufmerksam*~~ / *rät davon ab*, in politische Krisengebiete zu reisen.
2 Hella möchte ihre Familie zu einer abenteuerlichen Safari *überreden/fragen/animieren*.
3 Vor dem Aufbruch in ein unbekanntes Land sollte man sich mit den Eigenheiten der Menschen vor Ort *verständigen / vertraut machen / befassen*.
4 An besonders schönen Orten sollte man *verweilen / stagnieren / sich länger aufhalten*.
5 Man erlebt eine Reise oft intensiver, wenn man sich auf eine Region *beschränkt/konzentriert/reduziert*.

zur Einstiegsseite, S. 25, Ü2

WORTSCHATZ

2 Satzpuzzle

Lesen Sie die Durchsagen im Zug und verbinden Sie jeweils die passenden Satzteile.

1 Junger Mann, wenn Sie der Frau keinen Heiratsantrag machen –	die Klimaanlage in diesem Zug ist nicht defekt.	Nur unser Lokführer nicht.
2 Eine etwas peinliche Durchsage –	die Verspätung zu entschuldigen.	Es gibt keine!
3 Sehr geehrte Fahrgäste, ich persönlich bitte,	alle wussten, dass wir in Fulda halten.	Wir würden gerne weiterfahren.
4 Eine kurze Information, bevor genörgelt wird –	gehen Sie bitte von der Tür weg!	Ich bin gerade Vater geworden!

zu Lesen, S. 26, Ü2

3 Arbeiten, wo andere Urlaub machen ÜBUNG 1

HÖREN

a **Lesen Sie die Aussagen und hören Sie das Interview in Abschnitten. Was ist richtig? Markieren Sie.**

Abschnitt 1

1 Emma Karlinger wusste nach der Schule,
- a dass sie ein Studium machen wollte.
- b dass sie viel Geld verdienen wollte.
- c dass sie viele Möglichkeiten hatte; sie konnte sich aber zunächst für keine entscheiden.

2 Als Animateurin hat man
- a permanent mit Menschen zu tun.
- b manchmal das Gefühl, auch im Urlaub zu sein.
- c häufig scheue Hotelkollegen.

Abschnitt 2

1 Wer diesen Beruf ausüben möchte,
- a sollte Spiele improvisieren können.
- b sollte unterhaltsam sein.
- c muss ein guter Sportler sein.

2 Emma mag ihren Job, weil
- a es in ihrer Arbeit weniger stressig als in einem Krankenhaus oder in einer Bank ist.
- b sie mit den Touristen Fremdsprachen üben kann.
- c sie Menschen in Urlaubslaune eine gute Zeit bereiten kann.

3 Schwierig ist es für sie manchmal,
- a wenn einige im Team länger schlafen als andere.
- b wenn sie zu lange arbeiten muss und zusätzlich noch in einem schwierigen Team ist.
- c wenn die Kollegen sich gegenseitig mit ihren Problemen belasten.

Abschnitt 3

1 In ihrem künftigen Studium im Tourismusmanagement
- a hat sie schon einige Qualifikationen vorzuweisen.
- b hört sie ganz auf, als Animateurin zu arbeiten.
- c muss sie weniger Verantwortung übernehmen als in ihrem Job als Animateurin.

2 Wer als Animateur arbeitet,
- a macht das meist für viele Jahre.
- b kann sich ein gutes Bild von der Tourismusbranche machen.
- c verdient relativ gut.

b **Könnten Sie sich vorstellen, als Animateur/in zu arbeiten? Warum (nicht)? Schreiben Sie eine E-Mail an Emma.**

Liebe Emma,

Deinen Bericht über die Tätigkeit eines Animateurs fand ich sehr interessant …

zu *Wussten Sie schon?*, S. 28

4 Heiteres Beruferaten ÜBUNG 2

LESEN

Lesen Sie den folgenden Zeitungsartikel. Welche Aussagen sind richtig? Markieren Sie.

1. Jede/r Bewerber/in sollte Berufsbezeichnungen wie „Director of Human Resources" verstehen.
2. Mit englischsprachigen Stellenausschreibungen wollen sich Firmen ein internationales Flair geben.
3. Werden Stellenanzeigen von Agenturen verfasst, steht im Vordergrund, wie reizvoll sie klingen.
4. Bezeichnungen wie „First Level Supporter" sind von Arbeitssuchenden gewünscht.
5. Besonders weniger gebildete Jugendliche werden von englischen Berufsbezeichnungen abgeschreckt.
6. Die Suche nach neuen Mitarbeitern gelingt oft besser, wenn die Ausschreibungen in der Muttersprache formuliert sind.
7. Nicht immer geht aus einer teilweise auf Englisch formulierten Anzeige die Kernaufgabe der ausgeschriebenen Stelle hervor.

Berufsbezeichnungen in englischer Sprache verwirren Bewerber

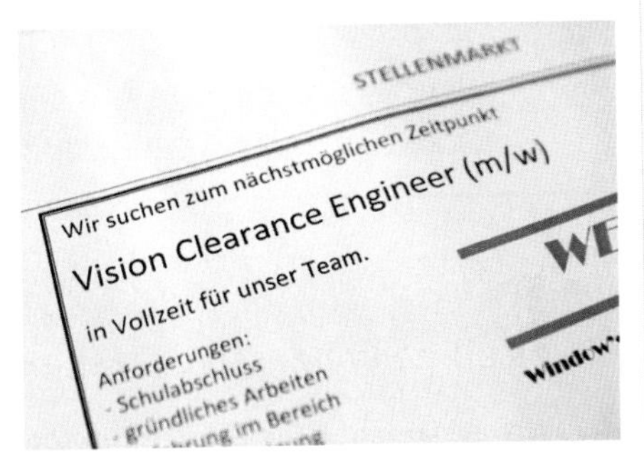

Ein „Director of Human Resources" ist verantwortlich für das Personal im Unternehmen. Auf gut Deutsch: Er ist Personalleiter. Diese Berufsbezeichnung klingt solide und ist für jedermann verständlich. Immer mehr Unternehmen wollen sich aber international aufstellen und verstehen sich als Global Player. Daher ist es mittlerweile üblich, Stellen lieber in englischer Sprache auszuschreiben – auch in hierzulande ansässigen Unternehmen.

Das kann im Berufsleben zu Problemen führen: „Die Namensbildung geht zu sehr danach, was sich gut anhört", meint der Betriebslinguist Reiner Pogarell. „Das kommt daher, dass häufig Agenturen damit beauftragt werden, die Stellenanzeigen zu formulieren." Im Vordergrund steht dabei, was sich am besten vermarkten lässt.

Was macht ein „Key Accounter"? Wofür ist ein „Billing Manager" zuständig? Und welcher Beruf verbirgt sich hinter einem „First Level Supporter"? Letzterer nimmt zum Beispiel Reklamationen entgegen. Früher wäre die Tätigkeit vermutlich „Telefonischer Kundendienst" genannt worden. Das klingt in der Tat ziemlich trocken. Dennoch ziehen Jobsuchende die deutsche Berufsbezeichnung oft vor.

„Sie möchten verstehen, um welche Tätigkeit es sich handelt", sagt Joachim Gerd Ulrich vom Bundesinstitut für Berufsbildung (BIBB) in Bonn. Er hat diese Erfahrung vor allem mit Jugendlichen gemacht. „Sie werden von englischen Berufsbezeichnungen abgeschreckt, das verstärkt sich noch, je geringer der Bildungsgrad ist", hat Ulrich beobachtet. „Aber auch Gymnasiasten lehnen in punkto Berufsbeschreibung das Englische überwiegend ab."

Erwachsene Bewerber möchten ebenfalls Klarheit, was ihren Beruf betrifft. Eine Personalagentur ist zum Beispiel erfolgreicher bei der Akquise von Mitarbeitern, seit sie Stellenanzeigen komplett in deutscher Sprache formuliert.

Bewerber sollten sich von englischen Berufsbezeichnungen nicht einschüchtern lassen. „Man muss die Stellenanzeigen sehr aufmerksam durchlesen", sagt der Karriereberater Uwe Schnierda. „Oft geht aus den Anzeigen aber nicht eindeutig hervor, was die Kernaufgaben eines Jobs sind." Ein „Billing Manager" etwa führt in der Regel die Tätigkeiten eines Buchhalters aus. Ein „Key Accounter" kann ein Großkundenbetreuer sein, manchmal ist er aber einfach nur ein Verkäufer.

WIEDERHOLUNG GRAMMATIK

zu Lesen, S. 28, Ü3

5 Jobs auf Kreuzfahrtschiffen

a **Was passt? Markieren Sie.**

1 Ein Steward hat auf einem Kreuzfahrtschiff wenige Pausen, er ist *dennoch/trotz/obwohl* mit seinem anstrengenden Fulltime-Job zufrieden. (obwohl)
2 *Dennoch/Selbst wenn/Trotz* einer Arbeitszeit von 16–20 Stunden am Tag hat der Barkeeper Vergnügen an der Arbeit. (trotzdem)
3 *Trotzdem/Obwohl/Trotz* die Wünsche der Gäste ungewöhnlich sind, findet die Managerin eine kreative Lösung. (selbst bei)
4 Die Beschwerden der Gäste sind teilweise unangemessen, *trotzdem/obwohl/selbst bei* bleibt das Personal ruhig und höflich. (trotz)

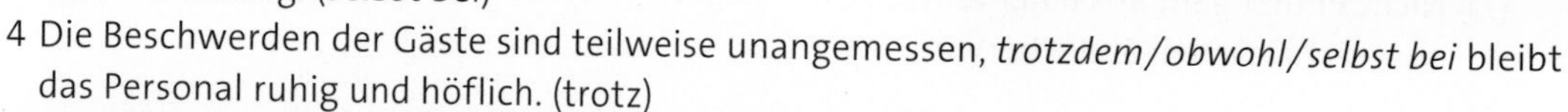

5 *Trotzdem/Selbst bei/Obwohl* weinenden Kleinkindern behält ein professioneller Animateur seine gute Laune und seinen Humor. (dennoch)

b **Formulieren Sie die Sätze aus a mit den Konnektoren in den Klammern um.**

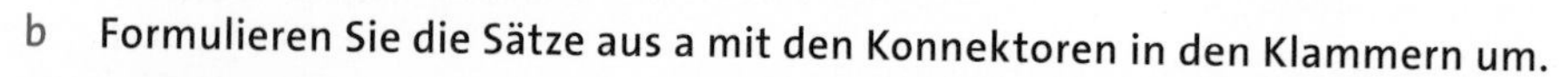

1 Obwohl ein Steward auf einem Kreuzfahrtschiff wenige Pausen hat, ist er mit seinem anstrengenden Fulltime-Job zufrieden.

zu Lesen, S. 28, Ü3

6 Zweiteilige konzessive Konnektoren

GRAMMATIK ENTDECKEN

a **Unterstreichen Sie die Konnektoren im Nebensatz und die Position des Subjekts und des Verbs im Hauptsatz.**

1 a Wie ansprechend Alexanders Bewerbungsunterlagen auch sind, er hat bisher nur Absagen bekommen.
b Wenn Alexanders Bewerbungsunterlagen auch ansprechend sind, so hat er bisher doch nur Absagen bekommen.
c Obwohl Alexanders Bewerbungsunterlagen ansprechend sind, hat er bisher nur Absagen bekommen.

2 a Wenn manche Gäste auch schwierig sind, ein professioneller Hotelmanager bleibt geduldig.
b Wie schwierig manche Gäste auch sind, so bleibt ein professioneller Hotelmanager doch geduldig.
c Obwohl manche Gäste schwierig sind, bleibt ein professioneller Hotelmanager geduldig.

3 a Wenn man auch weit weg von der Heimat ist, so fühlt man sich als Crewmitglied auf dem Schiff doch zu Hause.
b Wie weit weg von der Heimat man auch ist, auf dem Schiff fühlt man sich als Crewmitglied zu Hause.
c Obwohl man weit weg von der Heimat ist, fühlt man sich als Crewmitglied auf dem Schiff zu Hause.

b **Was ist richtig? Ergänzen Sie und markieren Sie.**

1 Nach Nebensätzen mit den Konnektoren *wenn … auch, wie … auch* beginnt der folgende Hauptsatz …
[a] mit dem Verb. [b] mit dem Subjekt, mit einem anderen Satzteil oder mit *so*.

2 Nach Nebensätzen mit dem Konnektor *obwohl* beginnt der folgende Hauptsatz mit ____________

3 Nach *wie* folgt …
[a] ein Nomen. [b] ein Adjektiv oder ein Adverb.

zu Lesen, S. 28, Ü3

7 Trends im Tourismus ÜBUNG 3, 4, 5

GRAMMATIK

a **Ergänzen Sie die Sätze.**

1 Obwohl Urlaube in der Hauptsaison teurer sind, müssen Familien mit schulpflichtigen Kindern gerade dann verreisen.
Wenn Urlaube in der Hauptsaison auch teurer sind,
Familien mit schulpflichtigen Kindern müssen gerade dann verreisen.

2 Städtereisen sind anstrengend, trotzdem boomt diese Reise- und Urlaubsform.
Wenn ______ auch ______, so ______ doch.

3 Obwohl ein Campingplatz wenig Komfort bietet, steigt die Nachfrage nach Campingurlauben.
Wenn ______ auch ______, ______

4 Zwar liegen Aktivurlaube im Trend, aber viele Urlauber wollen sich nur am Strand erholen.
Wenn ______ auch ______, so ______ doch
______

b **Formulieren Sie die Sätze mit *wie ... auch* um.**

1 Ihre Qualitätsansprüche sind zwar stark gewachsen, dennoch sind die Kunden sehr preisbewusst.
2 Das Risiko ist zwar groß, aber die Tourismusbranche muss auf wechselnde Trends reagieren.
3 Eine Kreuzfahrt ist teuer, trotzdem buchen immer mehr Urlauber solche Unternehmungen.
4 Obwohl Flugzeuge die Luft stark verschmutzen, wählen viele Reisende dieses Verkehrsmittel.

1 Wie stark ihre Qualitätsansprüche auch gewachsen sind, die Kunden sind sehr preisbewusst / so sind die Kunden doch sehr preisbewusst.

zu Lesen, S. 28, Ü3

8 Das Adlon: Eine Familiensaga

FILMTIPP / WORTSCHATZ

Lesen Sie die Inhaltsangabe zum Film und ergänzen Sie die fehlenden Buchstaben.

Dieser dreiteilige Fernseh f i l m (1) erzählt die Gesch ____ (2) des Hotels und seiner Menschen üb __ (3) vier Generationen hinweg, von seiner Grün ___ (4) Anfang des 20. Jahrhunderts bi _ (5) zur Wiedereröffnung kurz vor En __ (6) des gleichen Jahrhunderts. Den rot __ (7) Faden, der sich dur __ (8) alle Filmteile zieht, bil ___ (9) dabei das Leben der fikt ____ (10) Hauptfigur Sonja Schadt. Ihr Vater, Gustaf, unters _____ (11) seinen Freund Lorenz Adlon, al _ (12) dieser seinen Traum vom eige ___ (13) großen Hotel verwirklichen wi __ (14). Für Sonja bricht eine Welt zusa ______ (15), als sie am Sterbebett ihres Vaters erfä ___ (16), dass sie in Wirkli ______ (17) nicht die Tochter, sond ___ (18) die Enkelin von Gustaf und sei ___ (19) Frau ist und ihre unverhei ______ (20) Schwester eigentlich ihre Mut ___ (21) ist. Mit 17 Jahren verlä ___ (22) Sonja ihre Familie und zie __ (23) ins Hotel Adlon zu ihr __ (24) Patenonkel Lorenz. Dort erl ____ (25) sie die Blütezeit des Hot ___ (26) und taucht hautnah ins Großstadtleben der sogena _____ (27) „goldenen", aber auch wilden Zwanzigerjah __ (28) ein. Es folgen turbulente Zei ___ (29) für Sonja und auch das Hotel Adlon, mit Inflation, Diktatur, Krieg und Zerst ______ (30), soda ___ (31) sie Deutschland den Rücken kehrt und nach Amer ____ (32) auswandert. Erst nach der Vereinigung der beiden deuts _____ (33) Staaten im Jahr 1989/90 erfü ___ (34) sich für die inzwischen über 90-Jähr ___ (35) Sonja ein Lebenstraum: Das Adlon wird von ihrer Enke ___ (36) wieder eröffnet.

zu Hören 1, S. 29, Ü1

9 Skurrile Urlauber-Beschwerden ÜBUNG 6

SCHREIBEN

a **Lesen Sie die folgenden kuriosen Urlauber-Beschwerden, die bei verschiedenen Reiseveranstaltern eingegangen sind. Finden Sie für jede Beschwerde eine passende Überschrift.**

1 Scharfes Besteck unerwünscht!

Wir kamen mit dem Besteck gar nicht zurecht und haben uns an den extrem scharfen Messern und den spitzen Gabeln sogar mehrmals verletzt. Anbei senden wir Ihnen die Rechnung für das von uns neu gekaufte Besteck. Wir bitten Sie um Kostenerstattung.

5 2 ______

Ein unzufriedener Kunde schrieb an den Reiseveranstalter: „Leider konnte ich auf der bei Ihnen gebuchten Tauchreise mehrere Tauchgänge nicht mitmachen. Ich hatte mir in meiner Kabine starke Nackenschmerzen zugezogen, nachdem ich 10 meinen Kopf beim Fernsehen ständig stark verdrehen musste – der Bildschirm über dem Bett war nämlich extrem ungünstig angebracht. Ich gehe davon aus, dass die Reiserücktrittsversicherung mir das Geld für die stornierten Tauchgänge erstattet."

3 ______

15 Aufgrund einer mehrstündigen Flugverspätung beschwerte sich ein Fluggast bei seinem Reiseveranstalter. Sein Biorhythmus sei dadurch so ins Ungleichgewicht geraten, dass dies eine längere Krankschreibung zur Folge hatte. Nun erwarte er dafür eine Entschädigung in Höhe von 1500 Euro, die man ihm auf das angegebene Konto überweisen möge.

4 ______

20 Eine Kundin beklagte sich bei ihrem Reisebüro über das zu schnelle Verschwinden der Sonne auf den Seychellen. Sie hatte die Reise in der Hoffnung gebucht, sich mit ihrem Ehemann wieder besser zu verstehen und wollte dafür Sonnenuntergänge am Strand nutzen. Beeindruckend sei das Naturspektakel am frühen Abend zwar schon gewesen, aber viel zu kurz, um in die entsprechende romantische Stimmung zu zweit zu kommen. 25 Aus der geplanten Versöhnung sei wegen der knappen stimmungsvollen Zeit nun nichts geworden. Als Lehrerin für Geografie hätte sie allerdings wissen müssen, dass aufgrund der Nähe zum Äquator die Sonnenbahn steiler und die Abenddämmerung folglich kürzer ist.

5 ______

Eine besonders hartnäckige Störung beklagt ein Herr, 30 der mit seiner Ehefrau eine Reise nach London unternommen hatte und eine Maus im Hotelzimmer vorfand. Nicht nur, dass es dem Hotelpersonal nicht gelang, die Maus zu vertreiben, diese machte sich auch noch über die Schokolade des Paares her und fraß sie komplett auf. 35 Das Paar erwartet, dass sich der Reiseveranstalter bei ihnen entschuldigt und ihnen als Entschädigung fünf Tafeln Schokolade zukommen lässt.

b **Wählen Sie eine Beschwerde aus a und antworten Sie als Reiseveranstalter darauf. Verwenden Sie einige der folgenden Formulierungen.**

„... erhielten wir Ihr Schreiben vom ...
Darin beschweren Sie sich darüber, dass ...
Verständlicherweise wurde Ihre Urlaubsfreude durch ...
Wir bedauern ..., aber ... beinhaltet keine ...
.... liegt außerhalb unserer Verantwortung.
Dennoch ... als Entschädigung ... anbieten.
Allerdings ist es uns leider nicht möglich, ...“

zu Hören 1, S. 29, Ü2

10 Ostseehotel „Strandperle“

Ergänzen Sie die konditionalen Konnektoren *wenn, falls/sofern* oder *bei*.

Unsere Perle an der Ostsee

Herzlich willkommen in unserem Hotel „Strandperle“. Unser Dreisternehotel hat 25 exklusiv eingerichtete Zimmer und Suiten, alle Zimmer bieten vom Balkon aus einen traumhaften Blick aufs Meer. Wenn (1) Sie einen Badeurlaub an der Ostsee verbringen möchten, sind Sie bei uns genau richtig. ______ (2) Sie gerne längere Wanderungen an der Steilküste oder in den Dünen unternehmen, ist unser Hotel ideal. ______ (3) Sie Kinder haben, die am Strand spielen wollen, haben Sie die Kleinen von der Hotel-Terrasse aus im Blick. ______ (4) Hunger und Durst sorgen das Fisch-Restaurant „Scholle“ sowie die Hotelbar für Sie. Mit 280 Sonnentagen im Jahr lädt Sie die sonnenreichste Region Deutschlands zu Strandleben, Sport oder Ausflügen ein.

______ (5) das Wetter einmal schlecht sein sollte, verwöhnen wir unsere Gäste u. a. mit Blocksauna, Dampfbad und Aroma-Vital-Duschen.
Übrigens: ______ (6) längeren Aufenthalten im Frühjahr und im Herbst kann der Preis für jede Nacht um 50 % gesenkt werden.

zu Hören 1, S. 29, Ü2

11 Zweiteilige restriktive Konnektoren

GRAMMATIK ENTDECKEN

a **Vergleichen Sie die Sätze. Markieren Sie in der rechten Spalte die Konnektoren.**

1 Das Hotel „Strandperle“ bietet im Prinzip ein gutes Preis-Leistungs-Verhältnis, aber das Essen im hoteleigenen Restaurant ist etwas teuer.	Das Hotel „Strandperle“ bietet im Prinzip ein gutes Preis-Leistungs-Verhältnis, außer dass das Essen im hoteleigenen Restaurant etwas teuer ist.
2 Man kann schöne Spaziergänge am Strand machen, nur dann nicht, wenn es sehr stürmisch ist.	Man kann schöne Spaziergänge am Strand machen, außer wenn es sehr stürmisch ist.
3 Die Radtouren sind ebenfalls sehr schön, aber der Gegenwind ist manchmal zu stark und man muss das Rad schieben.	Die Radtouren sind ebenfalls sehr schön, nur dass der Gegenwind manchmal zu stark ist und man das Rad schieben muss.
4 An der Bar kann man sich abends gute Cocktails ohne Alkohol mixen lassen, nur dann nicht, wenn der Barkeeper Sven (der Cocktailspezialist) gerade Urlaub hat.	An der Bar kann man sich abends gute Cocktails ohne Alkohol mixen lassen, es sei denn, dass der Barkeeper Sven (der Cocktailspezialist) gerade Urlaub hat.

b **Welche Konnektoren haben in den Sätzen in a die gleiche Bedeutung? Ergänzen Sie *aber* oder *nur dann nicht, wenn*.**

außer dass	aber	es sei denn, (dass)	
nur dass		außer wenn	

zu Hören 1, S. 29, Ü2

12 Restaurant „Nordlicht“

GRAMMATIK

Ergänzen Sie *es sei denn, dass ... / außer wenn ...* und *außer dass ... / nur dass ...*

☆☆☆☆☆

Wir sind zum Brunch in dieses Restaurant gegangen. Es war nicht schlecht, außer dass / nur dass (1) die Preise ziemlich hoch waren. Alles hat prima gepasst, __________ (2) um 12 Uhr die Krabben ausgegangen sind. Die Serviceleute waren eigentlich nett und aufmerksam, __________ (3) es manchmal etwas gedauert hat, bis das Buffet wieder aufgefüllt war. Im Sommer ist die Terrasse geöffnet, __________ (4) sie gerade umgebaut wird, was bei unserem Besuch leider der Fall war. Darüber wären wir gerne vorher informiert worden. Man bekommt ohne Wartezeit einen Platz, __________ (5) gerade eine Messe stattfindet. Es gibt eigentlich nicht viel zu beanstanden, __________ (6) im Internet die Speisekarte nicht als PDF-Datei zu finden ist.

zu Hören 1, S. 29, Ü2

13 Schwierige Freizeit- und Urlaubspläne ÜBUNG 7, 8, 9

GRAMMATIK

Ergänzen Sie die Sätze frei.

1 Marco wandert sehr gern in den Bergen, außer wenn es regnet.
2 Eva und Franz werden im nächsten Winter einen Skiurlaub machen, es sei denn, dass ...
3 Tom, der Exfreund von Anna, will am Samstag zur Party kommen, außer wenn ...
4 Die Studenten Tobias und Sven haben den Wunsch, im nächsten Jahr eine Weltreise zu machen, nur dass ...
5 Max hat sich nicht informiert und weiß fast nichts über sein Urlaubsziel, außer dass ...

zu Sprechen, S. 30, Ü2

14 Sanfter Tourismus ÜBUNG 10, 11

LESEN

Lesen Sie den folgenden Text und markieren Sie bei den Aufgaben 1–9 das Wort (a, b, c oder d), das in den Satz passt. Es gibt jeweils nur eine richtige Antwort.

„Fair reisen mit Herz und Verstand“, die beliebte Broschüre im Hosentaschenformat, ist neu aufgelegt und jetzt auch mobil während der Reise (0). Die Broschüre und die neue mobile Internetseite sind gespickt mit Karikaturen, Zahlen und Fakten und (1) allem hilfreichen Tipps rund um den sogenannten „sanften Tourismus“.

„Unser Ratgeber ‚Fair Reisen mit Herz und Verstand‘ will zeigen, **(2)** Rücksicht auf Umwelt und Soziales nichts zu tun haben muss mit Komfortverzicht, Verboten und Einschränkungen. Im Gegenteil: Gerade durch Achtung der Umwelt und Respekt **(3)** den bereisten Ländern, der Kultur und den

Beispiel:
(0)
a machbar
b lesbar
☒ c verfügbar
d sichtbar

(1)
a in
b bei
c zu
d vor

(2)
a ob
b wie
c dass
d weil

(3)
a mit
b bei
c vor
d zu

Menschen gewinnt eine Reise an Qualität und Wert", so Antje Monshausen, Tourismusexpertin bei „Brot für die Welt".

(4) vor dem Urlaub sind die Wahl des Reiseveranstalters, des Verkehrsmittels und die Urlaubsdauer entscheidend
20 für die Nachhaltigkeitsbilanz. Vor Ort stellen sich dann oft ganz praktische Fragen: Ist Trinkgeld **(5)**? Worauf sollte ich bei der Hotelwahl achten und wie **(6)** ich mich respektvoll in einem Hindu-Tempel? **(7)** kommen Links und Hinweise zu Internetseiten von Nichtregierungsorganisationen, auf
25 denen wichtige Informationen zum Reiseland mit Blick hinter die touristischen Fassaden zu finden sind.

Durch direkte Begegnungen mit Menschen kann der Urlaub in unvergesslicher Erinnerung **(8)**. Doch was für den Reisenden Urlaub ist, ist für die Menschen, die in den Urlaubs-
30 gebieten leben und im Tourismus arbeiten, Alltag. „Mit der **(9)** unseres Reisens können wir einen Unterschied machen – damit wir eine schöne Reise und unsere Gastgeber die Chance auf ein besseres Leben haben", so Monshausen.

http://www.tourism-watch.de

(4)
a Manchmal
b Bald
c Zufällig
d Bereits

(5)
a üblich
b möglich
c höflich
d schädlich

(6)
a verstehe
b behalte
c verhalte
d verstecke

(7)
a Dazu
b Dabei
c Damit
d Dafür

(8)
a stehen
b sein
c halten
d bleiben

(9)
a Kunst
b Art
c Natur
d Idee

WIEDERHOLUNG GRAMMATIK

2

zu Wortschatz 1, S. 31, Ü1

15 Rund um den Urlaub

Ergänzen Sie die passenden Nomen-Verb-Verbindungen in der richtigen Form.

die Verantwortung übernehmen • ein Gespräch führen • ~~Freundschaft schließen~~ • sich etwas zur Gewohnheit machen • über Kenntnisse verfügen • eine Entscheidung treffen • eine Lösung finden

1 Im letzten Camping-Urlaub haben wir mit unseren Zeltnachbarn *Freundschaft geschlossen*.
2 Alexa hat es ______, jedes Jahr in ihrem Sommerurlaub einen einwöchigen Sprachkurs in Spanien zu machen.
3 Seit ihrem letzten Urlaub streiten Tanja und Peter ziemlich oft miteinander. Aber gestern ______ sie endlich mal wieder ein richtig gutes ______.
4 Im nächsten Urlaub nach Afrika oder nach Australien? Morgen müssen Karin und Andreas ______, denn die Flugtickets sind nur noch jetzt so günstig.
5 Wenn etwas bei einer gebuchten Reise nicht so ist wie versprochen, muss der Reiseveranstalter dafür ______.
6 Herr und Frau Hofner sind mit den hoteleigenen Handtüchern im Bad unzufrieden, sie sind ihnen zu dünn. Der Hotelmanager hat versprochen, dafür so bald wie möglich ______ zu ______.
7 Wenn Sie bei diesem Segeltörn in der Karibik mitmachen wollen, müssen Sie ______ grundlegende ______ beim Segeln ______.

zu Wortschatz 1, S. 31, Ü1

16 Feste Nomen-Verb-Verbindungen

GRAMMATIK ENTDECKEN

a **Unterstreichen Sie die festen Nomen-Verb-Verbindungen in der Tabelle und ordnen Sie die Sätze 1–6 den Nomen-Verb-Verbindungen (A–F) zu.**

1 Der Reiseveranstalter gibt der Reisegruppe Fahrräder.
2 Die Reisegruppe bekommt Fahrräder.
3 Die Reiseteilnehmer kritisieren einige Vorschläge.
4 Die Unzufriedenheit der Gäste wurde angesprochen.
5 Einige Gäste haben ihre Unzufriedenheit angesprochen.
6 Einige Vorschläge werden kritisiert.

Nomen-Verb-Verbindungen	a	p
[4] A Die Unzufriedenheit einiger Gäste kam zur Sprache.		✗
[ ] B Einige Gäste haben ihre Unzufriedenheit zur Sprache gebracht.		
[ ] C Der Reiseveranstalter stellt der Reisegruppe Fahrräder zur Verfügung.		
[ ] D Der Reisegruppe stehen Fahrräder zur Verfügung.		
[ ] E Einige Vorschläge stoßen auf Kritik.		
[ ] F Die Reiseteilnehmer üben an einigen Vorschlägen Kritik.		

b **Markieren Sie in der Tabelle in a, welche Sätze aktive (a) und welche passive (p) Bedeutung haben.**

c **Wählen Sie eins der folgenden Nomen und erarbeiten Sie eine ähnliche Tabelle wie im Kursbuch auf S. 31, Ü2a.**

Anspruch/Ansprüche • Ende • Frage • Gefahr • Gespräch • Ordnung • Wahl

zu Wortschatz 1, S. 31, Ü1

17 Chance auf einen Traumurlaub ÜBUNG 12, 13

GRAMMATIK

Finden Sie die entsprechenden Nomen-Verb-Verbindungen und schreiben Sie den Text neu.

jmd. etwas zur Verfügung stellen • in Erfahrung bringen • zur Verfügung stehen • eine Auswahl treffen • ~~die Initiative ergreifen~~ • in Erfüllung gehen

Werden Sie aktiv und machen Sie mit bei unserem Gewinnspiel! Mit etwas Glück wird Ihr Wunsch erfüllt und Sie gewinnen eine Erlebniswoche in New York für zwei Personen incl. Flug und Übernachtung in einem Viersternehotel. An einem Tag bekommen Sie von uns einen Wagen mit einem persönlichen Führer. An einem anderen Tag finden Sie dann heraus, wie es im Frühling im Central Park aussieht und ob es in diesem Frühjahr genügend „Yellow Cabs“ gibt. Suchen Sie sich etwas aus dem riesigen Freizeitangebot aus, wir laden Sie gerne ein!

Traumurlaub zu gewinnen!

Ergreifen Sie die Initiative und machen Sie mit bei unserem Gewinnspiel!

zu Schreiben, S. 32, Ü2

18 Vorschläge für den Urlaub

WORTSCHATZ

Lesen Sie die Vorschläge des Tourismusamts Elbtal.
Ergänzen Sie die passenden Verben in der richtigen Form.

ausklingen lassen • beginnen • erleben • erfahren • mitbringen • erkunden • genießen • nahebringen wollen • ~~probieren~~ • auf die Probe stellen • verwöhnen lassen

Urlaub im wunderschönen Elbtal bietet für jeden etwas

1 ______________ den Tag mit sanften Tai-Chi-Übungen.
2 ______________ in unserem Heimatjournal Wissenswertes über diese einmalige Region.
3 ______________ die Überreste des ehemaligen Bergbaugebietes.
4 ______________ für den Ausflug unbedingt festes Schuhwerk ______________!
5 Wir ______________ Ihnen heute die Herstellung regionaler Bauernprodukte ______________.
6 *Probieren Sie* unbedingt die naturbelassenen Obstsäfte aus regionalem Anbau.
7 ______________ bei uns Ihr Können im Felsklettern ______________.
8 ______________ unsere lokalen „Wildtiere" hautnah.
9 ______________ sich durch ein Bad im Moorteich mit anschließender Massage ______________.
10 ______________ das einmalige Panorama des Elbsandsteingebirges.
11 ______________ den Tag bei einem kleinen Konzert im Kurpark ______________.

zu Hören 2, S. 33, Ü2

19 Wie kann man noch sagen? ÜBUNG 14

WORTSCHATZ

Ordnen Sie zu.

Begriffe

1 die Zuneigung	A ein großer Nachtvogel
2 die Eule	B ein positives Gefühl für jemanden
3 das Kalkül	C Zustand, in dem man gar nichts versteht
4 das Synonym	D die genaue Berechnung von etwas
5 geistige Umnachtung	E ein gleichbedeutender Begriff

(Beispiel: 1 – B)

Verben

1 etwas erstehen	A etwas verbieten
2 etwas konservieren	B einer Sache logisch folgen
3 etwas nachvollziehen	C etwas kaufen
4 etwas untersagen	D etwas so erhalten, wie es ist

zu Wortschatz 2, S. 34, Ü1

20 Diskussion im Forum für regionale Entwicklung ÜBUNG 15

WORTSCHATZ

Was ist richtig? Markieren Sie.

Ein Vorschlag meinerseits ist, den öffentlichen Nahverkehr noch stärker *auszubauen/anzuregen* (1). Das wäre sowohl für den Tourismus als auch für die *öffentliche/lokale* (2) Bevölkerung ein Gewinn. Man könnte in den Sommermonaten auch Bahntickets anbieten, mit denen man zusätzlich die *Nutzung/Ausstattung* (3) von Leihfahrrädern kombinieren kann. Anna

Eine gute Idee! In diesem Zusammenhang könnte man sich auch mit Partnerregionen *unterstützen/vernetzen* (4), die eine vergleichbare Infrastruktur haben. Wir sollten an *landschaftlich/ländlich* (5) besonders attraktiven Strecken die Radwege ausbauen und eine App *verarbeiten/entwickeln* (6), die Rundfahrten durch verschiedene Regionen vorschlägt und gleichzeitig die Reservierung von Übernachtungen ermöglicht. Vincent

Als Vorgeschmack auf die abendliche *Stärkung/Verstärkung* (7) der sportlich Aktiven könnte man dann ja noch Speisekarten der *umliegenden/herumstehenden* (8) Restaurants in die App einfügen. Natürlich nur von solchen, die vor allem *heimliche/einheimische* (9) Produkte verarbeiten. Dann kann man sich das verdiente Erfrischungsgetränk und sein Abendessen gleich *voranstellen/vorbestellen* (10) und radelt beschwingter ans Ziel! Stefan

Wir sollten auch daran denken, unseren Gästen die Möglichkeit zu unvergesslichen *Segeltörns/Segelbooten* (11) auf unseren wunderschönen Seen nahezulegen, ein weiterer Beitrag zu *anhaltender/nachhaltiger* (12) Entwicklung. Dabei sollten wir unbedingt betonen, dass wir immer nur segeln und so nicht mit lauten Motorengeräuschen die Tiere erschrecken. Unser Segelklub könnte da einen schönen Flyer oder Ideen für eine *entsprechende/entscheidende* (13) App entwickeln. Ohne so etwas geht es ja kaum mehr. ☺ Vivien

Das klingt alles schon ziemlich gut! Wichtig erscheint mir, dass in diesem Zusammenhang auch die Erzeugung *erneuerbarer/erneuerter* (14) Energien auf der Basis von Sonnen- und Windkraft verstärkt wird. Dazu müssten noch umfassende Konzepte erstellt werden, die die lokalen Besonderheiten *berichten/berücksichtigen* (15). Die interessierten Gemeinden sollten schon bald eine *Internetanfrage/Internetplattform* (16) dazu einrichten. Susan

zu Sehen und Hören, S. 35, Ü1

21 Die Erfolgsgeschichte einer Unternehmensgründung

LESEN

Lesen Sie den Text und notieren Sie Stichpunkte zu den folgenden Fragen.

1 Was unterscheidet *Waymate* von anderen Online-Reisediensten?
2 Zwischen welchen Kriterien bei der Reiseverbindung kann der Nutzer beispielsweise wählen?
3 Von wem werden schließlich die Fahrkarten verkauft?
4 Wie verdient *Waymate* Geld?
5 Was half bei der Unternehmensgründung?
6 Wie fällt die Bewertung für *Waymate* in diesem Artikel aus?

Einmal um die Welt: Das Start-up-Unternehmen *Waymate* plant automatisch Ihre optimale Reiseroute. So kommen Sie schnell und günstig von der Haustür bis zum Hotel.

Wohin soll's gehen? Einmal Los Angeles und zurück? Oder doch lieber nach Kapstadt mit Zwischenstopp in Dubai? Ist die Entscheidung für ein Reiseziel gefallen, stellt sich die nächste Frage: Wie komme ich schnell und günstig ans Ziel? Hier will das Start-up-Unternehmen *Waymate* helfen. Auf dessen Internetseite vergleichen Reisende Preise und kaufen Tickets; zudem bekommen sie automatisch die beste Reiseroute vorgeschlagen.

Einen Schritt voraus
Der Markt der Online-Reisedienste ist stark umkämpft. Es gibt viele etablierte Marken, die günstige Flüge anbieten. *Waymate* geht daher einen Schritt weiter und empfiehlt komplette Routen, zusammengesetzt aus verschiedenen Fortbewegungsmitteln.

So funktioniert *Waymate*
Und so geht's: einfach Start-und Zielort eingeben und die Anzahl der Reisenden bestimmen. *Waymate* sucht den optimalen Reiseweg. Möchte der Nutzer etwa die schnellste Verbindung von Hamburg nach München haben, werden ihm Flüge angezeigt. Soll es die günstige Variante sein, bietet *Waymate* den ICE an. Und wenn ein Mix aus Flug und Zug am sinnvollsten ist, schlägt *Waymate* auch das vor. Die Buchungen bei *Waymate* werden an Bahn- oder Fluggesellschaften weitergeleitet, der Anbieter stellt dann die Tickets aus. Das klappte beim Ausprobieren problemlos. Die optimalen Routen waren meist die perfekte Kombination aus günstig und schnell. Die Seite leitet beim Buchungswunsch schnell und ohne Umwege zum Ticketkauf weiter. Auf der Seite der eigentlichen Ticketverkäufer stimmte der Preis mit dem auf *Waymate* angegebenen überein.

Regional und international
Waymate hat die Deutsche Bahn und die regionalen Verkehrsverbünde überzeugt. „Wir wollen unser Geschäftsmodell aber auch international ausbauen", sagt Gründer Tom Kirschbaum. Man spreche bereits mit europäischen Bahnunternehmen. In Zukunft sollen sogar Mitfahrgelegenheiten hinzukommen. Das Start-up will weiter wachsen, denn *Waymate* erhält für jede Buchung eine Provision der jeweiligen Bahn- und Fluggesellschaft. Fürs Erste steht den Gründern derzeit aber auch ein zweistelliger Millionenbetrag zur Verfügung. An die Geschäftsidee hinter *Waymate* glauben also offensichtlich nicht nur die beiden Gründer.

Fazit
Waymate ist eine übersichtliche und einfach zu nutzende Alternative zu den etablierten Online-Reisediensten. Die clevere Reisesuche in Verbindung mit günstigen Preisen lässt keine Wünsche offen. Allerdings wird jeder Kunde zu Drittanbietern weitergeleitet. Das sind oft unbekannte Unternehmen – aber nur so sind die günstigen Angebote möglich.

AUSSPRACHE: Betonung und Bedeutung von *auch, denn* und *doch*

1 Betonung hören und Bedeutung verstehen

a **Hören Sie die folgenden Sätze. In welchen Sätzen ist *auch, denn* und *doch* betont? Markieren Sie.**

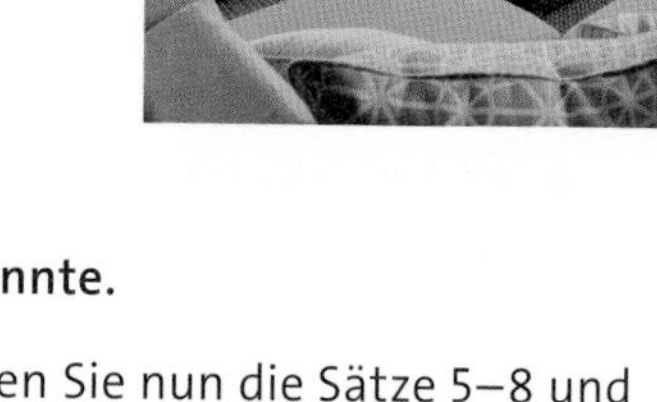

1 Wenn du dieses Hotel auch schön findest, nehmen wir es, denn mir gefällt es ja sehr!
2 Wenn du dieses Hotel auch schön findest, so möchte ich lieber ein preisgünstigeres buchen.
3 Wo möchtest du denn hinfahren, hast du schon eine Idee?
4 Wo möchtest du denn hinfahren, wenn nicht an den Bodensee?
5 Das ist aber auch ein tolles Hotel. Unglaublich, wie schön es ist.
6 Das ist aber auch ein tolles Hotel. Genau wie das, welches wir eben betrachtet haben.
7 Das ist doch ein Einzelzimmer, wir brauchen aber ein Doppelzimmer!
8 Das ist doch ein Einzelzimmer, auch wenn du noch zehnmal behauptest, es sei ein Doppelzimmer.

b **Welche Bedeutung haben *auch, denn* und *doch* in a?**
Ordnen Sie zu, welche Wörter man stattdessen verwenden könnte.

Betrachten Sie zuerst die Sätze 1 bis 4 und ordnen Sie sie den Bedeutungen a–d zu.

a überhaupt ☐
b sonst ☐
c ebenfalls ☐ 1
d obwohl ☐

Betrachten Sie nun die Sätze 5–8 und ordnen Sie die Möglichkeiten e–h zu.

e ebenfalls ☐
f wohl ☐
g ja ☐
h wirklich ☐

c **Formen Sie die Sätze mit den entsprechenden Ersatzwörtern um und sprechen Sie sie laut aus.**

d **Hören Sie und kontrollieren Sie.**

2 Die Betonung macht den Unterschied.

a **Hören Sie die Sätze. Markieren Sie, welche Aussage (a oder b) jeweils dazu passt.**

1 Wie viele Personen sind Sie denn?
☐ a Sie möchten also bei uns die Ferien verbringen. – ...
☒ b Hatten Sie nicht gesagt, Sie sind nur zu zweit? – ...

2 Ist das Zimmer auch preisgünstig?
☐ a Der Preis für das Frühstücksbüfett ist wirklich sehr günstig. – ...
☐ b Das Zimmer sieht im Prospekt ja sehr schön aus. Aber: ...

3 Sie haben doch ein Einzelzimmer gebucht!
☐ a Wie? Sie sind vier Personen? – ...
☐ b Warum behaupten Sie, Sie hätten kein Einzelzimmer gebucht? Ich sage Ihnen was: – ...

4 Ist denn das Frühstücksbüfett auch kalorienarm und gesund?
☐ a Das Abendbüffet wird im Prospekt ja als kalorienarm und gesund angepriesen. – ...
☐ b Das Frühstück klingt im Prospekt ja gut, aber ...? Ich bin nämlich auf Diät.

b **Sprechen Sie nun jeweils beide Betonungsvarianten der Aussagen mit den dazu passenden Ergänzungssätzen aus.**

c **Hören Sie und kontrollieren Sie.**

EINSTIEGSSEITE, S. 25

die Ausstattung, -en
die Durchsage, -n
die Umgangsform, -en
die Verzögerung, -en

LESEN, S. 26–28

die Betätigung, -en
der Einsatz, ⸚e
die Facette, -n
das Flair (Sg.)
Hotelfachleute (Pl.)
Hotelkaufleute (Pl.)
die Kreuzfahrt, -en
der Page, -n

schwanken

etwas einen modernen/neuen Anstrich geben, gab, hat gegeben
in der Lage sein
von der Pike auf lernen
einen neuen Weg einschlagen, schlug ein, hat eingeschlagen

administrativ
angehend
reizvoll

derzeit
hinter den Kulissen

HÖREN 1, S. 29

das Attest, -e
das Beistellbett, -en
das Büfett, -s/-e (A, CH auch Buffet)
der Rücktritt, -e
die Suite, -n

beinhalten

stilvoll

SPRECHEN, S. 30

der Kompromiss, -e

der Ansicht sein
zur Auswahl stehen, stand, hat/ist gestanden
Freude bereiten
in Kauf nehmen, nahm, hat genommen
Schwierigkeiten bereiten
zur Sprache kommen, kam, ist gekommen
zur Verfügung stehen
zur Verfügung stellen
das Verständnis vertiefen
Vorbereitungen treffen, traf, hat getroffen
im Vordergrund stehen

es gilt, etwas zu tun, galt, hat gegolten

abgelegen
fachkundig
pauschal

auf eigene Faust

WORTSCHATZ 1, S. 31

das Schlagwort, ⸚er/-e

eine Auswahl treffen
eine Entscheidung treffen
in Erfahrung bringen, brachte, hat gebracht
in Erfüllung gehen, ging, ist gegangen
sich etwas (+ Akk.) zur Gewohnheit machen
eine Initiative ergreifen, ergriff, hat ergriffen
über Kenntnisse verfügen
Kritik üben an (+ Dat.)
auf Kritik stoßen, stieß, ist gestoßen
eine Lösung finden, fand, hat gefunden
zur Sprache bringen
Verantwortung übernehmen

SCHREIBEN, S. 32

der Bogen, -
der Erzeuger, -
der Kurpark, -s
das Panorama, die Panoramen
das Schuhwerk (Sg.)
das Trio, -s
der Überrest, -e

ausklingen, klang, ist ausgeklungen
jemandem etwas nahebringen
verwöhnen

auf die Probe stellen

ausgleichend
hautnah
naturbelassen

HÖREN 2, S. 33

das Andenken, -
die Eule, -n
das Kalkül, -e
das Souvenir, -s
das Synonym, -e
die Zuneigung, -en

erstehen (+ Akk.), erstand, hat erstanden
konservieren
nachvollziehen
jemandem etwas untersagen

enorm

geistige Umnachtung

WORTSCHATZ 2, S. 34

der Impuls, -e
die Internetplattform, -en
der Segeltörn, -s

ausbauen

liebenswert
nachhaltig

Bei den mit (A) gekennzeichneten Wörtern handelt es sich um spezifische Wörter aus Österreich.
Bei den mit (CH) gekennzeichneten Wörtern handelt es sich um spezifische Wörter aus der Schweiz.

LEKTIONSTEST 2

1 Wortschatz

Kulissen • Faust • Anstrich • Pike • Probe • Weg

a **Ergänzen Sie.**

1 Will man etwas neu erscheinen lassen, gibt man der Sache einen modernen ______.
2 Was man von Grund auf gelernt hat, hat man von der ______ auf gelernt.
3 Was in der Öffentlichkeit nicht bekannt wird, passiert hinter den ______.
4 Wer sich beruflich oder privat stark verändern will, schlägt einen neuen ______ ein.
5 Wer allein etwas entscheidet oder unternimmt, tut es auf eigene ______.
6 Wenn man wissen möchte, wie fähig eine Person ist, kann man sie auf die ______ stellen.

Je 1 Punkt **Ich habe ______ von 6 möglichen Punkten erreicht.**

b **Was passt? Ergänzen Sie *-gelegen, -voll, -haltig, -wert, -nah, -kundig.***

1 reiz______
2 fach______
3 haut______
4 liebens______
5 nach______
6 ab______

Je 0,5 Punkte **Ich habe ______ von 3 möglichen Punkten erreicht.**

2 Grammatik

a **Schreiben Sie die Sätze mit den Konnektoren in Klammern neu auf ein separates Blatt.**

1 Obwohl das Stellenangebot sehr reizvoll war, hat Antje darauf verzichtet. (wenn ... auch)
2 Die Speisen im Meier's sind zwar gesund, sie schmecken uns trotzdem nicht. (wie ... auch)
3 Das neue Kurhaus ist toll ausgestattet und hat Flair, aber es ist etwas abgelegen. (nur dass)
4 Marc macht gern längere Segeltörns, aber nicht, wenn lauter „Neulinge" an Bord sind. (außer wenn)
5 Ich kann an Pauschalreisen nichts Vorteilhaftes finden, aber sie sind oft sehr günstig. (außer dass)
6 Linda freut sich über Mitbringsel nur dann nicht, wenn sie geschmacklos sind. (es sei denn)

Je 1,5 Punkte **Ich habe ______ von 9 möglichen Punkten erreicht.**

b **Ergänzen Sie in der richtigen Form: *zur Sprache bringen, zur Sprache kommen, zur Verfügung stehen, zur Verfügung stellen, Kritik üben, auf Kritik stoßen.***

Auf der Teambesprechung des Reiseunternehmens ______ aktuelle Probleme ______ (1). Dabei ging es um die Reisebusse, denn in letzter Zeit ______ die Reisenden häufig an der schlechten Ausstattung der Fahrzeuge ______ (2). Mitreisende hatten sich beschwert, dass keine Kühlschränke für Getränke ______ ______ (3). Außerdem ______ die unbequemen Sitze in manchen Bussen ______ massive ______ (4). Ein Mitarbeiter ______ auch noch die mangelnde Vorbereitung mancher Reiseleiter ______ (5). Am Ende wurde beschlossen, mehr Geld für die Ausstattung der Busse ______ ______ (6).

Je 1 Punkt **Ich habe ______ von 6 möglichen Punkten erreicht.**

3 Kommunikation

Ergänzen Sie die Aussagen. Orientieren Sie sich dabei an den folgenden Wörtern:
Erholung – Vordergrund! / Hütte – prima! / Luxushotel – bloß nicht! / Familienpension – okay.

a Wenn ich verreise, ______
b Als Unterkunft ______
c Ein Luxushotel ______
d Aber eine kleine Familienpension würde ______

Je 1,5 Punkte **Ich habe ______ von 6 möglichen Punkten erreicht.**

Auswertung: Vergleichen Sie Ihre Lösungen mit S. AB 201.
Ihre Erfolgspunkte tragen Sie unter jeder Aufgabe ein.

Ich habe ______ von 30 möglichen Punkten erreicht.

☺	😐	☹
30–26	25–15	14–0

2

WIEDERHOLUNG WORTSCHATZ

1 Rund ums Wissen

a Was passt? Ergänzen Sie.

auffrischen • aufgreifen • auskennen • auswendig lernen • beherrschen • beibringen • beurteilen • entwickeln • erfahren • bestehen • scheitern • ~~vertraut machen~~

1 sich mit der Funktionsweise eines Geräts vertraut machen
2 für den Urlaub die Fremdsprachenkenntnisse ______
3 als Wissenschaftler eine neue Methode ______
4 ein Gedicht ______
5 jemandem das Skilaufen ______
6 aus der Zeitung ______, was in der Welt passiert
7 an einer schwierigen Aufgabe ______
8 den Stoff für die Prüfung gut können oder ______
9 als Lehrender die Leistung eines Studenten ______
10 ein Thema wieder ______
11 sich in einem Wissensgebiet besonders gut ______
12 die Führerscheinprüfung auf Anhieb ______

b Welche Adjektive passen zu Personen (= P), welche zu Aufgaben (= A), welche zu beiden? Markieren Sie.

☒P A vielseitig	P A ehrgeizig	P A erfahren	P A knifflig
P A aufmerksam	P A nachdenklich	P A nützlich	P A abwechslungsreich
P A vielfältig	P A kreativ	P A klug	P A intelligent

zur Einstiegsseite, S. 37, Ü2

SCHREIBEN

2 In der Altsteinzeit

a Ordnen Sie den Informationen links die Beispiele und Erläuterungen rechts zu.

1 Längste Epoche der Menschheit
2 Ernährung als Jäger und Sammler
3 Feuer als Lebenserleichterung
4 Neandertaler am Ende der Epoche: geschickt und mit vielfältigen Fertigkeiten
5 Nutzung von Tierresten
6 Leben in der Gruppe/Horde

A Zunächst Früchte, Wurzeln, Körner, Insekten; später Fleisch, bessere Jagdwaffen wie Speere, Pfeil und Bogen
B Herstellung von Werkzeugen, Jagdgeräten und anderen Gegenständen aus Knochen, Sehnen, Innereien, Fell oder Leder
C Schutz vor Raubtieren und Kälte, Licht, nicht nur rohe Nahrung
D Vorteile: leichtere Nahrungssuche, besserer Schutz und Aufzucht des Nachwuchses, bessere Jagd- und Lernmöglichkeiten
E Z. B. Erfindung der Nähnadel – Kleidung aus Tierfellen und Zelte
F Beginn vor 1,5 Millionen – Ende vor 10 000 Jahren

b Verfassen Sie mithilfe dieser Vorgaben nun einen kurzen Text über die Altsteinzeit.

Das Leben des Menschen in der Altsteinzeit

Die Altsteinzeit gilt als die längste Epoche der Menschheit.

zu Lesen, S. 38, Ü2

3 Ein wichtiger Entwicklungsschritt ÜBUNG 1

WORTSCHATZ

Ergänzen Sie in der richtigen Form.

Lage • Kapazität • Verfügbarkeit • Vorfahre • ~~Wesen~~ • abhängen • allmählich • anschaulich • beeindruckend • erforderlich • schlau

Unsere Vorfahren

Der Homo sapiens, also das menschliche Wesen (1), ist sehr anpassungsfähig. __________ (2) ist vor allem, unter welchen Lebensbedingungen er in der Steinzeit überlebte.
Unsere __________ (3) lebten einst als Jäger und Sammler unter schwierigen Umständen. Für ihr Überleben brauchten sie unterschiedliche Fertigkeiten und geistige __________ (4). Wer etwa auf der Jagd nicht erfolgreich war, besaß nicht die __________ (5) Eigenschaften und hatte somit eine geringere Chance zu überleben. Die steinzeitlichen Gemeinschaften waren nämlich nicht in der __________ (6), schwache Personen lange mit durchzufüttern. Das änderte sich erst, als die Spezies „Mensch" __________ (7) sesshaft wurde, das heißt, sich an einem Ort ansiedelte. Man baute nun Pflanzen an und züchtete Tiere, sodass die tägliche Ernährung nun nicht mehr allein davon __________ (8), was man erbeutete. Durch die längerfristige __________ (9) von Lebensmitteln konnte man auch Menschen, die weniger geschickt und __________ (10) waren, ernähren. Die Ur- und Frühgeschichte der Menschheit ist beispielsweise im Badischen Landesmuseum im Karlsruher Schloss sehr __________ (11) dargestellt.

zu Lesen, S. 38, Ü2

4 Rabenschwarze Intelligenz

BUCHTIPP / LESEN

Lesen Sie den Buchtipp und ergänzen Sie die fehlenden Präpositionen.

Von (1) dem Zoologen Josef Reichholf erfahren wir __________ (2) 224 Seiten alles __________ (3) Raben und ihre Artverwandten. Gemeinhin gelten sie eher als Zerstörer __________ (4) Feldern und Mörder von Singvögeln, was aber viele nicht __________ (5) sie wissen: Sie sind besonders
5 intelligent und können ein enges und vertrautes Verhältnis __________ (6) Menschen und sogar anderen Tieren entwickeln.
__________ (7) der Typisierung der unterschiedlichsten Raben- und Krähenvögel und der Beschreibung ihrer Lebensweise geht es auch immer wieder __________ (8) die ganz persönlichen Erfahrungen des Autors __________ (9)
10 einzelnen Tieren: etwa mit dem Raben Mao, dessen Spezialität es war, den Hund des Autors __________ (10) geschickten Tricks zu überlisten. Mao schien sogar so etwas wie ein Unrechtsempfinden zu haben, denn er reagierte __________ (11) scheinbar ungerechte Behandlung __________ (12) Stehlen und Verstecken von Dingen. Beides sind jedenfalls Zeichen __________ (13) eine hohe Intelligenzleistung des gefiederten Tiers.
15 Alles in allem eine lesenswerte und spannende Abhandlung __________ (14) Tiere, die so gewöhnlich erscheinen und doch recht außergewöhnlich sind.

Josef H. Reichholf
Rabenschwarze Intelligenz
Was wir von Krähen lernen können
PIPER

zu Lesen, S. 39, Ü3

5 Intelligenz

a **Unterstreichen Sie die Umschreibungen der Modalverben *können*, *müssen* und *wollen*.**

Wissenschaft und ihre Grenzen

Ist es möglich, Intelligenz zu erklären (1)? Es ist notwendig, weiter darüber nachzudenken, denn Psychologen und Naturwissenschaftler haben bisher keine eindeutige Lösung gefunden (2). Viele Wissenschaftler haben den Plan, Denkprozesse mithilfe moderner Computertomografen zu beobachten (3). Nur dann ist man vielleicht fähig, diese Prozesse einmal zu verstehen (4) und man braucht nicht zu spekulieren (5). Andere Forscher haben den Wunsch herauszufinden, wie das Gehirn Wissen speichert (6). Bis diese Ziele erreicht sind, ist es allerdings nötig, noch viel zu forschen (7).

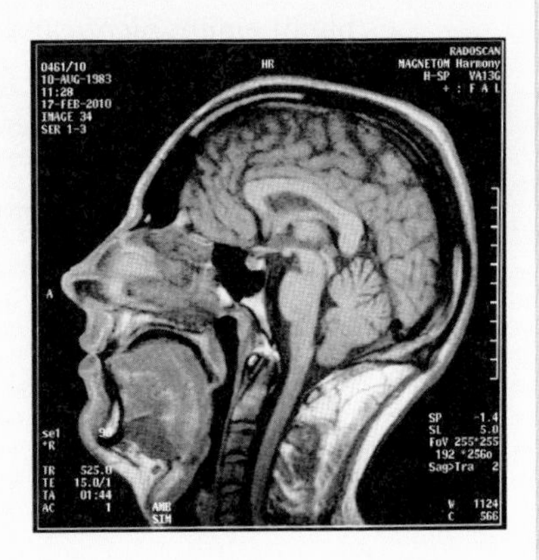

b **Schreiben Sie die Formulierungen mit den passenden Modalverben neu.**

1 Kann man Intelligenz erklären?

____

____

____

____

zu Lesen, S. 39, Ü3

6 Forschung

Unterstreichen Sie die Passiv-Ersatzformen und formulieren Sie die Sätze mit den Modalverben *können* oder *müssen* um. Manchmal sind beide Modalverben möglich.

1 Wie ist Intelligenz zu definieren?
Wie kann/muss Intelligenz definiert werden?

2 Manche Forschungsprojekte sind nur schwer realisierbar.
____

3 Circa 50 Prozent der Intelligenz sind auf genetische Faktoren zurückzuführen.
____

4 Im Computertomografen lassen sich die geistigen Tätigkeitsfelder im Gehirn bestimmen.
____

5 Die Präsentation der Untersuchungsergebnisse war leider unverständlich.
____

6 Der Text lässt sich sicher noch vereinfachen.
____

7 Beim Betreten des Labors sind die Vorschriften zu befolgen.
____

3

zu Lesen, S. 39, Ü3

7 Umschreibung der Modalverben *können*, *müssen* und *wollen*

GRAMMATIK ENTDECKEN

Ordnen Sie die alternativen Ausdrücke dem richtigen Modalverb zu.

~~beabsichtigen~~ • es ist unumgänglich • bestrebt sein • imstande sein • die Chance haben • es bleibt einem nichts anderes übrig, als • haben + *zu* + Infinitiv • die Absicht haben • die Möglichkeit haben • gezwungen sein • die Intention haben • vermögen • vorhaben • es ist erforderlich • in der Lage sein • verpflichtet sein

können	müssen	wollen
		beabsichtigen

zu Lesen, S. 39, Ü3

8 Gehirn-Jogging ÜBUNG 2, 3

GRAMMATIK

Ergänzen Sie die Ausdrücke aus Übung 7. Manchmal passen mehrere Ausdrücke.

Fitness mental

Jeder _hat die Möglichkeit_ (können) (1), es selbst zu beeinflussen, wie lange man geistig fit bleibt. Neugierig bleiben, Neues ausprobieren, Neuigkeiten mit Freunden
5 austauschen – gut ist alles, was dem Gehirn neue Eindrücke verschafft. Zum Beispiel ______ Sie mithilfe von Gehirnjogging ______ (können) (2), Ihre Geisteskraft und Ihre Merkfähigkeit zu steigern: Es ______ Ihnen allerdings nichts
10 ______ ______ (müssen) (3), als sich pro Tag mindestens zweimal zehn Minuten Zeit für Ihr Gedächtnis zu nehmen – einmal am Vormittag und einmal am Nachmittag. Am Vormittag ______ Sie ______ (können) (4), eine der Gehirn-Jogging-Aufgaben zu machen. Am Nachmittag lesen Sie einen Text, den Sie sowieso ______ (wollen) (5) zu lesen oder den Sie zu lesen ______ (wollen) (6). Für das Training
15 ______ es ______ (müssen) (7), die Seite umzudrehen, sodass die Buchstaben auf dem Kopf stehen. Durch diese Übung ______ Sie ______ (können) (8), Ihr räumliches Vorstellungsvermögen zu aktivieren, sodass Ihr Gehirn abseits der gewohnten Bahnen denkt. Wer ______ (wollen) (9), sein Gehirn vor solche neuen Herausforderungen zu stellen, sollte allerdings darauf achten, dass er Freude an
20 diesen Aktivitäten hat. Denn es nützt nichts, sich zu einer Tätigkeit zu zwingen, nur weil sie gut für den Kopf ist.

zu Schreiben, S. 40, Ü2

9 Wie umschreibt man ...?

WORTSCHATZ

a **Was passt? Ordnen Sie zu.**

1 die Lerneinheit — F
2 die Muskulatur
3 der Reflex
4 der Reiz
5 die Rhetorik
6 der Säugling
7 der Vorsprung

A körperliche oder geistige Anregung/Stimulation
B unkontrollierte Reaktion auf einen Einfluss von außen
C sehr junger Mensch
D Bewegungsapparat des Körpers ohne Knochen und Sehnen
E Abstand vor Mitstreitern in einer Konkurrenzsituation
F Menge an neuem Wissen oder Können, die man sich aneignet
G die Kunst, so zu sprechen, dass es viele Menschen überzeugt

b **Ergänzen Sie die Verben in der richtigen Form.**

jemandem etwas abverlangen • aktivieren • fördern • sich etwas einprägen • stimulieren • vermarkten • etwas nachvollziehen • ~~versäumen~~ • alles sträubt sich • jemanden vertraut machen mit etwas

1 Wenn man bei einer Veranstaltung zu spät kommt, hat man den Anfang versäumt.
2 Was man auf keinen Fall vergessen will, muss man ______.
3 Wer die Gedanken und Gefühle einer anderen Person versteht, kann diese ______.
4 Wenn man etwas absolut nicht will, dann ______ bei einem ______ dagegen.
5 Einen Computeraccount muss man ______, bevor er funktioniert.
6 Wer eine Geschäftsidee gut ______, kann dadurch zu Geld kommen.
7 Wenn man jemandem Hilfe und Unterstützung bietet, ______ man ihn.
8 Bei einer anspruchsvollen Aufgabe wird einem eine große Leistung ______.
9 Eine neue Kollegin muss man mit ihren Aufgaben und den Arbeitsabläufen ______.
10 Kaffee ist ein Getränk, das die meisten Menschen anregt und ______.

zu Schreiben, S. 41, Ü3

10 Sagen Sie es anders. ÜBUNG 4

KOMMUNIKATION

Ordnen Sie die entsprechenden Redemittel aus dem Kursbuch, S. 41, zu.

1 Das ist sehr zu kritisieren. Das ist besonders kritikwürdig.
2 Das kann ich nicht verstehen. ______.
3 Die Situation ist mir ziemlich vertraut. ______.
4 Das empfinde ich positiv. ______.
5 Ich bin zu folgendem Schluss gekommen: ______.
6 Das ist mein unverrückbarer Standpunkt. ______.
7 In diesem Punkt bin ich der Meinung, dass ______.
8 Das finde ich nicht so schlimm. ______.

zu Schreiben S. 41, Ü4

11 Umschreibung der Modalverben *dürfen* und *sollen*

GRAMMATIK ENTDECKEN

a **Lesen Sie einen Auszug aus einem Interview mit dem Pädagogen Dr. Max Schreiner und markieren Sie die Umschreibungen von *dürfen* und *sollen* in verschiedenen Farben.**

Journalistin: Herr Schreiner, wie war Ihre Kindheit? Was haben Ihre Eltern zugelassen (1), was war Ihnen untersagt (2)? Gibt es einen Unterschied zu heute?

Schreiner: Meine Kindheit spielte sich hauptsächlich draußen ab, meine Geschwister und ich hatten die Erlaubnis (3), nach der Schule auf den Wiesen hinter unserem Haus zu spielen, so konnten wir eigene Ideen für unsere Spiele entwickeln. Es war mir auch erlaubt (4), einfach mal nichts zu tun. Länger als eine Stunde pro Tag fernzusehen war allerdings verboten. (5) Außerdem hatten wir eigentlich die Pflicht (6), den Müll runterzubringen und mit dem Hund rauszugehen – das haben wir leider manchmal vergessen. Heute erwartet man oft (7), dass die Kinder schon im Kindergarten unglaublich viel lernen, damit sie später einen Vorsprung haben und Karriere machen. Häufig haben Erzieherinnen von den Eltern den Auftrag (8), die Kinder ganz gezielt zu fördern.

Journalistin: Ist es empfehlenswert (9), den Kindern schon im Kindergarten etwas abzuverlangen, ihnen z. B. Mathematik oder Chemie beizubringen?

Schreiner: Es wäre besser (10), wenn wir mit den Kindern reden würden, anstatt ihnen chemische Experimente vorzuführen. Kinder müssen das Recht haben (11), selbst kreativ zu werden und dabei ihr eigenes Denken zu aktivieren. Es wäre ratsam (12), nicht bereits die Zeit im Kindergarten damit zu verschwenden, Kindern unnützes Wissen beizubringen.

b **Ordnen Sie die Umschreibungen im Infinitiv in die Tabelle ein.**

dürfen	nicht dürfen	sollen	sollten (Konjunktiv II)
zulassen			

zu Schreiben, S. 41, Ü4

12 Frühförderung: ja oder nein? ÜBUNG 5, 6

GRAMMATIK

Ersetzen Sie die Modalverben durch einen Ausdruck aus Übung 11b.

1 Kinder sollen so früh wie möglich eine andere Sprache lernen.
2 Meine Kinder dürfen alles machen, was ihnen Freude macht, solange sie die Schule nicht vernachlässigen.
3 Lehrer sollen Kinder auf das Leben vorbereiten.
4 In unserem Kindergarten dürfen die Kinder nichts Süßes mitbringen.

1 Es ist empfehlenswert, dass Kinder so früh wie möglich eine andere Sprache lernen.

zu Hören, S. 42, Ü2

13 Alte Weisheiten oder Unsinn?

LESEN

a Lesen Sie die folgenden Behauptungen. Was ist Ihrer Meinung nach richtig, falsch oder stimmt nur zum Teil? Ergänzen Sie in der mittleren Spalte.

	Meine Vermutung	Text
1 Häufiges Haareschneiden fördert das Wachstum der Haare.	richtig	falsch
2 Bei Fernflügen ist der Körper starker Strahlung ausgesetzt.		
3 Der Schlaf vor Mitternacht ist der beste.		
4 Der Mensch in Europa wird immer größer.		
5 Im Dunkeln zu lesen ist schlecht für die Augen.		
6 Auch kurzes Baden trocknet die Haut aus.		

b Lesen Sie nun den Text. Ergänzen Sie in a in der rechten Spalte, ob die Behauptungen im Text als richtig oder falsch bewertet werden, und markieren Sie die jeweiligen Stellen im Text. Vergleichen Sie die Ergebnisse auch mit Ihren Vermutungen.

Am besten ist der Schlaf vor Mitternacht, Baden trocknet die Haut aus und Lesen im Dunkeln ist schlecht für die Augen.

So lauten einige der gängigen Volksweisheiten. Aber welche davon sind wirklich richtig?

1 Der Haarwurzel ist es egal, wie oft sie geschnitten wird. Frisch geschnittene Haare haben eine klare Schnittkante und fühlen sich deshalb kräftiger und voller an als an den Spitzen gespaltene. Schon nach einigen Tagen sind sie dann wieder abgerundet und weicher. Ähnlich ist es auch mit Bein- und Barthaaren.

2 Mit zunehmender Höhe und Nähe zu einem Erdpol steigt die Strahlung, der man ausgesetzt ist. Wissenschaftler stellten fest, dass auch schon ein Flug über den Atlantik den Körper etwa so stark wie zwei Röntgenaufnahmen belastet, mehr noch, wenn die Route über den Nordpol geht. Nicht unterschätzen sollten dies Vielflieger, Flugbegleiter und Piloten.

3 Die meisten Deutschen legen sich gegen 23 Uhr schlafen, die erholsamste Schlafphase ist dann bis circa vier Uhr morgens. Menschen, die sehr früh zu Bett gehen, haben demnach einen großen Teil des Tiefschlafs tatsächlich vor Mitternacht, in den ersten Stunden nach dem Einschlafen also. Wichtig aber ist nicht der Schlaf vor Mitternacht, sondern sind regelmäßige Schlafzeiten.

4 Seit 150 Jahren nimmt die durchschnittliche Größe der Menschen in Europa pro Jahr um bis zu einen Millimeter zu, das haben Forscher ermittelt. In Wohlstandsgesellschaften steigt also die durchschnittliche Körpergröße, besonders die Länge der Beine.

5 Wer im Dämmerlicht, vielleicht sogar unter der Bettdecke liest, tut seinen Augen nichts Gutes. Besonders bei Kindern bis 10 Jahren kann schlechtes oder zu wenig Licht beim Lesen die Augenentwicklung negativ beeinflussen. Sehschwächen wie Kurzsichtigkeit können laut Professoren der Augenklinik Freiburg eine Folge sein. Setzen Sie am besten immer folgenden Tipp um: Licht an im Kinderzimmer!

6 Wenn man nicht zu heiß und nicht zu lange badet, schadet es der Haut nicht. Bei bis zu 38 Grad sollte man spätestens nach 20 Minuten die Wanne verlassen haben. Mit ölhaltigen, sanften Badesubstanzen, die die Haut schützen, und Eincremen nach dem Bad ist man auf der sicheren Seite.

WIEDERHOLUNG GRAMMATIK

zu Hören, S. 43, Ü3

14 Neue Erkenntnisse

a Schreiben Sie Sätze mit *so … dass* oder *sodass*.

1 Die Schwanzfedern des Urvogels hatten eine aerodynamische Form, folglich haben sie auch beim Fliegen eine große Rolle gespielt.
2 Das Meerwasser hat sich stark erwärmt, deshalb können immer mehr Tiere wie Krabben oder Krebse in die Nordsee wandern.
3 Man hat herausgefunden, dass Monokulturen landwirtschaftlich besonders effektiv sind. Infolgedessen werden immer mehr Flächen auf diese Weise angepflanzt.

1 Die Schwanzfedern des Urvogels hatten eine so aerodynamische Form, dass sie auch beim Fliegen eine große Rolle gespielt haben.

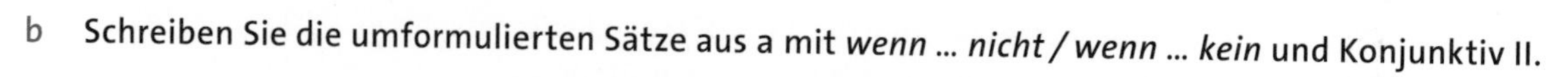

b Schreiben Sie die umformulierten Sätze aus a mit *wenn … nicht / wenn … kein* und Konjunktiv II.

1 Wenn die Schwanzfedern des Urvogels keine aerodynamische Form gehabt hätten, hätten sie auch beim Fliegen keine große Rolle gespielt.

zu Hören, S. 43, Ü3

15 Irreale Folgesätze

GRAMMATIK ENTDECKEN

a Markieren Sie die Unterschiede in den beiden Spalten.

1 „Glücklich durch Schokolade!“: Das hört sich für mich so fantastisch an, dass ich es nicht glaube.	„Glücklich durch Schokolade!“: Das hört sich für mich zu fantastisch an, als dass ich es glauben würde.
2 „Schöner werden durch Pillen!“: Manche Versprechen klingen so verlockend, dass sie nicht wahr sein können.	„Schöner werden durch Pillen!“: Manche Versprechen klingen zu verlockend, um wahr sein zu können.
3 „Reicher werden durch Nachdenken!“: Manche Behauptungen sind so absurd, dass man sie nicht glauben darf.	„Reicher werden durch Nachdenken!“: Manche Behauptungen sind zu absurd, als dass man sie glauben dürfte.
4 „Wörter lernen im Schlaf“: Das klingt leider so einfach, dass es nicht stimmen kann.	„Wörter lernen im Schlaf“: Das klingt leider zu einfach, um stimmen zu können.
5 „Erfolgreich durch positives Denken!“: Einigen Unsinn hat man schon so oft gehört, dass man ihn nicht mehr ernst nimmt.	„Erfolgreich durch positives Denken!“: Einigen Unsinn hat man schon zu oft gehört, als dass man ihn noch ernst nehmen würde.

b Ergänzen Sie.

Konjunktiv II • zu viel • noch • Folge

Irreale Folgesätze drücken aus, dass es von dem Sachverhalt im Hauptsatz ________ oder zu wenig gibt, weshalb eine bestimmte ________ nicht eintreten kann. Meistens wird der ________ verwendet. *Nicht mehr / Keine mehr* wird zu ________.

zu Hören, S. 43, Ü3

GRAMMATIK

16 Rund ums Schlafen ÜBUNG 7, 8, 9

Schreiben Sie die Sätze mit *zu ..., als dass* oder *zu ..., um ... zu*.

1 Ohne ausreichenden Schlaf ist man so müde, dass man keine körperlichen oder geistigen Leistungen mehr erbringen kann.
Ohne ausreichenden Schlaf ist man zu müde, um noch körperliche oder geistige Leistungen erbringen zu können.

2 In manchen Schlafzimmern ist es so warm, dass man nicht mehr gut und erholsam schlafen kann.

3 Gerade im Frühjahr sind einige Leute tagsüber oft so müde, dass sie ihre volle Leistungskapazität nicht erreichen können.

4 Manche Menschen schlafen so unruhig, dass ihr Körper keine Erholung findet.

5 Ausreichender Schlaf ist so wichtig, dass man ihn nicht aufs Spiel setzen darf.

6 Manche Leute schnarchen so laut, dass ihre Partner nicht einschlafen können.

zu Sprechen, S. 45, Ü3

HÖREN

17 Talk nach acht

CD AB

Hören Sie eine Radiodiskussion zum Thema „Brauchen Erstwähler Nachhilfe in Politik und Landeskunde? Wäre ein Pflichtkurs sinnvoll?" Wer sagt was? Markieren Sie.

	Moderator	Dr. Wegmann	Prof. Kist	Julia Brausig
1 Wünschenswert wären Wähler, die ihre Stimme nicht nur nach reinen Gefühlsentscheidungen abgeben.	☐	☒	☐	☐
2 Wir bitten auch die Radiohörer, ihre Meinung zum Thema zu äußern.	☐	☐	☐	☐
3 Junge Menschen brauchen manchmal Druck von außen, um aktiv zu werden.	☐	☐	☐	☐
4 Ein deutscher Pass allein sagt noch nichts über die politische und gesellschaftliche Reife einer Person aus.	☐	☐	☐	☐
5 Es gibt Schulfächer, die junge Menschen politisch bilden.	☐	☐	☐	☐
6 Man wird noch über die möglichen Formen solcher Politikkurse sprechen.	☐	☐	☐	☐
7 Manchmal erreicht man mit verpflichtenden Kursen das Gegenteil dessen, was man sich erhofft hatte.	☐	☐	☐	☐

zu Sprechen, S. 45, Ü3

18 Diskussionsleitung und Argumentation ÜBUNG 10, 11

KOMMUNIKATION

a **Lesen Sie Auszüge aus der Diskussionsrunde in Übung 17 und ergänzen Sie die Verben in der richtigen Form.**

wünschen • nachvollziehen • erweisen • legen • ~~auseinandersetzen~~ • sein • einholen

Moderator: Herzlich willkommen zu unserer Sendung „Talk nach acht". Heute wollen wir uns mit der folgenden Fragestellung auseinandersetzen (1): Sollte jede Bürgerin und jeder Bürger eines Landes, bevor sie oder er zum ersten Mal wählen darf, einen Pflichtkurs in Landeskunde und Politik absolvieren? Anschließend wollen wir uns am Hörertelefon
5 noch ein Meinungsbild von unseren Zuhörern ______ (2). Können Sie die Forderung nach einem verpflichtenden Politikkurs ______ (3)?

Dr. Wegmann: Natürlich würde man sich manchmal ______ (4), dass bei Wahlentscheidungen nicht so sehr der erste Eindruck und die Sympathie für den Kandidaten entscheiden, sondern dass mehr Gewicht darauf ______ (5) wird, ob sich die
10 Wahlkampfversprechen als seriös ______ (6) ...
Dabei ______ (7) etwas mehr Hintergrundinformationen sicherlich von Vorteil.

3

b **Ergänzen Sie die Nomen.**

Gewicht • Standpunkt • Argumente • Frage • Punkt • Forderung

Professor Kist: Kein unwichtiges Anliegen, und ein zentraler ______ (1) ist doch die Frage, wie man die Bürger in noch stärkerem Maße zu politisch interessierten und aktiven Mitgestaltern der Gesellschaft machen kann. Man kann dabei
5 durchaus den ______ (2) vertreten, dass allein die Staatsbürgerschaft einen nicht automatisch mit 18 Jahren zu einem reifen und mündigen Bürger macht, und dass man diese Reife dann nachweisen sollte.

Julia Brausig: In der Schule wurde im Sozialkundeunterricht auch
10 größeres ______ (3) auf das Thema „Wahlen und politische Inhalte" gelegt, das finde ich gut. Im Grunde kann ich dieser ______ (4) schon zustimmen, denn viele Leute sind einfach zu faul oder denken, es wäre zu aufwendig, sich gut über Politik zu informieren.

15 **Moderator:** Alles in allem haben wir also bisher durchaus gewichtige ______ (5) sowohl für als auch gegen einen Pflichtkurs in Politik gehört. Die ______ (6), wie man solche Kurse ganz konkret umsetzen kann, ob als Kurs mit Anwesenheitspflicht oder auch als Onlinekurs, werden wir später noch einmal
20 aufgreifen.

11 CD AB c **Hören Sie die Radiosendung aus Übung 17 nun noch einmal und kontrollieren Sie Ihre Lösungen.**

WIEDERHOLUNG GRAMMATIK

zu Sprechen, S. 45, Ü4

19 Eignungstests

Lesen Sie die Informationen zu neuen Bewerbungsverfahren und ergänzen Sie die Adjektivendungen.

Die neue Suche nach geeigneten Mitarbeitern

Viele Arbeitgeber verlassen sich heute immer weniger auf einen klar strukturiert*en* (1) Lebenslauf, gut_____ (2) Zeugnisse, ein aussagekräftig_____ (3) Bewerbungsgespräch und damit auf den erst_____ (4) Eindruck, stattdessen wollen sie selbst testen: Ist der Kandidat
5 für den infrage kommend_____ (5) Job geeignet? Wie gut ist seine Allgemeinbildung? Und wie sieht es mit dem logisch_____ (6) Denken aus? Ein Eignungstest gehört heute oft zu den Bewerbungsprozessen dazu, denn er sagt meist sehr viel mehr über einen potenziell_____ (7) neu_____ (8) Mitarbeiter aus als eine üblich_____ (9) Bewerbungsmappe. Man sollte also bei jeder neu_____ Bewerbung damit rechnen, einen eigens für die Firma entwickelt_____ (10)
10 Eignungstest absolvieren zu müssen. Doch keine Angst, mit der richtig_____ Vorbereitung stellt das kein echt_____ (11) Problem dar.

zu Sprechen, S. 45, Ü4

20 Adjektivdeklination nach Artikelwörtern und nach Adjektiven / unbestimmten Zahlwörtern

GRAMMATIK ENTDECKEN

a **Lesen Sie den Artikel weiter und markieren Sie die Artikelwörter *alle, solche, keine, sämtliche* und die folgenden Adjektivendungen rot.**

Bei Eignungstests ist es so wie bei fast allen wichtigen Dingen im Leben: Die Vorbereitung ist entscheidend! Auch für solche eher unangenehmen Tests kann man üben! Bestimmte Sachen wiederholen sich, wie einige immer gleiche Fragen zu verschiedenen aktuellen oder histori-schen Geschehnissen oder viele ähnliche Übungen zum logischen Denken. Bei zahlreichen tech-
5 nischen Berufen gibt es zusätzlich mathematische Aufgaben. Wer hier keine weiteren Fragen hat, kann gleich beim Probetest weitermachen. Sämtliche gegebenen Antworten werden in „richtig" oder „falsch" sortiert. Und wer noch Fragen hat, sollte zuerst folgende weiterführende Hinweise lesen. Nach mehreren gelungenen Probetests sollten Sie für den Ernstfall fit sein, also klicken Sie sich weiter zum Erfolg!

b **Markieren Sie dann die Adjektive/Zahlwörter *einige, verschiedene, viele, zahlreiche, folgende, mehrere* und die folgenden Adjektivendungen blau.**

c **Vergleichen Sie die Endungen nach Nullartikel bzw. bestimmtem Artikel und unterstreichen Sie die Unterschiede.**

	Artikel	Adjektiv / unbestimmtes Zahlwort	Adjektiv	Nomen
1		viele	ähnliche	Übungen
2	die	vielen	ähnlichen	Übungen
3		wenige	einfache	Fragen
4	die	wenigen	einfachen	Fragen

3

zu Sprechen, S. 45, Ü4

21 Ein – nicht ganz ernst gemeinter – Verkäufer-Test ÜBUNG 12, 13, 14 GRAMMATIK

a **Ergänzen Sie die Endungen.**

Test für angehende Verkäufer

Sie haben sich bei uns beworben, wissen aber nicht, wie Sie sich auf unseren Einstellungstest vorbereiten können? Als kleinen Einblick finden Sie im Folgenden eine unserer möglichen Testfragen:

Die Öffnungszeiten Ihrer Filiale sind von 8.00 Uhr bis 20.00 Uhr. Um 20.10 Uhr befinden sich immer noch einig_e_ verspätet_e_ (1) Kunden im Betrieb. Wie reagieren Sie? Markieren Sie.

Möglichkeit 1 ☐

Ich bitte all___ anwesend___ (2) Kunden durch die Haussprechanlage höflich, sich zu den Kassen zu begeben, da die Öffnungszeit von 8.00 Uhr bis 20.00 Uhr vorbei ist. Ich wünsche den Kunden und sämtlich___ verblieben___ (3) Mitarbeitern einen guten Heimweg.

Möglichkeit 2 ☐

Ich laufe durch all___ vorhanden___ (4) Räume und fordere einig___ verspätet___ (5) Kunden auf, den Laden zu verlassen. Es gibt kein___ weiter___ (6) Probleme, denn erfahrungsgemäß werden solch___ direkt___ (7) Aufforderungen von den Kunden befolgt.

Möglichkeit 3 ☐

Die Öffnungszeiten sind am Kundeneingang sowie in jeder Abteilung an mehrer___ deutlich sichtbar___ (8) Plätzen ausgewiesen. Der Kunde hatte die Möglichkeit, sich daran zu halten. Ich kenne schon verschieden___, wenig überzeugend___ (9) Ausreden von zahlreich___ verspätet___ (10) Kunden. Ich habe eine Verabredung, deshalb packe ich meine Sachen und gehe.

Sie möchten sich mit verschieden___ weiter___ (11) Fragen umfassend auf Ihren Einstellungstest vorbereiten? Dazu empfehlen wir Ihnen unser Prüfungspaket mit viel___ zusätzlich___ (12) Original-Testfragen.

b **Schreiben Sie Sätze.**

1 geben / auch / viel___ / kritisch___ / Stimmen zu Eignungstests
Es gibt auch viele kritische Stimmen zu Eignungstests.

2 folgend___ / wichtig___ / Aspekte / man / sich klar machen / sollte

3 einig___ / angehend___ / Bewerber / einfach / mal / schlecht___ / Tag / haben

4 auf / solch___ / individuell___ / Besonderheiten / Test / kein___ Rücksicht nehmen

5 all___ / nicht erfolgreich___ / Bewerber / zweit___ / Versuch / machen sollten

zu *Wussten Sie schon?*, S. 46

22 Eine Fabel interpretieren

SCHREIBEN

Lesen Sie die Fabel und verfassen Sie dazu eine kurze Interpretation, in der Sie auf folgende Fragen eingehen.

1 In welcher Situation befinden sich die Tiere?
2 Welche menschlichen Eigenschaften verkörpern sie dabei?
3 Was wird indirekt kritisiert?
4 Wie endet die Fabel und welche Moral kann/sollte der Leser daraus ableiten?

Vom Frosch und der Maus

Fabel von Martin Luther

Eine Maus wäre gerne über einen Teich gelaufen,
konnte es aber nicht und bat einen Frosch um Hilfe.
5 Der Frosch, ein hinterlistiges Kerlchen, sprach zur
Maus: „Binde deinen Fuß an meinen Fuß, so will ich
schwimmen und dich hinüberziehen."
Als sie aber auf das Wasser kamen, tauchte der Frosch
hinunter und wollte die Maus ertränken. Während die
10 Maus sich nun wehrte und arbeitete, flog ein Raubvogel
daher und erhaschte die Maus. Er zog dabei den Frosch
auch mit heraus und fraß sie beide.

„In dieser Fabel ... die Hauptfiguren:
Sie erleben ...
... wird ... als besonders ... dargestellt, ... ist eher ...
Damit werden menschliche Eigenschaften wie ...
Das Ende der Geschichte zeigt auf, was passiert, wenn ...
Die Moral könnte also folgendermaßen lauten: ..."

In der Fabel sind folgende Tiere die Hauptfiguren:

zu Wortschatz, S. 46, Ü1

23 Die Sonne und der Wind

HÖREN

CD1AB

Hören Sie eine Fabel des deutschen Dichters Johann Gottfried von Herder und ergänzen Sie die Sätze sinngemäß.

1 Die Sonne und der Wind hatten einen Streit darüber, ...
2 Sie einigten sich darauf, dass ...
3 Als Erstes versuchte der Wind, ...
4 Aber der Wanderer ...
5 Die Sonne probierte es folgendermaßen: ...
6 Daraufhin musste der Wanderer ...
7 Gewonnen hat den Streit also ..., weil ...

1 Die Sonne und der Wind hatten einen Streit darüber, wer von beiden der Stärkere sei ...

3

zu Wortschatz, S. 46, Ü1

24 Charaktereigenschaften ÜBUNG 15

WORTSCHATZ

Was passt? Ordnen Sie zu.

eitel • einfältig • gemein • gutmütig • listig • naiv • schlau • ~~töricht~~ • überlegen • weise • eingebildet

1 Wer immer alles glaubt, ist ______________.
2 Wer Freude daran hat, anderen zu schaden, ist ______________.
3 Wer vieles/alles mit sich machen lässt, ist ______________.
4 Wer komplexe Aufgaben schnell versteht, ist ______________.
5 Wer aus wiederholten Fehlern nicht lernt, ist töricht.
6 Wer vor allem auf seine äußere Erscheinung bedacht ist, ist ______________.
7 Wer die einfachsten Zusammenhänge nicht versteht, ist ______________.
8 Wer denkt, dass er besser und klüger als andere ist, ist ______________.
9 Wer in einer Situation jemand anderen übertrifft, ist ______________.
10 Wer andere austrickst, ist ______________.
11 Wer durch Lebenserfahrung gelernt hat, ist ______________.

zu Sehen und Hören, S. 47, Ü3

25 Die Machart eines Animationsfilms

WORTSCHATZ

Was passt? Markieren Sie.

Der fünfminütige Animationsfilm „Das Wissen der Welt" kommt ganz ohne *Sprache/Ton* (1) aus und *aktiviert/beeindruckt* (2) durch seine Machart.

Die Personen sehen aus wie *handgefertigte/anschauliche* (3) Figuren aus Knetmasse. Mimik und Gestik sind kaum *adäquat/ausgeprägt* (4), die Figuren können lediglich ihre Augen rollen; ihre *Bewegungen/Reflexe* (5) sind eher eckig, dadurch wirken sie langsam und unbeholfen. Dennoch erkennt man die *Fertigkeiten/Beweggründe* (6) für ihr Handeln und scheint ihre Gefühle zu verstehen, beispielsweise als der „alte" Ägypter das Experiment mit der Zeitmaschine so lange probiert, bis es ihm schließlich *gefällt/gelingt* (7).

Die *Requisiten/Beute* (8), wie zum Beispiel die Inneneinrichtung der Bibliothek mit alten Papyrusrollen oder die Zeitmaschine, sind mit viel Liebe zum Detail gemacht. Diese Gegenstände *erzählen von/erinnern an* (9) Kinderspielzeug für eine Puppenstube oder einen Miniaturkaufladen.

Es gibt nur wenige *Rollenwechsel/Szenenwechsel* (10), dafür einige Schnitte innerhalb der Szenen, die entweder in der Bibliothek im alten Alexandria oder im Schnellimbiss der heutigen Zeit *spielen/drehen* (11). Insgesamt ist das Tempo im Film langsam und *bedächtig/verdächtig* (12).

Deutlich hört man die *Töne/Geräusche* (13), die durch die Handlungen der Personen verursacht werden, beispielsweise bei der Bedienung der Geräte oder der Zeitmaschine und beim Braten der Hamburger. Zusätzlich ist der Film in den Szenen, in denen er im alten Ägypten spielt, noch mit Instrumentalklängen *stabilisiert/unterlegt* (14).

Alles in allem *machen/probieren* (15) wohl zwei Dinge den Zauber dieses Animationsfilms aus: Einerseits beschränkt er sich auf das Wesentliche – sei es in der Sprache, im Tempo, in den Bewegungen oder Handlungen –, andererseits wird der Film durch die liebevoll gestalteten Figuren und Requisiten auch ganz *unmittelbar/unlängst* (16) (be)greifbar.

EINSTIEGSSEITE, S. 37

der Bauer, -n
die Eiszeit, -en
die Fähigkeit, -en
die Fertigkeit, -en
die Geschicklichkeit (Sg.)
der Jäger, -
der Krieger, -
das Mittelalter (Sg.)
der Ritter, -
der Sammler, -
der Siedler, -
die Steinzeit (Sg.)
die Vorsicht (Sg.)

existenziell

LESEN, S. 38–39

der Homo sapiens (Sg.)
die Kapazität, -en
die Merkfähigkeit (Sg.)
die Spezies, -
die Verfügbarkeit (Sg.)
der Vorfahre, -n
das Wesen, -

abhängen von, hing ab, hat abgehangen
beeindrucken
einstellen (*hier:* beenden)
entgegenstehen, stand entgegen, hat/ist entgegengestanden
schwinden, schwand, ist geschwunden
vererben

abwärtsgehen, es ging abwärts, es ist abwärtsgegangen
imstande sein

anschaulich
ausgeprägt
eigenständig
erforderlich
numerisch
schlau

allmählich
lediglich
hingegen

SCHREIBEN, S. 40–41

die Lerneinheit, -en
der Reflex, -e
der Reiz, -e
die Rhetorik (Sg.)
das Symbol, -e
der Vorsprung (Sg.)

jemandem etwas abverlangen
sich (Dat.) etwas einprägen
fördern
stabilisieren
stimulieren
sich sträuben
versäumen
zuordnen

etwas sträubt sich bei jemandem
jemanden vertraut machen mit

großflächig

neulich

das ist mir nicht ganz unbekannt

HÖREN, S. 42–43

Alzheimer (Sg.)
das Gehirn, -e

schlafen über (+ Akk.), schlief, hat geschlafen
umsetzen
unterschätzen

angespannt

ein guter Vorsatz

SPRECHEN, S. 44–45

der Betriebsrat, ¨-e
die Eignung (Sg.)
die Empathie (Sg.)

sich auseinandersetzen mit
sich erweisen als, erwies sich, hat sich erwiesen
festhalten, hielt fest, hat festgehalten
etwas gelten lassen, ließ gelten, hat gelten lassen
optimieren

Gewicht legen auf (+ Akk.)
einen Standpunkt vertreten, vertrat, hat vertreten
von Vorteil sein
etwas im Visier haben

adäquat
aufwendig
intellektuell
renommiert
standardisiert

alles in allem

WORTSCHATZ, S. 46

die Antike (Sg.)
die Belehrung, -en
die Verfremdung, -en
die Fabel, -n
der Fuchs, ¨-e
die Moral (Sg.)

jemandem schmeicheln
jemandem überlegen sein
jemandem etwas zuschreiben, schrieb zu, hat zugeschrieben

jemandem einen Spiegel vorhalten, hielt vor, hat vorgehalten

eitel
einfältig
empört
gemein
gutmütig
listig
naiv
töricht
weise

SEHEN UND HÖREN, S. 47

die Requisite, -n

unmittelbar

LEKTIONSTEST 3

1 Wortschatz

Was ist richtig? Markieren Sie.

1 Bei schwierigen Aufgaben wird *einem etwas abverlangt / man gefördert.*
2 Wer einer anderen Person Komplimente macht, *hält ihr einen Spiegel vor / schmeichelt ihr.*
3 Wer sich Dinge gut merken will, muss *sich mit ihnen vertraut machen / sie sich einprägen.*
4 Durch Reize von außen kann man den Körper *stimulieren/stabilisieren.*
5 Interessante Wissenssendungen im Fernsehen sollte man nicht *festhalten/versäumen.*
6 Wer etwas besser kann als die anderen, ist *gutmütig/überlegen.*
7 Ein anderer Begriff für „einfältig" ist *töricht/gemein.*

Je 1 Punkt **Ich habe ______ von 7 möglichen Punkten erreicht.**

2 Grammatik

a **Schreiben Sie die Sätze auf ein separates Blatt mit *imstande sein, die Gelegenheit haben, das Recht haben, bestrebt sein, verpflichtet sein, untersagt sein, ratsam sein, nichts anderes übrig bleiben als* neu.**

1 Morgen kann ich dich leider nicht anrufen, da bin ich auf Fortbildung.
2 Während des Experiments darf man nicht telefonieren.
3 Bei großer Nervosität sollte man pflanzliche Beruhigungstropfen einnehmen.
4 Einige Eltern wollen ihre Kinder schon in jungen Jahren zum Leistungsdenken erziehen.
5 Wer Mitglied im Sportverein ist, darf die Fitnessgeräte immer nutzen.
6 Manche Lehrer können das Potenzial ihrer Schüler nicht richtig einschätzen.
7 Wer einen Vertrag unterschreibt, muss die vereinbarten Inhalte befolgen.
8 Wenn Simone die Führerscheinprüfung nicht besteht, muss sie noch einmal antreten.

Je 1,5 Punkte **Ich habe ______ von 12 möglichen Punkten erreicht.**

b **Irreale Folge: Schreiben Sie Sätze mit *zu ..., als dass ...* oder, wenn möglich, mit *zu ..., um ... zu* auf ein separates Blatt.**

1 Das Leben in der Steinzeit war sehr hart. Man fütterte schwächere Menschen nicht durch.
2 Ältere Personen sind oft sehr stolz. Sie wollen sich in ungewohnten Situationen nicht helfen lassen.
3 Studenten wird an der Uni manchmal sehr viel abverlangt. Sie können ihr Lernpensum nicht schaffen.

Je 2 Punkte **Ich habe ______ von 6 möglichen Punkten erreicht.**

3 Kommunikation

Ordnen Sie zu.

1 Heute wollen wir uns
2 Einerseits lässt sich damit
3 Andererseits halte ich
4 Natürlich haben solche Tests
5 Du lässt also das Argument von Lisa
6 Ich würde mir wünschen, dass mehr
7 Das kann ich so nicht
8 Diesen Punkt können wir
9 Wer möchte sich
10 Abschließend können wir

A eine prinzipielle Eignung für eine Tätigkeit feststellen.
B Gewicht auf Eigenständigkeit gelegt wird.
C später noch mal aufgreifen.
D mit dem Thema „Eignungstests" auseinandersetzen.
E ihre Berechtigung, aber man sollte ...
F dazu noch äußern?
G nachvollziehen. Bitte erklär mir, wie du das meinst.
H gelten, meinst aber auch, man müsste ...
I also festhalten: ...
J solche Testverfahren für problematisch.

Je 0,5 Punkte **Ich habe ______ von 5 möglichen Punkten erreicht.**

Auswertung: Vergleichen Sie Ihre Lösungen mit S. AB 201.
Ihre Erfolgspunkte tragen Sie unter jeder Aufgabe ein.

Ich habe ______ von 30 möglichen Punkten erreicht.

☺	☺	☹
30–26	25–15	14–0

WIEDERHOLUNG WORTSCHATZ

1 Kreuzworträtsel

Ergänzen Sie die passenden Wörter im Kreuzworträtsel.
Die markierten Buchstaben, von oben nach unten gelesen, ergeben das Lösungswort.

- ■ Hast du zufällig die (1) für die Stelle im Marketing im Newsletter gesehen?
- ◆ Ja, habe ich. Ich bin aber nicht interessiert. Leider erfülle ich die (2) wohl nicht.
- ■ Ich überlege mir schon, ob ich eine (3) losschicke.
- ◆ Willst du das wirklich? Zu den Aufgaben gehören auch Reisen zu internationalen (4).
- ■ Welche (5) müssen die Bewerber denn noch mal mitbringen? Ich erinnere mich gerade nicht mehr.
- ◆ Abitur und Auslandserfahrung. Man soll außerdem gut reden können, damit man das (6) und seine Produkte positiv darstellen kann.
- ■ Klingt doch gut. So etwas könnte ich mir vorstellen. Ich brauche jetzt mal eine neue (7)
- ◆ Ich dachte, dir gefällt deine (8) als Assistentin der Bereichsleitung?
- ■ Aber ich habe ja etwas ganz anderes studiert. Ich möchte eine Arbeit, die meiner (9) entspricht.
- ◆ Hast du etwas über die Atmosphäre im (10) gehört, also wie da so die Stimmung ist?
- ■ Soweit ich weiß, sollen sich die (11) dort sehr wohlfühlen.

1															A			S									G
2								A	N	F	O	R	D	E	R	U	N	G	E	N							
3															B		W										
4														H													
5											Q					F			A				N				
6													U			E	R			H							
7	H			A					R					N													
8									T		T						T										
9												A				I		D									
10														B						B							
11														A						N							

Wie heißt das Lösungswort? ____________________

zur Einstiegsseite, S. 49, Ü2

2 Ingenieur – Traumjob oder Albtraum?

WORTSCHATZ

Was passt nicht? Streichen Sie durch.

1. *Der Beruf/~~Die Berufung~~* des Ingenieurs ist sehr abwechslungsreich.
2. Manche müssen bis tief in die Nacht *schuften/schnuppern.*
3. Schichtarbeit verlangt *Balance/Leidenschaft* für den Beruf, denn sie ist körperlich sehr anstrengend.
4. Zu ungewöhnlichen Uhrzeiten zu arbeiten, etwa nachts oder an Feiertagen, *verlangt/verspricht* Ausdauer.
5. Dafür ist die Bezahlung häufig *übersichtlich/überdurchschnittlich.*
6. Es gibt Menschen, die ihre Tätigkeit als *Beruf/Berufung* empfinden.
7. Man sollte am Wochenende richtig *ausspannen/schuften.*
8. Man sollte darauf achten, eine *Balance/Leidenschaft* zwischen Arbeit und Privatleben herzustellen.

zu Lesen 1, S. 50, Ü2

3 Mangelhafte Einarbeitung ÜBUNG 1

WORTSCHATZ

Ergänzen Sie in der richtigen Form.

ausloten • ~~führen~~ • machen • erfüllen • folgen • liegen • schauen • streben

Alexandra: Linda hat mir erzählt, dass ihr der neue Job nicht besonders gefällt.

Tristan: Wirklich? Sie hat sich doch nur bei dieser einen Firma beworben. Ich finde, man sollte möglichst viele Bewerbungsgespräche führen (1).

Alexandra: Ja, das ich finde auch. Bevor man sich entscheidet, sollte man alle sich bietenden Möglichkeiten für eine neue Stelle sorgfältig ______ (2).

Tristan: Was Linda offenbar vermisst, ist eine richtige Einarbeitung. Sie hat kaum Gelegenheit, ihren Kollegen über die Schulter zu ______ (3).

Alexandra: Echt? Ich mag es nicht, einem Kollegen auf Schritt und Tritt zu ______ (4). Da fühle ich mich wie ein Anfänger.

Tristan: Klar ______ (5) jeder danach, möglichst selbstständig arbeiten zu können.

Alexandra: Es scheint so, als ob dieser Job echt einseitig wäre. Einige von Lindas Talenten ______ (6) offensichtlich brach. Wichtig ist doch, dass man sagen kann: Die tägliche Arbeit macht mir Spaß und sie ______ (7) mich.

Tristan: Ich sehe das weniger streng. Die berufliche Tätigkeit ist zwar ein Teil von mir, aber sie ______ (8) doch die Person nicht aus, oder?

WIEDERHOLUNG GRAMMATIK

zu Lesen 1, S. 51, Ü4

4 Der falsche Beruf?

a **In welchen dieser subjektlosen Passivsätze muss *es* stehen, in welchen nicht? Markieren Sie.**

	nicht nötig	nötig
1 Es wird häufig innerlich gegen die Eintönigkeit im Beruf protestiert.	X	
2 Es wird mit der Suche nach einer beruflichen Alternative begonnen.		
3 Es wird nachgedacht und diskutiert.		
4 Es wird nach alternativen Berufswünschen und Hobbys gesucht.		
5 Es wird nachgefragt und herumgefragt.		
6 Es kann vielen Ratsuchenden bei der neuen Berufswahl von Profis geholfen werden.		
7 Es wird dafür auf verschiedenen Internetportalen geworben.		
8 So wurde es vielen Menschen möglich, noch einmal beruflich neu anzufangen.		

b **Schreiben Sie die Sätze aus a, in denen *es* nicht nötig ist, ohne *es*.**

1 Häufig wird innerlich gegen die Eintönigkeit im Beruf protestiert.
Gegen die Eintönigkeit im Beruf wird häufig innerlich protestiert.

zu Lesen 1, S. 51, Ü4

5 *Es* als nicht-obligatorisches Satzelement

GRAMMATIK ENTDECKEN

a **Worauf verweist *es* in den folgenden Sätzen? Markieren Sie.**

	Verweis auf Infinitivsatz	Verweis auf Nebensatz
1 Es war ein Glücksfall für die Ingenieurin Christa Birker, eine gute Position bei einem großen Chiphersteller zu bekommen.	X	
2 Es interessierte sie nicht, im Konzern aufzusteigen, weshalb sie alle Angebote ablehnte.		
3 Nach einiger Zeit war es für sie aber fraglich, ob sie diese Arbeit noch weitere 35 Jahre machen wollte.		
4 Sie hatte es eigentlich satt, den ganzen Tag im Büro am Computer zu sitzen und nie nach draußen zu kommen.		
5 Es war noch unsicher, welchen Beruf sie stattdessen ergreifen könnte und ob sie den Wechsel wirklich wagen sollte.		
6 Es wurde ihr klar, dass sie aus ihrer Begeisterung für Gärten einen neuen Beruf machen könnte.		
7 Die wenigsten Berufswechsler bereuen es, sich beruflich neu orientiert zu haben.		

b **Schreiben Sie die Sätze aus a ohne *es*.**

1 Eine gute Position bei einem großen Chiphersteller zu bekommen, war ein Glücksfall für die Ingenieurin Christa Birker.

zu Lesen 1, S. 51, Ü4

6 Berufliche Neuorientierung

ÜBUNG 2, 3

GRAMMATIK

Schreiben Sie Sätze, je nach Satzkonstruktion mit oder ohne *es*.

1 Christa / lieben, / Gärten gestalten / und / Grünanlagen / planen

Christa liebt es, Gärten zu gestalten und Grünanlagen zu planen.

2 gefallen ihr / kreative Ideen / ihrer Kunden / optimal realisieren

3 eine große Befriedigung / für sie, / sein / dass / ihre Kunden / zufrieden sein

4 unmöglich sein, / diese Art von Anerkennung / in einem Konzern / bekommen

5 dass / auch einige Probleme / dabei / sich ergeben, / ganz / selbstverständlich / sein

6 den falschen Beruf / haben, / für manche Leute / wirklich / ein Problem sein

7 bei einem Berufswechsel / nicht immer nötig sein, / eine komplette Neuorientierung vornehmen

zu Sprechen, S. 52, Ü1

7 Eine tolle Firma!

WORTSCHATZ

Lesen Sie den Praktikumsbericht und ergänzen Sie die Wörter aus dem Kursbuch, S. 52.

In der Firma herrscht echt ein gutes ________________ (1). Zu Besprechungen bringt oft jemand etwas zum Naschen, zum Beispiel Kekse, mit. Der ________________ (2) ist angenehm. Alle Mitarbeiter duzen sich. Es werden oft Scherze gemacht, alle lachen viel. Der ________________ (3) in der Firma scheint also sehr hoch zu sein. Kritik wird möglichst konstruktiv geäußert. Positiv ist auch, dass bei wichtigen Entscheidungen, zum Beispiel bei der Einstellung neuer Mitarbeiter oder bei Entlassungen, der Betriebsrat ein ________________ (4) hat. Der Geschäftsleitung liegt sehr viel an der ________________ (5) von Leistung. Wer ein Projekt erfolgreich abgeschlossen hat, bekommt zum Dank eine E-Mail vom Chef. Wer kontinuierlich gute Leistungen erbringt, kann befördert werden oder eine Gehaltserhöhung bekommen. Aber es gibt auch ein paar negative Seiten. Zum Beispiel die Vertragssituation (6). Wer neu eingestellt wird, muss damit rechnen, zuerst nur einen Zeitvertrag für ein, zwei oder drei Jahre zu bekommen. Festanstellungen von Anfang an sind in vielen Branchen selten geworden. Nicht so angenehm finde ich den Umgang mit der ________________ (7). „Von 9 bis 17 Uhr"-Tage gehören bei der Firma der Vergangenheit an. Oft sitzt man leider länger im Büro oder man arbeitet am Wochenende ...

4

zu Sprechen, S. 52, Ü2

8 Mittelständische Unternehmen ÜBUNG 4, 5

KOMMUNIKATION

Lesen Sie einen Zeitungsbericht und ergänzen Sie die Redemittel aus dem Kursbuch, S. 52.

Der deutsche Mittelstand hat's schwer

Mittelständische Unternehmen haben einen festen Platz im Wirtschaftsleben des Landes. Oft stellen sie in Kleinstädten mit nur einigen Tausend Einwohnern Hightech-Maschinen
5 her. Damit tun sie sehr viel (1) für den Erhalt oder Ausbau von qualifizierten Arbeitsplätzen. Mit Blick auf die nächste Generation stellen sich mittelständische Unternehmer ernste Fragen: Was macht ein Unternehmen zukunftsfähig? Man ist sich bewusst, dass die Unternehmen im Wettbewerb
10 um Talente stehen. In diesem Zusammenhang ________ ________ ________ (2), dass junge Fachkräfte lieber in einer Metropole leben als in einer Kleinstadt. Dadurch ________ sogar in modernsten Unternehmen ________ (3) mit dem Personal. Mittelständler müssen ________ ________, ________ (4) sie nicht genügend Mitarbeiter finden, weil ihre Firma in der Rangliste der Wunscharbeitgeber nicht ganz oben
15 steht. Die Medien berichten vorzugsweise über weltweit bekannte Markenhersteller. Der Mittelstand kommt da selten vor. Wie sollen sich junge Menschen da für den Mittelstand begeistern? Dabei findet ein technikbegabter Mensch bei einem Mittelständler ein viel offeneres Spielfeld, er kann in kürzerer Zeit seine Ideen leichter in die Tat umsetzen. Um bei der jungen Generation zu punkten, ________ manche Unternehmensleitung
20 ________ (5) andere Dinge, zum Beispiel auf ein gutes Betriebsklima. Nach eigenen Aussagen hat man ________ schon viel mehr ________ (6) als noch vor ein paar Jahren. Diese Anstrengungen will man ________ ________ (7) noch verstärken. Ein weiterer Pluspunkt ist die Dauer der Beschäftigung: Berufseinsteiger erhalten nach der Probezeit häufiger einen festen Vertrag. Das ist für viele ________ ________ ________ (8) ein tolles Image.

zu Hören, S. 53, Ü2

9 Volontariat

WORTSCHATZ

Lesen Sie die E-Mail einer Auszubildenden an ihre Freundin und bilden Sie aus den Wörtern in Klammern Nomen.

Liebe Nuray,

in Deiner letzten Mail hast Du mich gefragt, was ein Volontariat eigentlich genau bedeutet und wie ich meines gefunden habe. Volontärin heißt, man ist eine *Auszubildende* (1) (ausbilden). Ein Volontariat ist geeignet für Leute, die frisch aus dem Studium kommen und noch keine ______________ (2) (erfahren sein im Beruf) haben. Deshalb ist ein Volontariat genau das Richtige für ______________ (3) (einsteigen ins Berufsleben). Meins dauert ein Jahr, manchmal geht es etwas länger. Ich habe die Stellenausschreibung im Internet gefunden. Ich war damals ständig auf ______________ (4) (Stelle suchen). Zu der Zeit habe ich auf ______________basis (5) (honorieren) gearbeitet und hatte immer Geldmangel. Schließlich habe ich den Newsletter von meinem jetzigen Arbeitgeber abonniert und vor allem die Stellen______________ (6) (anzeigen) gelesen. Ja, und da fand ich irgendwann diese Ausschreibung. Nachdem ich meine Bewerbung abgeschickt hatte, hat es etwas gedauert, bis ich eine Einladung zum ______________gespräch (7) (sich vorstellen) bekam. Das Gespräch verlief dann zum Glück gut. Innerhalb einer Woche erhielt ich schon eine ______________ (8) (zusagen).

zu *Wussten Sie schon?*, S. 53

10 Anruf bei der Minijobzentrale

HÖREN

Sie hören ein Telefongespräch zwischen einer Arbeitgeberin und einem Mitarbeiter der Minijobzentrale. Was ist richtig? Markieren Sie.

1 Warum ruft die Arbeitgeberin an? Sie möchte ...
- a die Rente ihrer Angestellten nicht bezahlen.
- b eine Minijobberin beschäftigen.
- c ihrer Haushaltshilfe eventuell mehr Gehalt bezahlen.

2 Was bezahlen Arbeitgeber eines Minijobbers?
- a Abgaben wie bei normalen Arbeitsstellen
- b Einen Anteil für die Renten- und Krankenversicherung
- c Keine Abgaben an den Staat

3 Wenn das Gehalt auf 450 Euro erhöht wird, ...
- a kann die Minijobberin nichts mehr für ihre Rente bezahlen.
- b soll die Minijobberin nichts mehr für ihre Rente bezahlen.
- c kann die Minijobberin einen Antrag auf Befreiung von der Abgabe für die Rente stellen.

4 Warum gibt es diese neue Regelung? Der Staat möchte, dass ...
- a Arbeitgeber weniger Abgaben bezahlen.
- b es mehr Minijobber gibt.
- c mehr Minijobber eine Rente bekommen.

zu Hören, S. 53, Ü3

11 Bewerbertraining

LESEN

Lesen Sie den Zeitungsartikel. Ergänzen Sie dann die Textzusammenfassung.

In dem Artikel wird ein Seminar (1) für Stellensuchende beschrieben. Es richtet sich an ______________ (2), die eine Stelle suchen. Der Referent spricht in den drei Tagen alle wichtigen Bestandteile einer ______________ (3) durch. Er gibt dazu praktische Tipps, zum Beispiel für das ______________ (4). Um darauf vorbereitet zu sein, empfiehlt er, sich in der Zeitung mit aktuellen Themen aus der ______________politik (5) zu beschäftigen. Die Bewerber sollen darauf vorbereitet sein, den für Einstellungen zuständigen Mitarbeitern der ______________ (6) anschaulich aus ihrem Leben zu erzählen. Die optimale ______________ (7) der Bewerbungsunterlagen bespricht der Referent anhand von Beispielen aus der Gruppe. Der Lebenslauf muss gut ______________ (8) sein, das Foto soll sympathisch wirken. Für ______________-Bewerbungen (9) empfiehlt er, möglichst auf alle Fragen offen und klar zu antworten. Das Ziel sei die ______________ (10) zum Bewerbungsgespräch.

Lehrgang in Selbstlob

Für die meisten Menschen gibt es wenig Schlimmeres, als erklären zu müssen, warum ausgerechnet sie die besten für einen Job sind. Macht nichts, dafür gibt es Seminare.

Es ist Donnerstag, kurz vor neun in der Münchner Arbeitsagentur, als Herr Winkler die nicht ganz so wachen Studierenden bittet, mal aufzustehen. Also erheben sie sich im Zeitlupentempo und stellen sich im Kreis auf. In der Mitte steht Herr Winkler und fragt: „Können Sie die Finanzkrise erklären?" Schweigen, weiter nichts. „Aha", sagt Herr Winkler und nickt, als hätte er sich das schon gedacht. Dann sagt er: „Kann gut sein, dass Sie das beim Bewerbungsgespräch gefragt werden."

Herr Winkler will den gut 20 Studierenden in den kommenden zwei Tagen zeigen, wie sie sich am besten für einen Job bewerben können. Auf dem Stundenplan stehen: Lebenslauf, Anschreiben, Online-Bewerbung. „Was soll man denn auf die Finanzkrisen-Frage antworten?", will eine Studentin wissen. Sein Tipp: „Lesen Sie in der Zeitung zusammenfassende Analysen der Krise."

Auf die aufgebaute Leinwand projiziert Herr Winkler mit einem Beamer seine Präsentation. „Vermarkten Sie sich regelrecht", ist da zu lesen. „Es ist wie auf dem Flohmarkt", sagt Herr Winkler, „Sie müssen es schaffen, dass der Personaler nicht an Ihrem Tisch vorbeigeht." Alles, was man brauche, seien kleine Storys aus dem eigenen Leben, ohne sich dabei zum Helden zu stilisieren. „Kommen Sie zur Sache: Namen, Orte, Handlungen, Leistungen, Erfolge." Eine Bewerberstory halt.

Die Studierenden haben ihre Bewerbungsmappen schon vorher an Herrn Winkler geschickt. Daraus zeigt er auf der Leinwand vorne Beispiele dafür, wie man es nicht macht. Zu sehen ist ein Lebenslauf mit viel zu kleiner Schrift und einem Foto, schwarz-weiß, auf dem ein Mann zu sehen ist. „Man muss zu einem professionellen Studiofotografen", rät Herr Winkler. Danach geht es um die Visitenkarte eines jeden Bewerbers: den Lebenslauf. Luftig sollte er gestaltet sein, rät Herr Winkler.

Auf dem Programm steht außerdem die Online-Bewerbung. Heutzutage haben vor allem die großen Unternehmen vorgefertigte Bewerbungsformulare auf ihrer Webseite. Auf die Leinwand hat Herr Winkler seinen Tipp projiziert: „Reizen Sie die Online-Formulare aus. Füllen Sie alle Felder aus! Funktionieren Sie sie gegebenenfalls für Ihre Zwecke um." Die Devise sei dieselbe wie bei der klassischen Bewerbung. Herr Winkler bringt sie auf die Formel „2E2A": Einfach und ehrlich, ansprechend und angemessen. Am wichtigsten sei es, mit seinen Unterlagen zu überzeugen, sodass man zum Bewerbungsgespräch eingeladen werde.

zu Hören, S. 53, Ü3

12 Meine Bewerberstory ÜBUNG 6

SCHREIBEN

a **Entwerfen Sie Ihre eigene Bewerberstory.**

Gibt es eine Arbeitsstelle, auf die Sie sich gern bewerben möchten? Oder denken Sie an Ihr letztes Vorstellungsgespräch: Welche Ereignisse und Entscheidungen in Ihrem Leben haben Sie dahin gebracht, sich auf diese Stelle zu bewerben? Erzählen Sie kurz, informativ und interessant. Beherzigen Sie dabei die folgenden Ratschläge:

- Greifen Sie die wichtigsten Punkte und die entscheidenden Phasen in Ihrer Biografie heraus, denken Sie an den „roten Faden".
- Erklären Sie die Gründe für Ihre jeweiligen Schritte und Entscheidungen.
- Sagen Sie, welche Personen (Ratgeber, Vorbilder) wichtig für Ihre Entwicklung waren.
- Beschreiben Sie sich positiv, ohne sich dabei zum Helden zu machen.

Nach meinem Abitur im Jahr 2007 begann ich eine Ausbildung zur Physiotherapeutin. Ich wollte unbedingt etwas Praktisches tun und auch ausprobieren, ob die Arbeit mit Kranken etwas für mich wäre, denn ich wartete außerdem auf die Zuteilung eines Medizinstudienplatzes. Während eines Praktikums aber, das ich als Physiotherapeutin in Argentinien ableistete ...

b **Tragen Sie Ihre Bewerberstory Ihrer Lernpartnerin / Ihrem Lernpartner mündlich vor. Sie/Er gibt Ihnen Feedback.**

zu Wortschatz, S. 54, Ü3

13 Steuer, Versicherung oder Zuschlag

WORTSCHATZ

a **Ergänzen Sie in der linken Spalte die passenden Verben.**

~~erhalten~~ • befreien • eingezahlt • geleistet • genommen • verdient • wählen

1 Ab einem bestimmten Alter *erhalten* Arbeitnehmer, die regelmäßig einbezahlt haben, diese Leistung bis zum Lebensende.	Rente*nversicherung*
2 Ab einem bestimmten Verdienst können Arbeitnehmer ________, ob sie gesetzlich oder privat versichert sein möchten.	Krank________
3 Die Höhe richtet sich danach, wie viel der Arbeitnehmer ________. Die Höchstsätze liegen zwischen 40 und 50 Prozent.	Lohn________
4 Je nachdem, wie viele Leistungen, zum Beispiel Hilfe bei der Körperpflege, in Anspruch ________ werden, gibt es drei Stufen.	Pflege________
5 Wer seine Stelle verliert, erhält ein Jahr lang einen festen Prozentsatz von seinem letzten Gehalt. Allerdings nur, wenn man gearbeitet und Beiträge ________ hat.	Arbeitslos________
6 Seit der Wiedervereinigung der beiden deutschen Staaten wird dieser Beitrag von Bürgern in West- und Ostdeutschland für den Wiederaufbau Ost ________.	Solidarität________
7 Wer aus der Kirche austritt, kann sich von dieser Abgabe ________ lassen.	Kirche________

b **Ergänzen Sie die Form der Abgaben in der rechten Spalte. Achten Sie dabei auf die Fugenelemente.**

4

zu Wortschatz, S. 54, Ü3

14 Gehaltszettel entziffern

HÖREN

CD/AB

Worüber ärgern sich die Angestellten? Hören Sie die Unterhaltung und markieren Sie.

1 Susanne findet, dass ... abgeschafft werden sollte.
[a] der Gehaltszettel [b] der Solidaritätszuschlag

2 Arun ärgert sich, dass von seinem Urlaubsgeld ... abgezogen wird.
[a] die Sozialversicherung [b] die Krankenversicherung

3 Niko möchte mehr von seinem Bruttogehalt behalten und keine ... zahlen.
[a] Abzüge [b] Kirchensteuer

4 Tania glaubt, dass die Beiträge für ... in Zukunft steigen werden.
[a] die Kirchensteuer [b] die Rentenversicherung

zu Wortschatz, S. 55, Ü4

15 Aus der Arbeitswelt ÜBUNG 7

WORTSCHATZ

Was passt nicht? Streichen Sie durch.

1 Brutto – Netto – ~~Honorar~~ – Abrechnung
2 Entgelt – Steuern – Lohn – Gehalt
3 Gehaltserhöhung – Zusatzleistung – Fachkraft – Gutschein
4 Unternehmen – Beschäftigter – Arbeitnehmer – Angestellter

zu Lesen 2, S. 57, Ü3

16 So kommt man mit schwierigen Kollegen aus. ÜBUNG 8

WORTSCHATZ

Lesen Sie die Tipps und ergänzen Sie in der richtigen Form.

blenden • brüllen • ~~Choleriker~~ • klopfen • leicht haben • Pedant • reden • übertrumpfen • Versager • wackeln • ziehen

Tipp 1: Während der Choleriker (1) im Gespräch schreit, dass die Wände ______ (2), sollten Sie völlige Ruhe bewahren: Das Problem hat der, der ______ (3) – und nicht Sie.

Tipp 2: Schnell einen Strauß Blumen, wenn die Büro-Mutti ausnahmsweise still und unglücklich hinter ihrem Schreibtisch sitzt: Dann hat sie nämlich Geburtstag und niemand hat daran gedacht. Sie ______ es wahrscheinlich nicht ganz ______ (4) im Leben und braucht auch mal jemanden, der ihr auf die Schulter ______ (5).

Tipp 3: Meiden Sie den Karrieristen. Er versucht, Sie mit seinen Leistungen und Erfolgen zu ______ (6) und Sie als ______ (7), der nichts schafft, dastehen zu lassen. Beides ist nicht sehr angenehm.

Tipp 4: Simulieren Sie ein Telefongespräch, wenn die Quasselstrippe ohne Punkt und Komma ______ (8), und geben Sie einen wichtigen Termin vor, wenn sich Konferenzen wie Kaugummi in die Länge ______ (9).

Tipp 5: Am besten, man reagiert gar nicht auf die Angebereien, wenn ein Kollege versucht, die anderen mit Pseudowissen zu ______ (10): Strafen Sie den Kollegen mit Nichtachtung.

Tipp 6: Niemals einen Stift von seinem stets aufgeräumten Schreibtisch ausleihen! Der ______ (11) hat sie alle durchgezählt und nummeriert.

4

WIEDERHOLUNG GRAMMATIK

zu Lesen 2, S. 57, Ü4

17 Kollegengespräche

a **Schreiben Sie mit den Wörtern in Klammern Sätze und benutzen Sie dabei das Pronomen *es*.**

1 Die Kollegin konnte das gewünschte Buch leider erst gestern bestellen. (hoffentlich morgen da sein)
Hoffentlich ist es morgen da.

2 Habt ihr das Projekt „Wohlfühlen im Team" schon durchgeführt? (nein, erst morgen beginnen)

3 Das innovative Design unseres neuen Logos ist wirklich gelungen. (also, ich hässlich finden)

4 Sag mal, wo findet das nächste Meeting eigentlich statt? (diesmal ausnahmsweise im Büro vom Chef sein)

5 Jetzt ist der Katalog endlich da. Wie findest du denn das neue Modell? (mir gut gefallen)

6 Ich kann die Chefin nicht erreichen, ihr Telefon ist dauernd besetzt. (ja, seit gestern kaputt sein)

b **Unterstreichen Sie in a das Wort, auf das sich *es* bezieht.**

zu Lesen 2, S. 57, Ü4

18 *Es* als obligatorisches Satzelement

GRAMMATIK ENTDECKEN

a **Unterstreichen Sie *es* in den Sätzen und markieren Sie, worauf sich *es* bezieht.**

1 Unser neuer Kollege Bernd ist ja sehr trainiert und sportlich. Ich bin es leider nicht.
2 Schickst du mir morgen deine Notizen von der letzten Sitzung? – Natürlich, ich verspreche es dir.
3 Jana gießt jeden Abend die Pflanzen in allen Büros. Sie behauptet, dass sie es gern macht.
4 Früher war unsere Chefin ja sehr pedantisch und übergenau, inzwischen ist sie es nicht mehr.
5 Frau Schreiner muss die Launen vom Chef ertragen und sehr oft Überstunden machen. Gern tut sie es nicht.

b **Was ist richtig? Markieren Sie.**

- ☐ *Es* bezieht sich in diesen Sätzen auf Satzteile oder Adjektive.
- ☐ *Es* ist in diesen Sätzen Teil einer festen Verbindung.

c **Schreiben Sie die Sätze neu. Beginnen Sie mit dem unterstrichenen Satzteil.**

1 Es geht unserem Abteilungsleiter um neue, kreative Einfälle.
2 Wenn es etwas zu tun gibt, packt Klaus das mit großer Motivation an.
3 Anna hatte es am Anfang in ihrer Abteilung schwer, denn ihre Kollegen hielten sie für eine Konkurrentin.
4 Bei Herrn Müller hat man es mit einem Menschen zu tun, der schlecht über seine Kollegen redet.
5 Martina hat es eigentlich immer eilig. Sie ist dauernd im Stress und hat viele Kundenkontakte.

1 Unserem Abteilungsleiter geht es um neue, kreative Einfälle.

d **Schreiben Sie aus c die festen Verbindungen mit *es* heraus.**

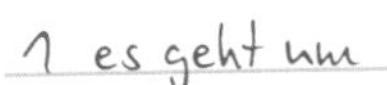

zu Lesen 2, S. 57, Ü4

19 Was es alles gibt!

GRAMMATIK

Ordnen Sie die Ausdrücke in die Tabelle ein.

es ist heiß • es klopft • es klingelt • es gibt • es geht um • es schneit • es ist acht Uhr • es gefällt mir • es riecht gut • es raschelt • es juckt • es handelt sich um • es geht mir gut • ~~es schmeckt mir~~ • es tut mir weh • es zu tun haben mit • es ernst/gut/... meinen mit • es kommt darauf an

Wetter und Zeit	Geräusche	Sinneseindrücke	persönliches Befinden	feste Wendungen
		es schmeckt mir		

zu Lesen 2, S. 57, Ü4

20 Joballtag ÜBUNG 9, 10, 11

GRAMMATIK

Ergänzen Sie *es* an der richtigen Stelle.

1 Es ist immer gut, wenn es eine Kollegin oder einen Kollegen gibt, mit der oder mit dem man seine Probleme besprechen kann.

2 Bei diesem Projekt handelt sich um das Lieblingsprojekt von unserem Abteilungsleiter.

3 Weißt du eigentlich, ob Antje die Präsentation vorbereitet hat? – Ich hoffe.

4 Wenn regnet, kommt Kollege Müller immer zu spät, weil er dann nicht mit dem Fahrrad fährt, sondern den Bus nimmt.

5 Nach dem letzten Meeting war Linda wirklich sauer auf die Chefin. Sie meint ernst mit der Drohung zu kündigen.

6 Bei der nächsten Konferenz geht darum, die Strategie für das kommende Halbjahr festzulegen.

7 In einer schwierigen Situation kommt darauf an, die Nerven zu behalten und eine neue Strategie zu entwickeln.

8 Hast du eine Ahnung, wo die Unterlagen für den Vertrag hingekommen sind? – Nein, ich weiß leider nicht.

9 Alexandra ist entspannt und richtig gut erholt aus dem Urlaub zurückgekommen. – Bei dem Stress, den wir hier haben, wird sie nicht lange sein.

zu Schreiben, S. 58, Ü1

21 Anredeformen in E-Mails

HÖREN

Hören Sie das Gespräch mit einem Verlagsexperten. Was ist richtig? Markieren Sie.

1 Was sagt der Experte über Anredeformen in E-Mails?
- [a] Sie ändern sich.
- [b] Sie drücken einen persönlichen Stil aus.
- [c] Sie sind anders als bei einem Brief.

2 Wie ist der Gebrauch von „Liebe/-r“ und „Sehr geehrte/-r“?
- [a] Beide Anredeformen werden manchmal auch weggelassen.
- [b] „Liebe/-r“ finden viele zu formell.
- [c] „Sehr geehrte/-r“ wird öfter verwendet.

3 Wie erklärt der Experte den Verzicht auf eine Anrede?
- [a] Die Begrüßungen fallen auch bei Treffen häufig weg.
- [b] In E-Mails gelten dieselben Regeln wie in der gesprochenen Sprache.
- [c] Es stellt sich eher ein Gefühl von Vertrautheit ein.

4 Was empfiehlt der Experte für den Geschäftsverkehr?
- [a] Am besten verwendet man die höfliche Anrede.
- [b] Man braucht sich nicht mehr an Standards zu halten, sie gelten nicht mehr.
- [c] Man sollte Anreden weglassen und sich auf den Inhalt konzentrieren.

5 Was erklärt der Experte über die zusätzliche Verwendung des Vornamens?
- [a] Man versucht, damit Distanz zu schaffen.
- [b] Man verwendet diese Form genau wie andere informelle Anreden.
- [c] Sie ist zeitgemäß.

zu Schreiben, S. 58, Ü1

22 E-Mails im Geschäftsleben ÜBUNG 12

KOMMUNIKATION

Ergänzen Sie die Regeln.

Anhänge • Anrede • Anschreiben • Ausdrücke • Betreffzeile • Gruß • ~~Mailadresse~~

Die richtige Form im elektronischen Schriftverkehr

1. Absender mit unseriöser Mailadresse wie „the_croate@freemail.de“ oder „kleinjule@web.de“, die man vielleicht noch aus der Schulzeit hat, werden kaum ernst genommen.
2. Bei der __________ sollte man auch auf eine persönliche Note wie „Hallo, ich bin der Jens“ verzichten.
3. Unpassend ist es außerdem, als __________ eine Abkürzung zu verwenden wie „MfG“ für *Mit freundlichen Grüßen*.
4. Eine nichtssagende __________ wie „Protokoll“ oder „Wie geht's?“ macht es schwer, die Nachricht später wiederzufinden, und wirkt unpräzise.
5. __________, die länger als eine Seite sind, werden von schnell arbeitenden Personalern kaum gelesen.
6. Zu viele __________ am Bewerbungsschreiben wirken abschreckend.
7. Smileys, Emoticons und __________ wie „*g*“ (für „Grinsen“) gehören nicht in eine geschäftliche Nachricht.

zu Schreiben, S. 58, Ü2

23 Dank an eine Vorgesetzte

SCHREIBEN

Bilden Sie aus den Wörtern in Klammern Nomen und ergänzen Sie sie.

Benedikt ist für ein dreimonatiges Auslandspraktikum in Zürich. Er bedankt sich bei seiner Vorgesetzten für die Vermittlung einer Wohnungsmöglichkeit.

Liebe Frau Köhler,

nach meiner angenehmen Anreise und problemfreien Ankunft (1) (angekommen) möchte ich mich nun gleich bei Ihnen für Ihre ________ (2) (unterstützen) in Sachen Unterkunft bedanken. Gerade habe ich mein Quartier bezogen. Ihre ________ (3) (vermitteln) der Wohnung von Herrn Winterhagen hat mir wirklich geholfen.
Sehr praktisch ist die schöne ________ (4) (einrichten) der Einzimmerwohnung.
Der Wohnungsbesitzer, Herr Winterhagen, hat mir seine Haustiere anvertraut. Ich muss sein Aquarium und einen kontaktfreudigen Kanarienvogel während seiner ________ (5) (abwesend) versorgen.
Dürfte ich Sie noch um die ________ (6) (weiterleiten) der beigefügten Fotos an die Kollegen im Bereich bitten?

Beste Grüße aus Zürich
Benedikt Saalfrank

zu Schreiben, S. 58, Ü2

24 Ein supernetter Typ ÜBUNG 13, 14

GRAMMATIK

a **Bilden Sie so viele neue Adjektive wie möglich mit *voll-, extra-, hoch-, riesen-, super-, stein-, tief-, tod-* und den unten stehenden Adjektiven. Nicht immer sind alle Kombinationen möglich.**

bepackt • blau • gut • groß • ~~intelligent~~ • lecker • müde • reich • talentiert

intelligent: hochintelligent, superintelligent

b **Lesen Sie die E-Mail von Gloria an ihre Freundin Linda und setzen Sie passende Adjektive aus a in der richtigen Form ein. Achten Sie darauf, dass der Text abwechslungsreich wird.**

Hallo Linda,

das muss ich Dir erzählen: Bei uns hat doch ein neuer Mitarbeiter, Bruno Alfredi aus Italien, angefangen. Also, er kam gestern vollbepackt (1) in mein Büro und wollte sich die Schlüssel zu seiner Wohnung abholen. Der Typ sieht wirklich gut aus, er hat ________ (2) Augen, fast violett, unglaublich! Allerdings hat er ________ (3) Ohren. Naja. Ich bin dann mit ihm zu der Wohnung gefahren, um ihm alles zu zeigen – und dann hat er mich zu einem ________ (4) Essen eingeladen. Wir haben uns ________ (5) unterhalten und ich muss sagen, dieser Mann ist ________ (6) für Sprachen. Er spricht fließend Deutsch – Englisch, Französisch und Spanisch sowieso – und jetzt lernt er noch Chinesisch! In Italien haben seine Eltern ein großes Weingut und verdienen damit viel Geld, angeblich sind sie ________ (7). Das ist Bruno aber ganz egal, denn er ist ________ (8) und interessiert sich für alles Mögliche, bloß nicht für Geld. Also, das war wirklich ein schöner Abend, hoffentlich kommt er noch mal bei mir vorbei. So, jetzt weißt Du das Neueste – ich muss jetzt ins Bett, denn ich bin ________ (9). Bis bald!

zu Sehen und Hören, S. 59, Ü2

25 Mitarbeiterporträts eines Start-up-Unternehmens

LESEN

Lesen Sie die Steckbriefe der Mitarbeiter und notieren Sie Stichpunkte zu den folgenden Fragen.

1 Welche Aufgaben haben die Personen jeweils in der Firma?
2 Nennen Sie mindestens ein besonderes Persönlichkeitsmerkmal oder ein Hobby von jeder Person.

Claudius D., Jahrgang 1989, Produktentwicklung. Als Mathematik-Student mit sozialem Engagement kam ihm zusammen mit zwei Freunden die Idee für ein Fitness-Workout ohne Geräte. Er stellte Filme ins Netz, in denen er zeigt, wie man mit dem eigenen Körpergewicht Kraft- und Ausdauerübungen durchführt. Zurzeit wächst die kleine Firma rasant. „Als Selbstständiger arbeitest du nach deinem eigenen Plan, da stehst du niemals unten in der Hierarchie. Das war schon als kleiner Junge mein Ziel." Im Moment arbeitet er an neuen Geschäftsideen.

Clemens H., Jahrgang 1987, Online-Vermarktung/Vertrieb, einer der drei „C"s von CCC. Clemens studierte Betriebswirtschaft in München und lernte Claudius an der Uni kennen. Sofort nach dem Bachelorabschluss machte er sich mit Claudius und Christian selbstständig. Clemens kümmert sich heute darum, dass die Idee von CCC im Netz, aber auch darüber hinaus, immer bekannter wird. Und dass die Bezahlung im Netz richtig funktioniert. Außer dieser Kernaufgabe ist ihm das Betriebsklima wichtig. Es geht ihm auch um eine moderne Unternehmenskultur.

Christian S., Jahrgang 1977, Programmierung. Nach seinem Master in Software Systems Engineering an der Universität Lübeck lernte der Fitnessbegeisterte vor zwei Jahren die beiden anderen „C"s, Claudius und Clemens, kennen. Die suchten gerade dringend nach jemandem, der ihre Inhalte für das Internet umsetzen konnte. „Tolle Software bauen, die Spaß macht und funktioniert", so lautet sein Credo. Christian hasst es, wenn andere Menschen ihn als Computerfreak oder Nerd bezeichnen. Er löst einfach gern Probleme. Und darin ist er richtig innovativ.

Paolo M., Jahrgang 1959, Chef für gesunde Ernährung. Paolo ist der letzte Neuzugang in dem bunt zusammengemischten Haufen der jungen Firma. Seit letztem Herbst ist er für alles zuständig, was die Mitarbeiter zu sich nehmen. Er macht Vorschläge für die Diät-Vorschriften, die Teil des CCC-Programms sind. Aufgewachsen ist er in Süditalien, wo die Gerichte seiner Mama seine Leidenschaft fürs Kochen geweckt haben. Mit 19 kam er nach Deutschland. Nach einigen Berufsjahren als angestellter Koch hat er sich mit einem vegetarischen Restaurant selbstständig gemacht.

zu Sehen und Hören, S. 59, Ü2

26 Meine Traumfirma

SCHREIBEN

Stellen Sie sich vor, Sie würden Ihre eigene Firma gründen. Wie sieht Ihre Geschäftsidee aus? Welche Unternehmenskultur finden Sie wichtig? Wie viele Mitarbeiter brauchen Sie? Wie arbeiten Sie zusammen? Schreiben Sie einen Text.

Die Geschäftsidee für meine Traumfirma ist ...

— AUSSPRACHE: Auslassungen und Verschleifungen, Rhythmus und Sprechflüssigkeit

1 Auslassungen hören

CD1AB

a Hören Sie den folgenden Text. Unterstreichen Sie alle *e*, die nicht zu hören sind.

> ***Die lieben Kollegen***
>
> Liebe Kollegen musst du nicht lange bitten, wenn du Hilfe brauchst. Sie legen sich für dich mit dem Chef an und schicken dir zum Geburtstag und zu Weihnachten Karten. Einen Haken haben die lieben Kollegen aber doch: Sie erwarten, dass du nach der Arbeit mit ihnen noch was trinken gehst.

b Lesen Sie den Text laut und lassen Sie beim Sprechen die unterstrichenen *e* aus.

2 Gedichte

CD1AB

Hören Sie die beiden kurzen Gedichte. Sprechen Sie sie dann im Chor und klatschen Sie den Rhythmus dazu. Variieren Sie beim Sprechen das Tempo: mal langsam und deutlich, dann schnell.

1

Die Köche

Was machen die Köche?
Sie kochen und backen,
schneiden und hacken,
kneten und würzen,
tragen Mützen und Schürzen.

2

Die Chefs

Was machen die Chefs?
Sie befehlen und ordern,
loben und fordern,
befördern und entlassen,
trinken aus Tassen.

3 Betonung in Komposita ÜBUNG 15

CD1AB

a Hören Sie die Wortreihen. Markieren Sie bei allen Wörtern jeweils die Silbe, die am stärksten betont ist.

1 Kirche – Steuer – Kirchensteuer
2 Steuer – Erklärung – Steuererklärung
3 Rente – Versicherung – Rentenversicherung
4 Versicherung – Betrag – Versicherungsbetrag

b Sprechen Sie die Wortreihen aus a laut aus und klatschen Sie bei der Hauptbetonung in die Hände.

c Welches Wort trägt in deutschen Komposita die Hauptbetonung? Markieren Sie.

1 Das Grundwort (Kirchensteuer)
2 Das Bestimmungswort (Kirchensteuer)

CD1AB

d Bauen Sie das Kompositum „Rentenversicherungsbeitragsberechnungsgrundlage" von hinten auf: Sprechen Sie zuerst das Grundwort „Grundlage" aus und erweitern Sie das Kompositum in einzelnen Schritten (Grundlage – Berechnungsgrundlage – usw.). Achten Sie darauf, dass die Hauptbetonung immer auf das nächste Bestimmungswort übergeht. Hören Sie anschließend und kontrollieren Sie.

e Wettbewerb: Bilden Sie möglichst lange Komposita und notieren Sie sie auf einen Zettel. Wer das längste Wort gefunden hat und richtig aussprechen kann, hat gewonnen.

EINSTIEGSSEITE, S. 49

die Balance, -n
die Berufung, -en

hineinschnuppern in (+ Akk.)
schuften

LESEN 1, S. 50–51

die Ambition, -en
das Labyrinth, -e
die Renaissance, -n
die Spitzenkraft, ¨-e
der Universalist, -en
der Wert, -e

ausrichten nach
ausloten
streben (nach)
sich widmen (+ Dat.)

brachliegen, lag, hat/ist gelegen
etwas macht etwas/jemanden aus
das Risiko streuen
mit sich im Reinen sein
jemandem über die Schulter schauen

erfüllend
rational
simultan

SPRECHEN, S. 52

das Betriebsklima (Sg.)
der Einwand, ¨-e
die Honorierung, -en
das Mitspracherecht, -e
der Spaßfaktor, -en
das Start-up-Unternehmen, -
der Umgangston, ¨-e
die Vertragssituation, -en

düster

HÖREN, S. 53

die Abgabe, -n
die Anzeige, -n
der Berufseinsteiger, -
das Gewerbe, -
die Lohnsteuer, -n
die Migration, -en
der Minijobber, -
die Sozialabgabe, -n

zutreffen, traf zu, hat zugetroffen

geringfügig

WORTSCHATZ, S. 54–55

die Abrechnung, -en
der Abzug, ¨-e
die Aushilfe, -n
das Bruttoeinkommen, -
das Entgelt (Sg.)
die Fachkraft, ¨-e
der Freiberufler, -
die Gehaltsabrechnung, -en
die Gehaltserhöhung, -en
der Gehaltszettel, -
das Honorar, -e
die Kirchensteuer, -n
der Nettolohn, ¨-e
die Pflegeversicherung, -en
der Posten, -
das Repertoire, -s
der Solidaritätszuschlag, ¨-e
der Stundenlohn, ¨-e
der Zuschlag, ¨-e

jemanden binden an, band, hat gebunden
einprägen

brutto
gesetzlich
netto

LESEN 2, S. 56–57

die Attacke, -n
der Choleriker, -
die Eventualität, -en
das Memo, -s
das Nervenwrack, -s
der Pedant, -en
die Selbstvermarktung (Sg.)
der Trainee, -s
der Versager, -
die Zeitbombe, -n

jemandem etwas aufdrücken
(auf-/ab-)runden
blenden
brüllen
hasten
jetten
lahmlegen
übertrumpfen
wackeln
zelebrieren
zittern

Mist bauen
es weit bringen, brachte, hat gebracht
es geht um
es handelt sich um
es leicht/schwer/... haben
jemandem auf die Schulter klopfen
es kommt darauf an
es ernst/gut/... meinen
ohne Punkt und Komma reden
den Laden schmeißen, schmiss, hat geschmissen
hart im Nehmen sein
es zu tun haben mit
hoch hinaus wollen
sich in die Länge ziehen, zog, hat gezogen

lässig
schamlos
stilistisch
unberechenbar

SCHREIBEN, S. 58

das Exposé, -s

hochtalentiert
steinreich
top

SEHEN UND HÖREN, S. 59

der Haufen, -
die Hierarchie, -n
die Unternehmenskultur, -en

LEKTIONSTEST 4

1 Wortschatz

Was passt? Ordnen Sie zu.

☐ die Ambition • ☐ die Hierarchie • ☐ das Gewerbe • ☐ das Honorar • ☐ die Honorierung • ☐ der Versager

1 Selbstständige berufliche Tätigkeit im Bereich Industrie und Handwerk.
2 Jemand, der in wichtigen Dingen nicht die erwartete Leistung bringt.
3 Man will mit viel Ehrgeiz ein bestimmtes Ziel erreichen.
4 Wenn man die Leistung einer Person achtet und würdigt.
5 Bezahlung für jemanden, der freiberuflich arbeitet.
6 Die Ordnung von oben nach unten in einer Organisation.

Je 1 Punkt **Ich habe ______ von 6 möglichen Punkten erreicht.**

2 Grammatik

a **Schreiben Sie die Sätze mit und ohne *es*, falls möglich, auf ein separates Blatt.**

1 fraglich sein / ob / Björn / anstrengenden Job als DJ / noch lange / durchhalten
2 Vanessa / nicht gefallen / dass / Chefin / zu / Kollegen/ oft / unfreundlich sein
3 im Hamburger Hafen / für viele Menschen / auch nachts / viel zu tun / geben
4 dass / Nils / Gehaltserhöhung / bekommen / mich / sehr freuen
5 normal sein / für einen Arzt / auch nachts / arbeiten
6 bei diesem Projekt / gehen um / Verbesserung der Kommunikation

Je 2 Punkte **Ich habe ______ von 12 möglichen Punkten erreicht.**

b **Bilden Sie Adjektive und setzen Sie sie in der richtigen Form ein.**

tief • tod • extra • top

schick • aktuell • schwarz • lang

1 Gestern schien der Mond nicht, es war ____________ Nacht.
2 Dirk hört sich die ____________ Hits immer erst im Internet an.
3 Karin hat sich ein ____________ Kostüm gekauft, darin ist sie wirklich elegant.
4 Martin ist sehr groß, deshalb braucht er immer ____________ Hosen.

Je 1,5 Punkte **Ich habe ______ von 6 möglichen Punkten erreicht.**

3 Kommunikation

Ordnen Sie die passenden Redemittel zu.

☐ tut man dort • ☐ setzt auf • ☐ auch sehen, dass • ☐ mehr wert als • ☐ sieht die Zukunft • ☐ muss damit rechnen, dass

1 Diese Firma (1) flexible Arbeitszeiten, um für qualifizierte Fachkräfte attraktiv zu sein.
2 Außerdem (2) sehr viel für die Weiterbildung der Mitarbeiter.
3 Man muss allerdings (3) die Bezahlung in diesem Unternehmen nicht sehr gut ist.
4 Ein fester Vertrag ist für viele Mitarbeiter (4) der Spaßfaktor.
5 Man (5) die Arbeitsplätze in Zukunft nicht mehr so sicher sind.
6 In einigen Betrieben (6) in Bezug auf Aufstiegschancen eher düster aus.

Je 1 Punkt **Ich habe ______ von 6 möglichen Punkten erreicht.**

Auswertung: Vergleichen Sie Ihre Lösungen mit S. AB 202.
Ihre Erfolgspunkte tragen Sie unter jeder Aufgabe ein.

Ich habe ______ von 30 möglichen Punkten erreicht.

☺	😐	☹
30–26	25–15	14–0

WIEDERHOLUNG WORTSCHATZ

1 Ausstellungsbesuche

Finden Sie noch neun Wörter. Markieren Sie und ergänzen Sie.

Z	B	E	T	R	A	C	H	T	E	T	U	P	I
H	E	O	N	E	W	R	W	M	Y	Z	K	X	N
Q	W	R	V	G	U	C	I	K	I	L	R	T	T
K	E	C	A	N	S	P	R	E	C	H	E	N	E
T	R	N	X	E	Z	O	K	L	F	G	A	E	R
W	K	D	X	K	B	Z	E	D	M	I	T	A	P
L	E	R	U	C	B	T	N	L	E	N	I	X	R
Z	V	E	J	R	C	I	O	P	N	A	V	C	E
G	E	S	C	H	M	A	C	K	T	G	E	V	T
O	G	J	D	S	C	O	W	Q	D	X	B	Y	I
V	E	R	N	I	S	S	A	G	E	P	V	T	E
X	L	K	R	Y	V	M	E	Q	C	P	T	B	R
I	L	A	U	S	D	R	Ü	C	K	E	N	R	E
B	W	T	A	P	L	R	F	V	T	L	Q	S	N

1 Vor Kurzem war ich in einer Galerie, die eindrucksvolle W___k___ unbekannter Künstler ausstellte.
2 Gern gehe ich auf die Vernissage, also zur Ausstellungseröffnung.
3 Dort trifft man interessante, k______t______ Menschen, die mit ihren Werken etwas Neues schaffen.
4 Junge Künstler haben zudem die Chance, vom Kunstmarkt e____________t zu werden.
5 Als Gast plaudert man meist ein bisschen und b___t___a__________ die ausgestellten Werke.
6 Vor Bildern, die mich a____p__________, bleibe ich länger stehen.
7 Ich lasse sie eine Zeit auf mich ___i___k____.
8 Manchmal versuche ich, ein Werk zu ___n______p___t__________.
9 Man weiß natürlich nie, was Künstler wirklich a____d____________ wollen.
10 Mit meiner Freundin gehe ich nie auf Vernissagen, wir haben nämlich nicht denselben Kunst____s__________k.

zur Einstiegsseite, S. 61, Ü1

2 Beltracchi – Die Kunst der Fälschung

FILMTIPP / LESEN

a **Lesen Sie die Inhaltsangabe des Films und ergänzen Sie.**

Betrug • ~~Dokumentation~~ • Gericht • Können • Opfer • Kunstfälscher • Sammler • Schaden • Stil

b **Beantworten Sie die sogenannten W-Fragen zum Inhalt des Films.**

Wer: ______________________

____

____

In dieser Dokumentation (1) erzählen Wolfgang und Helene Beltracchi exklusiv ihre abenteuerliche Lebensgeschichte. Wolfgang Beltracchi ist Maler und vor allem ein genialer __________ (2), dem es gelang, sein __________ (3) sowie sein kunsthistorisches Wissen dafür zu nutzen, seine Fälschungen auf dem Kunstmarkt einzuschleusen und zu höchsten Preisen zu verkaufen. Er malte nicht nur bekannte Bilder nach, sondern erfand auch neue Werke, für die er den __________ (4) berühmter Maler kopierte. Experten, Gutachter, Kuratoren und __________ (5) ließen sich jahrelang von ihm täuschen. Sogar die weltbekannten und hochprofessionellen Auktionshäuser Christie's und Sotheby's kamen zunächst nicht hinter den __________ (6), bis ihm „sein" Werk „Rotes Bild mit Pferden" zum Verhängnis wurde. Im Jahre 2011 stand Beltracchi dann vor __________ (7) – dort war von einem Betrugsgewinn zwischen 20 und 50 Millionen Euro die Rede. In dem „Kunstkrimi" kommen aber auch die __________ (8) sowie Kunstkritiker zu Wort. Sie berichten von dem erlittenen wirtschaftlichen wie auch ideellen __________ (9) für die Kunstwelt.

zur Einstiegsseite, S. 61, Ü1

3 Drei Atemzüge pro Bild

LESEN

Lesen Sie den Artikel. Welche Aussagen sind richtig? Markieren Sie.

1 Früher haben Menschen, die Kunstwerke betrachteten, manchmal körperlich reagiert. ☐
2 Heutzutage kommt es vor, dass Menschen vor Kunst weglaufen. ☐
3 Untersucht wurde, wie lange man Kunstwerke betrachtet und wie stark man auf diese reagiert. ☐
4 Die Probanden mussten Kunstwerke mit einem Spezialhandschuh berühren. ☐
5 Die meisten Menschen bleiben meist nur wenige Sekunden vor einem Bild stehen. ☐
6 Häufig schaffen es die Menschen nicht, im Museum so viele Bilder zu verarbeiten. ☐
7 Personen, die häufig Museen besuchen, verstehen viel von Kunst. ☐

Überraschende Ergebnisse über die Wirkung von Kunst

In einer Untersuchung zum Besucherverhalten im Kunstmuseum St. Gallen hat der Kulturwissenschaftler Martin Tröndle herausgefunden, wie Kunstrezeption körperlich wirkt.

St. Gallen Noch im 19. Jahrhundert ließen sich Kunstfreunde zu heftigen Gefühlswallungen hinreißen. Der Anblick lediglich einer Reproduktion der Sixtinischen Madonna Raffaels habe bei einer Gruppe junger Leute „eine plötzliche Stockung der Gedanken" verursacht, einige seien „in Tränen ausgebrochen", heißt es in einer zeitgenössischen Quelle. Heute sind wir nüchterner – und flüchtiger. Nur elf Sekunden oder drei Atemzüge verweilt der durchschnittliche Museumsbesucher vor durchschnittlichen Bildern, hat eine Museumsstudie ergeben. „eMotion – mapping museum experience" lautet der Titel der Studie, die der Kulturwissenschaftler Martin Tröndle leitet.

Knapp 600 Museumsbesucher wurden mit Datenhandschuhen durch eine eigens für das Experiment eingerichtete Kunstausstellung mit 76 Werken von Claude Monet über Andy Warhol bis Imi Knoebel geschickt. Über den Datenhandschuh erhielt das Forscherteam Informationen über Herzfrequenzen und Hautleitfähigkeit. Drei Monate lang wurden Daten erhoben, drei Jahre lang dauerte die Auswertung der Daten und der Fragebögen zu Vorbildung und Erwartungen der Besucher. Am geringsten waren die messbaren Reaktionen bei einem intensivfarbigen Pop-Art-Kunstwerk von Andy Warhol. Ein „Antibild" von Günther Uecker, aus dem Nagelspitzen ragen, ließ hingegen die Herzen am höchsten schlagen. Durchschnittlich verweilten die Besucher 34,5 Sekunden vor dem Nagelbild. „Zum ersten Mal können wir die körperliche Wirkung von Kunstrezeption nachweisen", sagt Tröndle.

Museen sollen Stätten der Kontemplation sein und zugleich soziale Orte. Seit rund 30 Jahren aber entwickeln sich Ausstellungen zu Massenevents. Weltweit steigen die Museumsbesuche, in Deutschland gehen jährlich mehr als 100 Millionen Menschen in Museen. Das British Museum oder der Pariser Louvre zählen an manchen Tagen um die 9000 Besucher. Glaubt man der Studie, sind Museen heute Orte der systematischen Überforderung und des oberflächlichen Sehens. Gerade die typische Konstellation – Skulpturen im Verbund mit Bildern an der Wand – verwirre und hemme das Sehen. Und wer etwa in Begleitung durchs Museum schlendere, und das trifft für die Hälfte der Besucher zu, könne sich am Museumsausgang an fast nichts mehr erinnern.

Laut der Studie hat auch das Wissen über die Kunstwerke einen deutlich geringeren Einfluss auf die Kunstrezeption als bisher geglaubt. Tröndles Fazit: „Museen sind weniger Orte der intellektuellen Auseinandersetzung als vielmehr Orte der körperlichen Erfahrung."

zu Sehen und Hören 1, S. 62, Ü2

WORTSCHATZ

4 Im Atelier ÜBUNG 1

Was passt nicht? Streichen Sie durch.

1 der Spachtel – der Pinsel – ~~die Mischtechnik~~ – der Stift
2 die Galerie – die Werkstatt – das Atelier – die Installation
3 die Leinwand – die Skulptur – der Zeichenblock – der Stoff
4 die Leichtigkeit – die Blockade – die Vitalität – die Freude
5 farbenfroh – lebendig – düster – hell
6 fertig – angefangen – vollendet – abgeschlossen
7 scheitern – schaffen – erreichen – gelingen

zu Wortschatz, S. 63, Ü1

GRAMMATIK

5 Kunst im Park ÜBUNG 2

a **Bilden Sie aus den unterstrichenen Wörtern Verben mit *be-*.**

1 über etwas sprechen oder schreiben → etwas beschreiben
2 an etwas arbeiten → etwas ________
3 über etwas urteilen → etwas ________
4 auf etwas antworten → etwas ________
5 über etwas staunen → etwas ________
6 etwas pflanzen → etwas ________

b **Ergänzen Sie die Verben aus a in der richtigen Form.**

Florale Kunst

Wir haben unseren alten Schlosspark neu mit Blumen ________ (1) und für Sie geöffnet. Er bietet nun eine wunderbare Plattform für Begegnungen von Kunst mit Natur: Hier können Sie ungewöhnliche Installationen und Skulpturen ________ (2) und sich für Ihre eigenen Werke inspirieren lassen. Die Künstler sind anwesend, beschreiben (3) den Entstehungsprozess ihrer Werke und ________ (4) gerne alle Ihre Fragen. In unseren Workshops können Sie dann selbst Ton oder Holz ________ (5). Am Schluss ________ (6) unsere Jury die besten Arbeiten.

c **Ergänzen Sie die Präpositionen *an*, *auf* oder *über*.**

1 etwas bespannen: auf etwas spannen
2 etwas bemalen: ____ etwas malen
3 etwas bearbeiten: ____ etwas arbeiten
4 jemanden beherrschen: ____ jemanden herrschen
5 etwas besprechen: ____ etwas sprechen
6 etwas bezweifeln: ____ etwas zweifeln
7 etwas belächeln: ____ etwas lächeln

5

zu Wortschatz, S. 63, Ü1

6 Im Kunst-Workshop

GRAMMATIK

a **Bilden Sie Verben mit *be-* und schreiben Sie die Sätze mit Akkusativ-Ergänzung neu.**

1 Die Teilnehmer sprachen über ihre eigenen Vorstellungen mit den Künstlern.
2 Über einige skurrile Ideen der Hobby-Künstler lächelte der Workshop-Leiter.
3 Fast alle folgten den konstruktiven Ratschlägen der jungen Bildhauerin.
4 Eine Gruppe stieg auf den Turm des Schlosses, um dort zu malen.

1 Die Teilnehmer besprachen ihre eigenen Vorstellungen mit den Künstlern.

b **Bilden Sie Verben mit *be-* und schreiben Sie die Sätze mit Akkusativ-Ergänzung und *mit*.**

1 Der Workshop-Leiter lud große Holzklötze in den Wagen.
2 Die Malerinnen haben wilde Tiere an die Wände gemalt.
3 Die Gruppe klebte viele Zeitungsausschnitte an die Wand.
4 Ein junger Künstler streute Rosenblätter auf die Wege.
5 Im Workshop druckten die Teilnehmer Blüten auf verschiedene Stoffe.
6 Der Aktionskünstler sprühte Graffitis an die Decke.

1 Der Workshop-Leiter belud den Wagen mit großen Holzklötzen.

zu Wortschatz, S. 63, Ü2

7 Gelungene oder misslungene Aktivitäten: Verben mit der Vorsilbe *ver-*

GRAMMATIK

a **Ordnen Sie zu.**

1 etwas falsch zusammenzählen — D
2 etwas zu stark würzen
3 etwas ohne Absicht neben ein Gefäß gießen
4 in die falsche Richtung gehen
5 das Licht abschirmen
6 einen Fortschritt erzielen
7 etwas hübscher machen
8 etwas oder jemand geht unter, z. B. im Meer
9 etwas so in die Erde stecken, dass man nichts mehr sieht
10 mittellos werden
11 etwas mit einem Edelmetall überziehen

A etwas verdunkeln
B sich verlaufen
C etwas verschönern
D sich verrechnen
E versinken
F etwas vergraben
G etwas versalzen
H etwas vergolden
I verarmen
J etwas verschütten
K sich verbessern

b **Schreiben Sie eine kleine Geschichte, in der Sie möglichst viele der Verben mit *ver-* aus a verwenden.**

Es war einmal ein verarmter Maler, der sehr ungeschickt war. Er versalzte immer sein Essen und verschüttete oft seinen Wein ...

zu Wortschatz, S. 63, Ü2

GRAMMATIK

8 Ölmalerei ÜBUNG 3, 4

Schreiben Sie die Sätze neu mit einem Verb mit *ver-*.

1 Die Malerin hat ihr Atelier dunkel gemacht.
2 Einige Sonnenblumen auf dem Bild hören langsam auf zu blühen.
3 Dieser Galerist versucht, die Fenster seiner Ausstellungsräume breiter zu machen.
4 Der Künstler will die Vergänglichkeit dadurch zeigen, dass er Obst malt, das faul wird.
5 Die Farben auf dem Foto werden blasser.
6 Am Ende seines Lebens wurde der Maler einsamer.

1 Die Malerin hat ihr Atelier verdunkelt.

zu Lesen, S. 64, Ü2

HÖREN

9 Meine erste „documenta" – Eindrücke von der Weltkunstausstellung in Kassel

21 CD|AB

a **Hören Sie die Eindrücke einiger „dOCUMENTA (13)"-Besucher und ordnen Sie die Bilder A–D den einzelnen Personen zu.**

A 
B 
C 
D 

Besucher 1 ☐ Besucher 2 ☐ Besucher 3 ☐ Besucher 4 ☐

b **Hören Sie den Radiobeitrag noch einmal in zwei Abschnitten und lesen Sie die Aussagen. Was ist richtig? Markieren Sie.**

22 CD|AB

Abschnitt 1

1 Besucher 1 lobt
- ☐ den großen Park.
- ☐ die praktischen Fahrräder.
- ☐ die vielen Installationen.

2 Besucher 2 beschreibt
- ☐ die Bedeutung der „documenta" für ihre Stadt.
- ☐ verschiedene Werke eines italienischen Künstlers.
- ☐ die Symbolik eines konkreten Kunstwerks.

23 CD|AB

Abschnitt 2

1 Besucher 3
- ☐ stellt ein eigenes Kunstwerk aus.
- ☐ macht als lebendes „Teilkunstwerk" bei einer Performance mit.
- ☐ hat als Zuschauerin schon einmal bei einer Kunstaktion mitgemacht.

2 Besucher 4
- ☐ beschäftigt sich normalerweise weniger mit Kunst.
- ☐ findet Kunst aus Schrott und Abfall weniger schön.
- ☐ spricht eine Empfehlung für den Besuch der „documenta" aus.

zu Lesen, S. 64, Ü2

10 „documenta 14“: „Von Athen lernen“

LESEN

Was passt? Ordnen Sie zu.

1 Vor Kurzem fand in der Kunsthochschule Kassel
2 Dort präsentierte der künstlerische Leiter
3 Die grundlegende Neuheit daran ist, dass die Weltkunstausstellung neben Kassel
4 Die Entscheidung für einen zweiten Ausstellungsort wurde damit begründet,
5 Und Athen steht nicht nur für jahrtausendalte europäische Kultur,
6 Der Kasseler Oberbürgermeister findet die Idee äußerst spannend und sieht in dem Konzept der verdoppelten Perspektive eine Chance,
7 Ihren Schwerpunkt wird die „documenta 14“ in Kassel haben,

A dass auf jeder „documenta“ auch politisch-gesellschaftliche Fragen thematisiert werden, die ja auch künstlerisches Handeln motivieren.
B das Konzept der nächsten „documenta“ im Jahr 2017.
C Kassel 2017 weltweit noch mehr Aufmerksamkeit zu bescheren.
D die Ausstellungteile in Athen finden zeitlich vor denen in Kassel statt.
E die griechische Hauptstadt Athen als zweiten Schauplatz haben wird.
F sondern ist derzeit auch ein Brennpunkt globaler gesellschaftlicher Herausforderungen.
G ein Symposium mit dem Titel „documenta 14, Kassel: Von Athen lernen“ statt.

5

zu Lesen, S. 64, Ü2

11 Im Kunstbetrieb ÜBUNG 5

WORTSCHATZ

a **Welche Definition passt zur Bedeutung im Text im Kursbuch, S. 64–65? Ordnen Sie zu.**

1 die Avantgarde
2 die Kuratorin/Kurator
3 die Installation
4 die Performance
5 der Zeitgeist
6 der Nabel der Welt
7 der Tribut
8 der öffentliche Raum
9 die Kluft
10 der Grundstein
11 aus allen Winkeln der Erde

A Gestalter/in einer Ausstellung oder eines künstlerischen Konzepts
B zu einer bestimmten Zeit vorherrschende Denkweise oder der Ansichten
C Ort, der jedermann zugänglich ist, wie z. B. eine U-Bahn-Station, ein Park oder ein zentraler Platz
D Zugeständnis, das man machen muss, um etwas zu erreichen oder durchzusetzen
E Basis, Anfang, Beginn einer Sache oder Entwicklung
F große Lücke, großer Unterschied
G meist großes, dreidimensionales, ortsgebundenes Kunstwerk
H Kunstwerk in Form einer Darbietung oder Aufführung, bei der meistens Menschen agieren
I Ort, an dem sich alles Wichtige abspielt
J von überall her
K Vorreiter einer neuen Kunstrichtung

b **Welche vier Begriffe aus a sind hier dargestellt?**

A

____

B

____

C

____

D

____

WIEDERHOLUNG GRAMMATIK

zu Lesen, S. 65, Ü3

12 Multitalent

Setzen Sie die Aussage des Künstlers Janis Meier für einen Zeitungsartikel in die indirekte Rede.

Das Leben hat so viel zu bieten

„Ich brauche verschiedene Wege, um mich ausdrücken zu können. Das Leben ist so bunt und vielfältig, nichts ist eindimensional. Deswegen male ich nicht nur, sondern mache auch Musik. Für mich gehört das zusammen, alles ist Kunst. Die meisten meiner Texte stammen aus meiner Feder, vieles habe ich selbst erlebt oder erfahren. Dass ich die Lieder auch selbst singe, ist klar. Zum Glück habe ich tolle Freunde, die die Melodien unter der Anleitung meines Freundes Cong Kong komponiert haben. Das Album ist erst im Januar herausgekommen, weil wir zunächst auch noch ein Musikvideo produziert haben. Zwei der Songs handeln von einer unmöglichen Liebe. Das ist traurig und schön zugleich."

Der Künstler Janis Meier erzählt, dass er verschiedene Wege brauche, um sich ausdrücken zu können.

zu Lesen, S. 65, Ü3

13 Fragen in der indirekten Rede

GRAMMATIK ENTDECKEN

a **Unterstreichen Sie die Fragewörter/Konnektoren und die Verben in den indirekten Fragesätzen.**

Wer war gleich noch mal ...?

AKTUELLES FÜR SIE ZUSAMMENGEFASST

Für das Online-Magazin „Ars & Sound" wurde der Künstler Janis Meier interviewt. Die erste Frage war, ob er neben seiner Tätigkeit als Maler auch noch eine andere Leidenschaft habe. Von Interesse war auch, wer die Texte der Songs geschrieben habe und ob er sie auch selbst singe. Dann wurde er gefragt, wer die Melodien der Songs komponiert habe und was der Grund dafür sei, dass das neue Album erst so spät erschienen sei. Zum Abschluss wurde die Frage gestellt, was die Themen der neuen Songs seien und ob er diese schön oder traurig fände.

b **Was ist richtig? Markieren Sie.**

1. Direkte Fragen werden in der indirekten Rede zu Hauptsätzen.
2. Direkte Fragen werden in der indirekten Rede zu Nebensätzen.
3. Das Fragewort fällt in der indirekten Rede weg.
4. Das Verb steht an Position 2.
5. Das Verb steht an letzter Stelle.
6. Fragen, die mit dem Verb beginnen, haben als Konnektor *ob*.

zu Lesen, S. 65, Ü3

14 Diskussionsrunde: Kunst ÜBUNG 6, 7

GRAMMATIK

Ergänzen Sie den Bericht über die Diskussionsrunde in Noras Blog.

Sonntag, 11.30 Uhr im „Kunstcafé"

1 Welchen Zeitraum umfasst die moderne Kunst?
2 Leben wir heute in der Postmoderne?
3 Wie wird der Preis eines Kunstwerks festgelegt?
4 Gibt es heute noch Auftragskunst?
5 Was versteht man unter „Eat-Art"?
6 Ist Kunst eine Ware?

Das sind natürlich nur einige der Fragen, die sich viele Kunstinteressierte heute stellen und die am Sonntag mit dem Künstler Janis Meier diskutiert werden. Kommen Sie vorbei und diskutieren Sie mit!

Nora Höfler, 23

Am letzten Sonntag gab es eine wirklich interessante Diskussion im „Kunstcafé". Es wurde gefragt, welchen Zeitraum die moderne Kunst umfasse (1), ______________________ (2) und ______________________ (3). Ich fand es besonders interessant zu erfahren, wie der ja oft sehr hohe Preis von Kunstwerken zustande kommt. Dann ging es weiter mit den Fragen, ______________________ (4), ______________________ (5) und ______________________ (6). Dass sogar Kochen von einigen Künstlern wirklich als künstlerischer Akt angesehen wird, hat mir gefallen. Und dann wird das Kunstwerk manchmal gleich verspeist! Kunst ist – wie alles – vergänglich …

zu Sprechen, S. 66, Ü1

15 Drei Feedbacks

HÖREN

a **Hören Sie, was Zuhörer zu einer Präsentation von Mitstudenten sagen. Wie wirken die Rückmeldungen der drei Personen? Markieren Sie.**

	Sven	Mara	René	positive Punkte	negative Punkte
ausgewogen, mit konstruktiver Kritik					
unhöflich und sehr negativ					
sehr höflich und freundlich, aber unkritisch				toller Vortrag	

b **Hören Sie die drei Rückmeldungen noch einmal einzeln. Welche inhaltlichen Punkte werden positiv hervorgehoben, was wird kritisiert? Ergänzen Sie in den beiden letzten Spalten Stichpunkte.**

zu Sprechen, S. 66, Ü1

16 Rückmeldungen formulieren ÜBUNG 8, 9

KOMMUNIKATION

a **Lesen Sie nun die drei Rückmeldungen aus Übung 15 und ergänzen Sie in der richtigen Form.**

anstatt so viele Daten und Zahlen zu nennen • viel Neues über den Künstler erfahren • eine kleine kritische Anmerkung • ~~besonders gefallen hat mir~~ • hätte man als Material • weiter nichts aufgefallen • wirklich spannend und die Präsentation nicht gut aufgebaut • wie du aufgezeigt hast • Zusammenhänge waren mir • wäre doch viel interessanter gewesen • über die dargestellte Epoche einbauen können

Sven:
„Das war ein toller Vortrag, vielen Dank dafür!
Besonders gefallen hat mir (1),
was du zu den einzelnen Bildern gesagt hast. Super!
Viele ______ (2)
vorher nicht so klar. Außerdem habe ich ______ (3).
Ich bin total begeistert, wie gut du das gemacht hast."

Mara:
„Danke für eure Ausführungen. Das Thema war allerdings nicht ______ (4). Außerdem fand ich die Darstellung ganz schön trocken. ______ (5),
hättet ihr den Werdegang des Künstlers lieber mit Anekdoten aus seinem Leben darstellen sollen.
Das ______ (6).
Sonst ist mir ______ (7)."

René:
„Alles in allem eine schöne Präsentation, das Zuhören hat richtig Spaß gemacht. Besonders interessant fand ich, ______ (8), mit welchen Bildern einzelnen Künstlern des Expressionismus der internationale Durchbruch gelang und welche Vorläufer sie hatten. ______ (9) hätte ich noch: Man hätte auch im Handout einen kurzen Überblick ______ (10). Vielleicht ______ (11) ja auch noch Postkarten oder einen Flyer verwenden können. Aber der Ausschnitt aus dem virtuellen Rundgang mit euren Erläuterungen war auch sehr anschaulich."

b **An welchen Stellen sind die Kommentare und die Kritik in a nicht gelungen? Markieren Sie und formulieren Sie die „unhöflichen" Stellen mithilfe folgender Ausdrücke in höflichere Kritik um.**

„Erst einmal ..., dass mir ... gefallen hat.
... hätte es allerdings besser gefunden, wenn ...
Ein Vorschlag, um das Ganze / die Präsentation weniger ... zu machen, wäre vielleicht ...
Ich könnte mir vorstellen, dass man ... erreichen würde."

eher unhöflich	eher konstruktiv
die Darstellung war ganz schön trocken ...	Ein Vorschlag, um das Ganze / die Präsentation weniger theoretisch / trocken zu machen, wäre vielleicht, ein paar Beispiele aus dem Leben des Künstlers zu erzählen. ...

zu Sprechen, S. 66, Ü1

17 Wie gelingt konstruktive Kritik?

SCHREIBEN

Formulieren Sie mithilfe der Fragen fünf Regeln zum Thema „konstruktives Feedback" bzw. „konstruktive Kritik". Die Stichpunkte unten können Anregungen liefern.

1 Was ist Ihrer Meinung nach wichtig, wenn man jemandem Feedback gibt?
2 Was versteht man unter „konstruktiver Kritik"?
3 Worauf muss man besonders achten?
4 Was sollte man Ihrer Erfahrung nach unbedingt vermeiden?
5 Auf welche Art und Weise kann man Kritik formulieren?
6 Welche Unterschiede könnte es im „Kritikverhalten" bei Menschen verschiedener Herkunft geben?

ehrlich, aber trotzdem immer freundlich sein | sich höflich ausdrücken und vorsichtig formulieren | „Gesichtsverlust" beim Kritisierten provozieren | jeder sollte sich äußern | Verständnis für die Situation des Vortragenden zeigen | sich über Fehler lustig machen | es besser wissen | Verbesserungsvorschläge machen | nicht in allen Kulturen üblich und bekannt | anschauliche Beispiele nennen

1 Ein gutes Feedback kann für die kritisierte Person sehr hilfreich sein, aber nur, wenn man einige Regeln beachtet. Ganz wichtig scheint mir dabei ...

5

zu *Wussten Sie schon?*, S. 67

18 Beim Abschreiben erwischt!

LESEN

Lesen Sie den Artikel. Welche Aussagen sind richtig? Markieren Sie.

1 Der Begriff „Plagiat" bezieht sich auf das Abschreiben fremder Texte. ☐
2 Übernimmt man Textpassagen oder ganze Texte anderer Verfasser in eigene Werke, muss man bestimmte Regeln für das Zitieren beachten. ☐
3 In der sogenannten Grauzone ist genau festgelegt, wann ein Plagiat rechtswidrig ist. ☐
4 Unter Politikern gab es bereits mehrere Plagiatsfälle bei der Veröffentlichung politischer Schriften. ☐
5 Wem ein Plagiat nachgewiesen wird, der muss seinen Doktortitel oft wieder abgeben. ☐
6 Meist können sich „Plagiateure" nicht länger in politischen Ämtern halten. ☐

Was ist ein Plagiat?
Von einem Plagiat spricht man, wenn jemand sogenannte „fremde geistige Leistung" wortwörtlich übernimmt. Dabei kann es sich um Texte, Fotos, Film- oder Tonaufnahmen oder auch Schöpfungen wie zum Beispiel Erfindungen, Musikstücke, Kunstwerke, Design
5 oder wissenschaftliche Erkenntnisse handeln. Plagiate können gegen Gesetze wie das Urheberrecht verstoßen, wenn etwa ein fremder Text in einer eigenen Publikation nicht als Zitat gekennzeichnet ist. Es ist allerdings nicht immer einfach zu entscheiden, ab welchem Umfang und in welcher Form die Übernahme anderer Ideen und Konzepte nicht mehr legal, also rechtswidrig ist. Hier gibt es eine sogenannte Grauzone.

10 **Plagiate in der Wissenschaft**
In Deutschland kam es in den vergangenen Jahren immer wieder zu Skandalen, weil man Personen aus der politischen Öffentlichkeit dank Internetrecherchen nachweisen konnte, dass sie in ihren Dissertationen auf nicht zulässige Weise von anderen Autoren kopiert hatten. Sie verloren dann meist ihren Doktortitel und mussten sich aus der aktiven Politik
15 zurückziehen.

zu Schreiben, S. 68, Ü1

19 Brotlose Kunst ÜBUNG 10

LESEN

Lesen Sie den Artikel und notieren Sie Stichpunkte zu den folgenden Fragen.

1 Welche beneidenswerten Aspekte und welche weniger reizvollen Seiten bringt das Künstlerleben laut diesem Text mit sich?
2 Welche wichtige Information kann man aus einer Statistik der Künstlersozialkasse herauslesen?
3 Was scheint generell für die Karriere junger Künstler sinnvoll zu sein?
4 Wofür können Kunststudenten sogenannte „Selbstmarketing-Kurse" brauchen?
5 Welche weiteren Überlegungen sollten die Künstler in Bezug auf ihre Zukunftsgestaltung anstellen?

1 weniger reizvoll: berufliche Unsicherheit

Wird die Kunst den Künstler ernähren?

Wer schafft den Durchbruch zum großen Künstler? Die meisten Kunststudenten sehen einer ungewissen Zukunft entgegen – der Konkurrenzkampf tobt. Und doch werden Einzelkämpfer wohl nicht weit kommen.

Jährlich gegen Ende des Sommersemesters verwandeln sich die Flure und Räume so mancher Kunstakademie in riesige, spannende Galerien, in denen Studenten ihre hier entstandenen Arbeiten zum ersten Mal einer größeren Öffentlichkeit präsentieren.
Ein Rundgang durch so eine Jahresausstellung mag noch so beeindruckend sein und gelegentlich sogar etwas Neid aufkommen lassen auf die freien Entfaltungsmöglichkeiten, die man Künstlern gemeinhin zuschreibt – eine Frage beschäftigt nicht nur die Besucher, sondern drängt sich vor allem den jungen Schaffenden auf: Werde ich einmal von der Kunst leben können? Einen Anhaltspunkt über das Einkommen von Künstlern geben statistische Zahlen der Künstlersozialkasse: Demnach verdienten die dort versicherten Künstler im letzten Jahr unter 14 000 Euro. Dass es auf dem „ungerechten" Kunstmarkt auch Stars wie den Leipziger Maler Neo Rauch gibt, die mit ihren Bildern Millionen verdienen, ist bekannt. Das bedeutet natürlich Konkurrenz unter den vielen übrigen Künstlern. Dennoch meint eine Studentin auf der Jahresausstellung: „Einzelkämpfer kommen nicht weit und ohne gute Kontakte und Bekanntschaften läuft gar nichts." Viele Kunststudenten versuchen, ihre Kräfte zu bündeln, sich gegenseitig über Stipendien zu informieren, Gruppenausstellungen zu organisieren und einander auch sonst zu helfen.
Und sogar die Selbstmarketing-Kurse, die an der Wand einer Kunsthochschule angepriesen werden und angehenden Künstlern vermitteln wollen, „wie man sich vor Ort verkauft, ohne sich selbst zu verkaufen", könnten aus Sicht der Studentin sinnvoll sein. Es gehe eben auch darum, sich besser und professioneller zu präsentieren und schneller die richtige Galerie zu finden. Möglichst aber, ohne sich und seine Arbeit übertrieben anzupreisen und damit sehr aufgesetzt zu wirken.
Dennoch bleibt das Leben als bildender Künstler unsicher. Sich ein zweites Standbein zuzulegen, beispielsweise indem man Kunst mit Lehramtsoption studiert, bietet die Chance auf ein sicheres Einkommen. Dann kann man später sogar wählen, ob man Vollzeit- oder nur Teilzeit-Kunstlehrer sein will.
Und jenseits der Überlegungen zu den Gesetzen des Kunstmarkts finden sich auch andere Möglichkeiten. Alternativ zum Verkauf könnte man seine Werke auch gegen Dienstleistungen oder gegen andere Kunstwerke tauschen. Um gemeinsam zu arbeiten, statt gegeneinander zu kämpfen.

zu Schreiben, S. 68, Ü1

20 Was angehende Künstler beachten sollten!

WORTSCHATZ

Ergänzen Sie in der richtigen Form.

einreichen • nachahmen • beeindrucken • entmutigen • ~~durchlaufen~~ • lassen • zulegen • vermarkten • entwickeln • halten • überfordern

Wer an einer Akademie ein Aufnahmeverfahren fürs Kunststudium durchläuft (1), muss auf jeden Fall eine Mappe mit eigenen Werken ______ (2). Auch wenn es beim ersten Mal nicht klappt, sollte man sich auf keinen Fall ______ (3) lassen. Wenn man mit dem Studium begonnen hat, muss man erst einmal seinen eigenen Stil ______ (4).

Natürlich holt man sich Inspiration von außen, allerdings darf man niemals seine künstlerischen Vorbilder zu sehr ______ (5). Wichtig ist auch zu lernen, wie man sich selbst geschickt ______ (6). Vielleicht schafft man es ja auch, einen Galeristen durch die Originalität seiner Werke zu ______ (7). Allerdings kann es leicht passieren, dass man sich durch die eigenen hohen Ansprüche an sich selbst ______ (8). Wer sich nicht allein auf den späteren Erfolg als Künstler verlassen will, sollte sich am besten ein zweites Standbein ______ (9). Möglicherweise ______ (10) man in jungen Jahren nicht sehr viel von dieser Idee. Aber man darf nicht völlig außer Acht ______ (11), dass diese Option später, wenn man eventuell sogar eine eigene Familie hat, sehr sinnvoll sein kann.

5

zu Schreiben, S. 69, Ü2

21 Imperativ in der indirekten Rede

GRAMMATIK ENTDECKEN

a **Lesen Sie die Marketing-Tipps für Künstler und unterstreichen Sie die Modalverben in der indirekten Rede.**

direkte Rede	indirekte Rede
„Schaffen Sie sich im Internet eine Webseite oder einen Blog an!"	Die Agentur empfiehlt, man solle sich im Internet eine Webseite oder einen Blog anschaffen.
„Posten Sie dort keine Kommentare wie ‚Danke für Ihre schreckliche Post' oder ‚So etwas lese ich nicht!'"	Man dürfe dort keine Kommentare wie „Danke für Ihre schreckliche Post" oder „So etwas lese ich nicht!" posten.
„Schaffen Sie sich unbedingt ein Organisationssystem, bei dem keine wichtigen Adressen Ihrer Interessenten verloren gehen!"	Man müsse sich ein Organisationssystem schaffen, bei dem keine wichtigen Adressen seiner Interessenten verloren gingen.
„Bitte wenden Sie sich bei weiteren Fragen an unsere Agentur!"	Bei weiteren Fragen möge man sich an die Agentur wenden.

b **Ergänzen Sie die Tabelle.**

direkte Rede	Modalverb in der indirekten Rede
Imperativ mit *unbedingt, auf jeden Fall*	
Imperativ mit *bitte*	
Imperativ mit Negation	dürfe nicht / dürfe kein(e)
Imperativ	

zu Schreiben, S. 69, Ü2

22 Marketing-Tipps für Künstler ÜBUNG 11, 12

GRAMMATIK

Setzen Sie die Tipps einer Marketing-Agentur in die indirekte Rede.

1 Informieren Sie Ihre Interessenten regelmäßig über Ausstellungen, neue Werke und Ideen!
Die Agentur empfiehlt, man solle seine Interessenten regelmäßig über Ausstellungen, neue Werke und Ideen informieren.

2 Recherchieren Sie Blogs und Webseiten anderer Künstler und kommentieren Sie die Arbeiten Ihrer Kollegen!

____

3 Nutzen Sie soziale Netzwerke, denn Kunst ist Kommunikation! Kommunizieren Sie also unbedingt!

____

4 Versäumen Sie es nicht, Abbildungen Ihrer Kunstwerke weiträumig über so viele Medien wie möglich zu streuen!

____

5 Veranstalten Sie Tage der offenen Tür, Ausstellungen und Vernissagen – gerne auch mit anderen Künstlern zusammen! Vermarkten Sie Ihre Kunst!

____

6 Hinterlassen Sie bitte einfach einen Kommentar, falls Sie Schwierigkeiten haben.

____

zu Sehen und Hören 2, S. 71, Ü5

23 Bilder einer Ausstellung ÜBUNG 13

GRAMMATIK

Ergänzen Sie *laut*, *nach*, *zufolge* oder *wie*.

Elfriede Zack, Kunstinteressierte

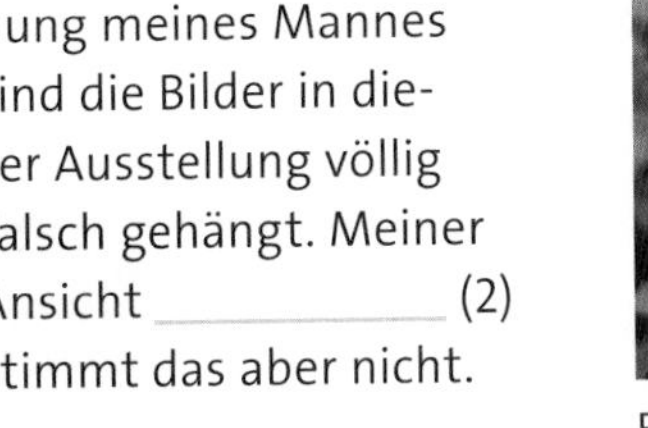

Laut (1) der Meinung meines Mannes sind die Bilder in dieser Ausstellung völlig falsch gehängt. Meiner Ansicht ________ (2) stimmt das aber nicht.

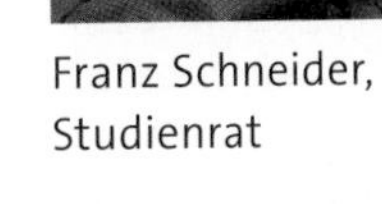

Franz Schneider, Studienrat

________ (4) schon der Kunsthistoriker Habersack gesagt hat, sind ‚Alt' und ‚Neu' ganz falsche Kategorien, wenn man die Entwicklung eines Künstlers beurteilen will. Die Kunst soll als Prozess sichtbar werden.

André Klein, Kurator

Dem Galeristen ________ (3) ist das beabsichtigt. Denn nur so kann man den Kontrast zwischen ‚Alt' und ‚Neu' entdecken.

Bettina Baum, Museumspädagogin

________ (5) dem Katalogtext geht es hier gar nicht darum, eine Entwicklung zu zeigen. Dem Künstler ________ (6) steht jedes Werk für sich selbst.

5

zu Sehen und Hören 2, S. 71, Ü5

24 Kunstkritik ÜBUNG 14

GRAMMATIK

Schreiben Sie den Satz mit der Präposition oder dem Ausdruck in Klammern neu.

1 Der Kunstkritiker meint, dass komplexe Zusammenhänge erkennbar werden müssen. (nach)
Nach Meinung des Kunstkritikers müssen komplexe Zusammenhänge erkennbar werden.

2 Ein Gerücht besagt, dass die moderne Kunst nichts dringender braucht als Kritik. (zufolge)

3 Die Kunstkritikerin Astrid Mania meint, Kunst sollte Stellung beziehen. (wie + Nebensatz)

4 Konrad Richter findet, dass Konzeptkunst heutzutage wichtiger ist als Malerei. (laut)

5 Er ist der Ansicht, dass man sich als Kritiker mit Künstlern über Kunst unterhalten sollte, weil die sich Vollzeit mit Kunst beschäftigen und die Tricks kennen. (nach)

6 Ich persönlich meine, dass die Ausstellung „Kunst und Fußball" am schönsten war. (nach)

zu Sehen und Hören 2, S. 71, Ü5

25 Überlegungen zur Kunst ÜBUNG 15

SCHREIBEN

Wählen Sie im Kursbuch auf S. 70 eines der Zitate der im Film befragten Personen und auf S. 71 ein Zitat einer berühmten Person aus.

- Erläutern Sie, was diese Definitionen von Kunst Ihrer Meinung nach aussagen wollen.
- Überlegen Sie sich dafür ein konkretes Beispiel oder eine Situation, die dazu passt.
- Erklären Sie auch, warum diese Definitionen von Kunst Sie besonders ansprechen.

Verwenden Sie einige der folgenden Redemittel.

„Mit dem Ausspruch: ... wird auf die ... von Kunst angespielt.
Es wird darauf aufmerksam gemacht, dass Kunst ...
Man kann sich beispielsweise ... vorstellen: ...
Die Betonung liegt hier auf ..., wie man es auch in ... vorfindet.
Ich finde dieses Zitat ..., weil damit ... hervorgehoben wird.
Sehr passend scheint mir auch die Definition von ..., denn sie stellt die Kunst ... dar."

Ein Mann im Film sagt: „Kunst ist, was verblüfft." Er macht darauf aufmerksam, dass Kunst uns überraschen und erstaunen soll, manchmal auch wachrütteln aus unserem täglichen Trott. Der deutsche Künstler Baselitz hat beispielsweise damit überrascht, dass er alle Motive auf den Kopf gestellt hat, wie ein umgedrehtes Bild.

EINSTIEGSSEITE, S. 61

die Interpretation, -en
die Wirkung, -en

SEHEN UND HÖREN 1, S. 62

das Atelier, -s
die Blockade, -n
das Porträt, -s
die Vitalität (Sg.)

WORTSCHATZ, S. 63

der Bildhauer, -
die Leinwand, ¨-e
der Meißel, -
der Rahmen, -
die Skulptur, -en

bearbeiten
bemalen
bespannen
etwas spannen (auf)
vereinfachen
vergolden
sich verhören
sich verlaufen, verlief, hat verlaufen
versäumen
verschönern
sich verwählen
sich/jemanden verwandeln

jemandes Neugierde wecken

unterirdisch
vergnügt
verwirrt

LESEN, S. 64–65

die Avantgarde, -n
die Installation, -en
die Kluft, ¨-e
der Kurator, -en
die Performance, -s
der Tribut, -e
der Winkel, - (*hier:* kleiner Ort)
der Zeitgeist (Sg.)

angehen (+ Akk.), ging ... an, ist ... angegangen
Was die Besucher angeht, ...
dahinterstecken
institutionalisieren
konzipieren
platzieren
verbleiben, verblieb, ist verblieben
wirbeln

jemandem einen Gefallen tun, tat, hat getan
den Grundstein für etwas legen
vertreten sein

lateinisch
trivial

der Nabel der Welt
der öffentliche Raum

SPRECHEN, S. 66–67

der Durchbruch, ¨-e
die Epoche, -n
das Handout, -s
die Skizze, -n
das Urheberrecht, -e
der Vorläufer, -
der Werdegang (Sg.)

das Zitat, -e
der Zyklus, Zyklen

zitieren

einen Überblick geben
ein Resümee ziehen, zog, hat gezogen

originell

SCHREIBEN, S. 68–69

der Galerist, -en
das Lehramt (Sg.)
die Option, -en
der Raumausstatter, -
der Sponsor, -en
das Verfahren, -

viel/wenig/nichts halten von, hielt, hat gehalten
nachahmen (+ Akk.)
sich/jemanden überfordern
vermarkten

etwas außer Acht lassen, ließ, hat gelassen
beeindruckt sein
sich ein zweites Standbein zulegen

umfangreich

SEHEN UND HÖREN 2, S. 70–71

der Staub (Sg.)
das Unaussprechliche

angucken
etwas bewirken (bei)
hinterlassen, hinterließ, hat hinterlassen
verblüffen

LEKTIONSTEST 5

1 Wortschatz

Was passt? Ergänzen Sie.

1 Eine Malerin / Ein Maler arbeitet in ihrem/seinem ______________.
2 Mit Ölfarben malt man auf eine ______________.
3 Wer Bilder von Künstlern in seinen Räumen verkauft, ist ein ______________.
4 Bevor man anfängt, ein Bild zu malen, macht man eine ______________.
5 Wer Skulpturen anfertigt, ist ein ______________.
6 Die Person, die eine Ausstellung konzipiert, ist ein ______________.
7 Einen Zeitabschnitt in der Kunstgeschichte nennt man eine ______________.

Je 1 Punkt **Ich habe ____ von 7 möglichen Punkten erreicht.**

2 Grammatik

a **Schreiben Sie die Sätze mit Verben mit den Vorsilben *be-* oder *ver-* neu auf ein separates Blatt.**

1 Ich bin in die falsche Richtung gelaufen.
2 Ich habe meine Wohnung schöner gestaltet.
3 Ich habe auf eine Holzplatte gemalt.
4 Ich habe über das tolle Gemälde gestaunt.
5 Ich habe die Erklärung einfacher gemacht.
6 Ich habe nicht das gehört, was du gesagt hast.

Je 1 Punkt **Ich habe ____ von 6 möglichen Punkten erreicht.**

b **Formen Sie die Sätze auf einem separaten Blatt in die indirekte Rede um.**

1 Tina fragte ihren Galeristen Sven: „Wie viele Werke von mir wirst du ausstellen?"
2 Sven fragte zurück: „Hast du deine letzte Serie denn schon beendet?"
3 Tina bat ihn nun: „Sieh dir doch bitte meine neuen Bilder mal an!"
4 Sven sagte: „Dann bring sie mir auf jeden Fall bis Anfang der Woche vorbei!"
5 Da meinte Tina: „Sei aber nicht böse, wenn ich am Sonntag vor der Tür stehe!"

Je 2 Punkte **Ich habe ____ von 10 möglichen Punkten erreicht.**

c **Ergänzen Sie *wie*, *laut*, *nach*, *zufolge* oder *wie*.**

1 ____________ meinem Professor geht es nun darum, seinen eigenen Stil zu finden.
2 Den Organisatoren ____________ hatte das neue Museum bereits eine halbe Million Besucher.
3 ____________ Ansicht einiger Besucher ist der Eintrittspreis für Normalverdiener jedoch zu hoch.
4 ____________ die Museumsleitung verkünden ließ, wird es bald Sonderpreise für Familien geben.

Je 0,5 Punkte **Ich habe ____ von 2 möglichen Punkten erreicht.**

3 Kommunikation

Was passt? Schreiben Sie das passende Wort ans Zeilenende und markieren Sie die Stelle, an der es fehlt.

gefallen • gelungene • zusammenhängen • einige Zitate • zum Aufbau

1 Ich finde, das war eine Präsentation. ______________
2 Besonders haben mir die vielen tollen Bilder. ______________
3 Eine kleine Anmerkung hätte ich noch deines Vortrags. ______________
4 Nicht so klar war mir nämlich, wie die Schaffensperioden des Künstlers. ______________
5 Anstatt hier nur Daten zu nennen, wären vielleicht aussagekräftiger. ______________

Je 1 Punkt **Ich habe ____ von 5 möglichen Punkten erreicht.**

Auswertung: Vergleichen Sie Ihre Lösungen mit S. AB 202.
Ihre Erfolgspunkte tragen Sie unter jeder Aufgabe ein.

Ich habe ____ von 30 möglichen Punkten erreicht.

☺	😐	☹
30–26	25–15	14–0

5

WIEDERHOLUNG WORTSCHATZ

1 Rund um die Uni

a **Welcher Dreiwortsatz steckt in diesen Buchstaben? Schreiben Sie.**

C – D – I – I – E – E – E – G – H – N – R – R – S – T – U

Lösung: ________ ____________ ________

b **Was passt? Ordnen Sie zu.**

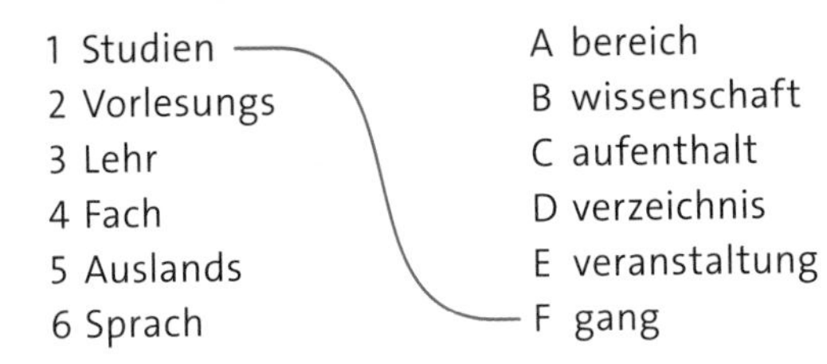

1 Studien	A bereich
2 Vorlesungs	B wissenschaft
3 Lehr	C aufenthalt
4 Fach	D verzeichnis
5 Auslands	E veranstaltung
6 Sprach	F gang

c **Was passt nicht? Streichen Sie durch.**

1 eine Frage	stellen – haben – ~~halten~~ – beantworten
2 ein Referat	halten – ausarbeiten – vorbereiten – zustimmen
3 eine Vorlesung	bringen – besuchen – halten – vorbereiten
4 einen Eindruck	vermitteln – haben – bekommen – halten
5 einen Überblick	bekommen – durchführen – vermitteln – haben
6 eine Rede	vorbereiten – halten – ablesen – geben
7 eine Entscheidung	treffen – fällen – gewinnen – vermeiden
8 eine Meinung	fällen – vertreten – haben – verteidigen
9 Kenntnisse	vertiefen – treffen – erweitern – erwerben

zur Einstiegsseite, S. 73, Ü2

2 Studium mit 50 ÜBUNG 1

HÖREN

Hören Sie das Interview. Was ist richtig? Markieren Sie.

1 Wer wird hier interviewt?
- [a] Ein 50-Jähriger, der Ingenieur werden möchte.
- [b] Ein Ingenieur, der noch einmal zur Uni zurückkehrt.
- [c] Ein Hochschullehrer, der Ingenieurbau lehrt.

2 Der Mann möchte ...
- [a] sein Arbeitsleben in anderthalb Jahren abschließen.
- [b] Neues dazulernen.
- [c] Baumanager werden.

3 Wie schafft er sein Arbeitspensum? Er ...
- [a] richtet seine Arbeitstermine nach dem Stundenplan an der Uni.
- [b] legt Uni-Termine so, dass er voll im Beruf arbeiten kann.
- [c] legt berufliche Termine so, dass seine Frau viel übernehmen kann.

4 Nach Abschluss des Masters könnte er sich vorstellen, ...
- [a] als Angestellter tätig zu sein.
- [b] in der Schule weiterzulernen.
- [c] Mathe und Physik zu studieren.

6

zu Lesen 1, S. 74, Ü1

3 Studieninhalte

WORTSCHATZ

Ergänzen Sie in der richtigen Form.

~~auswerten~~ • inszenieren • entwerfen • dokumentieren • simulieren • schlichten • übertragen • verfassen

1 David macht in Chemie gerade eine praktische Übung im Labor und lernt, wie man die Ergebnisse von Experimenten _auswertet_.
2 Anschließend muss er in einem Protokoll ____________, mit welcher Methode er gearbeitet hat.
3 Heidi studiert Architektur. Sie soll umweltfreundlichere Häuser ____________.
4 Alex möchte später mal in einem Opernhaus arbeiten und, wenn möglich, selbst als Regisseur Opern ____________.
5 Barbara hat sich für ein Seminar eingeschrieben, in dem man lernt, eine Kritik zu einer Theateraufführung zu ____________.
6 Christof befasst sich in Informatik damit, wie man große Mengen von Informationen zwischen Computern ____________ kann.
7 Gabi fand die letzte Vorlesung über Kriminalrecht toll, weil der Dozent nicht nur die Theorie lehrte, sondern auch eine Gerichtsverhandlung ____________.
8 Ingrid macht in einem Fernstudium eine Ausbildung zur Mediatorin. Darin lernt sie, einen Streit unter Kollegen zu ____________.

6

zu Lesen 1, S. 74, Ü1

4 Hochschulen und Studiengänge

WORTSCHATZ

a **Was passt nicht? Markieren Sie.**

1	☐ Kunstakademie	☐ Hochschule	☒ Fachoberschule	☐ Technische Universität
2	☐ Sozialarbeit	☐ Psychologie	☐ Sozialpädagogik	☐ Geologie
3	☐ Fachrichtung	☐ Studienordnung	☐ Studiengang	☐ Studienfach
4	☐ Veranstaltung	☐ Seminar	☐ Mitschrift	☐ Vorlesung
5	☐ Fundament	☐ Basis	☐ Grundlage	☐ Facette
6	☐ Prinzip	☐ Regel	☐ Konstruktion	☐ Gesetz
7	☐ Germanistik	☐ Jura	☐ Gesetzeskunde	☐ Rechtswissenschaft

b **Was passt? Ergänzen Sie.**

Berufsakademie • Fachhochschulen • Pädagogischen Hochschule • ~~Technische Universitäten~~ • Universität

Technische Universitäten (1) bieten ein breites Angebot an ingenieur- und naturwissenschaftlichen Fächern. Hauptausrichtung einer ____________ (2) ist die Lehr- und Lernforschung. Sie ist für die Aus- und Fortbildung von Lehrern zuständig. Das Studienangebot einer ____________ (3) umfasst ein breites Spektrum an unterschiedlichen Studiengängen.
Eine ____________ (4) bietet in Deutschland ein Studium mit starkem Praxisbezug. Die theoretische Ausbildung ist mit der praktischen Ausbildung in einem Unternehmen verknüpft (duales System). In jüngerer Zeit haben sich neben den kostenfreien staatlichen zunehmend private ____________ (5) etabliert, die meist geringere Studentenzahlen aufweisen und Gebühren verlangen.

zu Lesen 1, S. 74, Ü1

5 Der deutsche Wortschatz aus Sicht der Wissenschaft ÜBUNG 2, 3 LESEN

Lesen Sie den Zeitungsartikel. Ergänzen Sie dann die Textzusammenfassung.

Sprachwissenschaftler erklären aufgrund ihrer Forschungsergebnisse (1), wie die deutsche Sprache sich im ______ (2) Jahrhundert entwickelt hat. Sie zeigen, dass sich deutsche Muttersprachler heute differenzierter ______ (3) als früher. Der Wortschatz hat stark ______ (4). Bei der Grammatik sieht die Situation ______ (5) aus. Sie ist im Gebrauch einfacher geworden. Einige Sprachwissenschaftler befassen sich damit, wie englische Wörter ins Deutsche ______ (6) werden. Dabei kommt es immer wieder zu schwierigen Entscheidungen: Lexikografen müssen festlegen, ob ein solches aus dem Englischen entlehntes Wort ins ______ (7) aufgenommen wird.

Alles dreht sich um unsere Sprache

Sprachwissenschaftler beschäftigen sich unter anderem mit dem Wortschatz einer Sprache. In den letzten 100 Jahren ist die Zahl der Wörter im Deutschen um 1,6 Millionen Wörter gewachsen. Vor allem die Komposita, d. h. die zusammengesetzten Wörter, haben sich vermehrt. Manche Begriffe hängen dabei schlicht mit technischen Neuerungen zusammen. Die Worte „Parklücke" und „Führerschein" tauchen erst im 20. Jahrhundert auf. „Auszeit" oder „Teilzeit" gelten als neue Begriffe, obwohl sie sich aus zwei bekannten Worten zusammensetzen. Das Konzept der „Teilzeit" erschließt sich jedoch nicht automatisch, nur weil man die Worte „Teil" und „Zeit" kennt. Durch den starken Anstieg der Wortmenge haben sich die Ausdrucksmöglichkeiten im Deutschen vergrößert.
Die Ergebnisse der Wortschatzforscher sind wichtig für Lexika. Für die Arbeit an neuen Wörterbüchern ist aber auch die Entwicklung der Grammatik wichtig. Während die Anzahl der Wörter stark wächst, sind bei der Grammatik leichte Einbußen zu verzeichnen, etwa beim Konjunktiv I, der immer seltener benutzt wird. Insgesamt wird die Grammatik einfacher. Das gilt nicht nur für das Deutsche. Es ist vielmehr eine Entwicklung, die für große Kultursprachen typisch ist. Skeptiker sprechen von „Formenverfall". Tatsächlich vermeiden beispielsweise viele Sprecher im Deutschen heute den Genitiv: Den „Besuch vom Onkel" gibt es häufiger als den „Besuch des Onkels".
Die wichtigsten Wörterbücher bilden den Sprachgebrauch ab. Wörter, die Menschen häufig benutzen, werden automatisch in die Lexika aufgenommen. Doch längst nicht alle Wörter setzen sich durch. Der „City Call" der Deutschen Telekom hatte nur eine kurze Lebensdauer. Sinnvolles dagegen bleibt und trägt zur Differenzierung der deutschen Sprache bei. Das „Event" hat die „Veranstaltung" nicht verdrängt, sondern um eine Facette ergänzt. Für Wissenschaftler, die am Erstellen von Wörterbüchern beteiligt sind, ist die Frage zu klären, was als Wort zählt. Das ist allerdings schwer zu sagen, denn viele Worte sind mehrdeutig: „Verband" kann sowohl einen „Arbeitgeberverband" meinen als auch einen medizinischen „Verband". Zählt man das Wort also doppelt? Sprachwissenschaftler beschäftigen sich aber auch mit dem Einfluss des Englischen auf die deutsche Sprache. Begriffe wie „Babyalter" zählen wir inzwischen nicht mehr zu den geliehenen, sondern zu deutschen Sprachprodukten. Kulturkritiker sprechen von einer Dominanz des Englischen. Doch das sehen andere nicht als Problem, vor allem, weil die Wörter wie deutsche Wörter flektiert werden. Ob man beispielsweise „downgeloaded" oder „gedownloaded" sagt, ist im Deutschen egal.

WIEDERHOLUNG GRAMMATIK

zu Lesen 1, S. 75, Ü2

6 Modernes Studium

Welche Präposition mit Dativ passt? Markieren Sie.

1 Die moderne Lehre an der Universität soll den Studierenden *dank / laut / außer* theoretischem Wissen auch Kompetenzen vermitteln, die sie im Berufsleben gebrauchen können.
2 Professor Huber *laut / zufolge / außer* muss ein gutes Studium so angelegt sein, dass nicht nur Fähigkeiten vermittelt werden, sondern auch das Weltbild geprägt wird.
3 *Laut / Dank / Zufolge* dem Uni-Präsidenten sollte die Universität ein Zentrum für Lebenswissenschaft sein.
4 Seiner Meinung *nach / dank / laut* gibt es Tendenzen, in die Medizinerausbildung auch Geisteswissenschaften wie Philosophie einzubeziehen.

zu Lesen 1, S. 75, Ü2

7 Präpositionen mit Dativ

GRAMMATIK ENTDECKEN

a **Markieren Sie die Präpositionen mit Dativ.**

Liebe Larissa,

jetzt bin ich samt Mann und Kind in Hamburg gelandet und studiere hier fern meiner Heimatstadt Dortmund Sozialpädagogik. Norbert hat eine gute Stelle entsprechend seiner Qualifikation als Informatiker gefunden. Inzwischen haben wir uns auch eingelebt, wir
5 haben eine schöne Altbauwohnung und einen kleinen Garten. Es stimmt übrigens nicht, dass es hier oben immer regnet, man kann alles draußen machen, wenn man dem Wetter entsprechend angezogen ist. Eigentlich wollten wir ja auch unsere beiden Papageien Max und Lora mitnehmen, den hiesigen Nachbarn zuliebe haben wir aber beide Vögel samt ihrem Käfig verkauft. Die beiden vermisse ich schon – und Dich, meine Dortmunder Freunde und
10 Dortmund natürlich auch! Besuch uns doch bald mal, wir haben Platz!

Liebe Grüße
Kerstin

b **Was ist richtig? Markieren Sie.**

	steht vor dem Nomen	steht nach dem Nomen	steht vor oder nach dem Nomen
entsprechend			
fern			
samt			
zuliebe			

zu Lesen 1, S. 75, Ü2

8 Studierende und Ex-Studierende ÜBUNG 4

GRAMMATIK

Schreiben Sie die Sätze mit *entsprechend, fern, samt* und *zuliebe* neu.

1 Ein Semester hat Sven in Rom verbracht, weil sich seine italienische Freundin das so gewünscht hat.
2 Katharina ist mit dem Gartenbau-Studium gerade fertig geworden und hatte ihren ersten Auftrag: Der Park, den sie entworfen hat, entspricht ihren Vorstellungen und ist sehr schön geworden.
3 Dominik hat für sein Examen in den Bergen, weit weg von seinen Freunden, gelernt.

4 Hier steht der Roman „Der Campus" zusammen mit seiner Entstehungsgeschichte im Mittelpunkt.
5 Um ihrem Kommilitonen zu helfen, hat Franziska die letzten beiden Vorlesungen über die Geschichte des Mittelalters ganz genau mitgeschrieben.

1 Ein Semester hat Sven seiner italienischen Freundin zuliebe in Rom verbracht.

zu Wortschatz, S. 76, Ü2

9 Studienfächer und Fachausdrücke ÜBUNG 5, 6, 7

GRAMMATIK

a **Ergänzen Sie die Endungen *-ment, -anz/-enz, -ismus/-asmus* oder *-ar/-är* und den passenden Artikel.**

1 Architektur:	das	Apartment	d___	Mechan___
2 Zoologie:	d___	Organ___	d___	Experi___
3 Rhetorik:	d___	Argum___	d___	Sark___
4 Kunstgeschichte:	d___	Impression___	d___	Eleg___
5 Medizin:	d___	Medika___	d___	Instru___
6 Politikwissenschaft:	d___	Femin___	d___	Journal___
7 Psychologie:	d___	Intellig___	d___	Enthusi___
8 Wirtschaft:	d___	Manage___	d___	Bil___
9 Berufe:	d___	Bibliothek___	d___	Sekret___

b **Bilden Sie vier Beispielsätze.**

1 Tom studiert Architektur. Zurzeit beschäftigt er sich mit der Raumaufteilung von Apartments.

zu Hören, S. 77, Ü2

10 Korrekte Anrede ÜBUNG 8

WORTSCHATZ

Ergänzen Sie in der richtigen Form.

Dozent • Tutor • Gleichstellungsbeauftragte • Anrede • Geschlechter • ~~differenzieren~~ • Titel • Kommilitone • Gleichstellung • Schriftverkehr

96_Nina

Ich habe jetzt im Wintersemester mein Studium angefangen und habe eine Frage: Welche ______ (1) benutze ich, wenn ich einem Professor, einer Professorin oder einem anderen ______ (2) schreibe? Inzwischen wird das Thema ______ (3) ja überall diskutiert. Besonders im ______ (4) bin ich da sehr unsicher. Man will ja keine Fehler machen. Heißt es Frau Professor oder Frau Professorin oder kann ich einfach nur „Sehr geehrte Frau XY" schreiben. Und wie rede ich meine Mitstudentinnen und Mitstudenten an? Kann mir da jemand weiterhelfen?

frag_paul

Ich habe kürzlich genau über diese Fragen mit unserem ______ (5) und unserer ______ (6) gesprochen! Dabei kam heraus, dass sehr viele unserer ______ (7) die Professoren in E-Mails mit „Liebe Frau / Lieber Herr X" anschreiben. Einige Professoren legen aber Wert auf ihren ______ (8) und wollen mit „Sehr geehrte/r Frau/Herr Professorin/Professor" angesprochen werden. Man muss also sowohl bei Titel und Anrede aufpassen und differenzieren (9). Und wenn Du eine Rundmail an Deine KommilitonInnen schreibst, solltest Du auf jeden Fall beide ______ (10) berücksichtigen.

6

zu *Wussten Sie schon?*, S. 77

11 Was macht eine Frauen- oder Gleichstellungsbeauftragte? LANDESKUNDE / LESEN

Lesen Sie den Zeitungsartikel. Was ist richtig? Markieren Sie.

1 Die Frauenbeauftragte in Aachen wurde ...
- a vom Stadtrat ausgewählt.
- b von den Bürgerinnen und Bürgern gewählt.
- c von einer PR-Firma gesucht.

2 Die ausgewählte Person ...
- a hat noch vor, eine Familie zu gründen.
- b hat ein Studium absolviert.
- c hat noch keine Berufserfahrung.

3 Klara Jansen gefällt es, dass ...
- a Frauen wichtige Aufgaben übernehmen.
- b sie mehr Frauen in die Politik bringen kann.
- c sie einige Positionen im Stadtrat neu besetzen kann.

4 Was sind die Aufgaben einer Frauenbeauftragten? Sie ...
- a geht in Betriebe und kämpft dort für bessere Bezahlung von Frauen.
- b macht Werbung für die Stadt Aachen.
- c setzt sich für die Interessen und Belange der Frauen ein.

5 Womit hat ihr erstes Projekt zu tun?
- a Mit Beratung.
- b Mit Wahlen.
- c Mit der Organisation einer Beratungsstelle.

Neue Frauenbeauftragte für Aachen

Nach langer Suche ist es endlich soweit. Der Stadtrat von Aachen hat sich für eine der Bewerberinnen für die Stelle der Frauenbeauftragten entschieden. Klara Jansen ist studierte Soziologin und Mutter von drei Kindern. Sie hat bisher als PR-Beraterin für das Infocenter für Ökologie und Nachhaltigkeit der Stadt Münster gearbeitet. „Ich habe mich schon immer für das Thema ‚Gleichstellung' interessiert und engagiert", berichtet Klara Jansen im Gespräch. „Gerade in der Politik braucht man Frauen, die klar Stellung beziehen und Schlüsselpositionen besetzen, von denen aus sie etwas bewegen können. Aus diesem Grund habe ich mich auf die Stelle beworben."
Es gibt auch in vielen anderen deutschen Großstädten eine Frauen- oder Gleichstellungsbeauftragte. Was denken die Bürger über diese neue Stelle? Und was sind eigentlich die Aufgaben einer Frauenbeauftragten? Eine kleine Umfrage in der Innenstadt von Aachen erbrachte: Die Bürger wissen es nicht.
Klara Jansen will das mit ihrer Arbeit ändern. „Die Frauenbeauftragte wirkt in alle Bereiche hinein, die mit Frauenfragen zu tun haben", erläutert sie. Dazu zählt unter anderem das Thema Gleichstellung von Männern und Frauen. Zum Beispiel, ob sie für die gleiche Arbeit in ihren Betrieben auch wirklich gleich bezahlt werden. Nachdem in Aachen Wahlen zum Stadtrat anstehen, findet Frau Jansen ihr erstes Projekt sehr schnell. Es heißt: „Mehr Frauen in die Politik." Neben den Projekten zu aktuellen Anlässen ist die Frauenbeauftragte immer für die Bürgerinnen und Bürger da. Fast täglich kommen Ratsuchende bei ihr im Büro vorbei. Sie wollen ein Problem besprechen oder suchen eine Anlaufstelle für ihre Fragen.

zu Lesen 2, S. 78, Ü1

12 Ausländische Studierende

WORTSCHATZ

Was passt? Lesen Sie die Forumsbeiträge und markieren Sie die im Text gemeinte Bedeutung.

1 pauken
- ☐ auf die Pauke hauen
- ☒ lernen

2 weitergeben
- ☐ verschenken
- ☐ vermitteln

3 die Perspektiven (Pl.)
- ☐ Berufsaussichten
- ☐ Sichtweisen

4 bereuen
- ☐ bedauern
- ☐ Buße tun

5 der Ruf
- ☐ der Name
- ☐ die Berufung

6 verlangen
- ☐ wollen
- ☐ fordern

Hoa Phan

„Berlin ist eine crazy City! Alles ist voller Leben. Ich habe von Anfang an intensiv Deutsch gepaukt (1), sonst lernt man eine Stadt nicht kennen. Ich arbeite im Uni-Krankenhaus Charité und werde in drei Jahren mit meiner Promotion fertig sein. Die Kollegen in unserer Abteilung kommen aus 20 Nationen. Und ich lerne hier molekulare Techniken, die wir bei uns nicht haben. Mein Wissen möchte ich später gern als Dozentin in meiner Heimat weitergeben (2). Mit einem deutschen Abschluss habe ich sehr gute Perspektiven (3)."

Nilay_in_D

„In Bangladesch habe ich bereits drei Jahre Informatik studiert. Darum wollte ich ursprünglich auch nur für kurze Zeit als Austauschstudent nach Deutschland gehen. Aber dann habe ich es mir anders überlegt und an der Technischen Universität Darmstadt noch einmal von vorne mit dem Bachelor-Studiengang Computational Mechanical and Process Engineering begonnen. Die Entscheidung habe ich bisher nicht bereut (4). Die Universität ist klasse! Kein Wunder, dass sie international so einen guten Ruf (5) hat. Aber es wird auch einiges verlangt (6). Obwohl ich schon zu Hause am Goethe-Institut ein Jahr lang Deutsch gelernt hatte, habe ich hier an der Universität weitere Kurse besucht. All die technischen Fachbegriffe zum Beispiel kannte ich nicht auf Deutsch."

zu Lesen 2, S. 78, Ü2

13 Studium international ÜBUNG 9

WORTSCHATZ

Wie heißen die Wörter in Klammern? Ergänzen Sie.

1 Jelena kommt aus Polen und hat schon in ihrer Heimat in der Exportabteilung einer Firma gearbeitet. In ihrem BWL-Studium in Bremen beschäftigt sie sich mit dem Außenhandel (HANAUßENDEL).

2 Sehen Sie sich in aller Ruhe auf dem Campus um, so bekommen Sie am besten einen ______ (DREINUCK) von unserer Universität. Und wenn Sie noch Fragen haben, wenden Sie sich an das International Office. Dort finden Sie weitere ______ (SPRANECHTNERPAR).

3 Stefano aus Italien studiert jetzt in Berlin Biologie und soll ein Referat über „Schnecken" halten. Dazu muss er sich zuerst einen ______ (ERÜBCKBLI) über diese Gruppe und über die ______ (HEITSONDERBEEN) der Weichtiere verschaffen. In seinem Referat will er auch ______ (ZGUBE) auf die letzte Konferenz der Schneckenforscher nehmen.

4 Über das Programm „Erasmus" unterstützen die Hochschulen und Universitäten den ______ (TSCHAUAUS) von Studierenden in ganz Europa.

5 Die Semesterferien dauern im Sommer ______ (TTSCHNIDURLICHCH) 10 Wochen, im Winter nur 6 Wochen.

WIEDERHOLUNG GRAMMATIK

zu Lesen 2, S. 79, Ü3

14 E-Mail aus Berlin

a **Lesen Sie die E-Mail und unterstreichen Sie die Verweiswörter.**

Hi Simon,
im Moment sind Semesterferien und ich bin nicht in Braunschweig, sondern zum
Arbeiten und Lernen in Berlin.
Abends bin ich im Restaurant meines Onkels beschäftigt, das hilft mir, ein
5 bisschen Geld zu verdienen. Und das kann ich gut gebrauchen. Vormittags bin
ich meistens etwas müde und kann nicht so gut für meine Informatik-Prüfung
lernen, was daran liegt, dass ich immer erst gegen zwei Uhr nachts ins Bett
komme. Die Prüfung ist in zwei Wochen in Braunschweig (drück mir dafür bitte
die Daumen!!!). Ich überlege mir, eine IT-Fachzeitschrift zu abonnieren – das hat
10 mir mal jemand zur Prüfungsvorbereitung empfohlen. Ob ich das mache, weiß ich
noch nicht. Ich freue mich jedenfalls darauf, Dich bald mal wiederzusehen!
Liebe Grüße
Chung

b **Worauf beziehen sich die Verweiswörter? Markieren Sie.**

zu Lesen 2, S. 79, Ü3

15 Verweiswörter

GRAMMATIK ENTDECKEN

a **Bringen Sie die Textteile in die richtige Reihenfolge.**

- [1] Die TU Braunschweig genießt als eine der ältesten Technischen Universitäten Deutschlands national und international hohes Ansehen,
- [ ] Die TU Braunschweig gehört damit zu den mittelgroßen Universitäten Deutschlands, an denen es sich hervorragend studieren lässt,
- [ ] und das auch und gerade im Bereich der Informatik.
- [ ] Aktuell sind etwa 17 200 Studierende hier eingeschrieben.
- [ ] Dementsprechend beliebt ist die Technische Universität bei ausländischen Studierenden.
- [ ] Dies zeigt sich auch daran, dass im Rahmen von Austauschprogrammen viele ausländische Studierende hierher kommen und dann z. B. für ein Master-Studium an diese Universität zurückkehren.
- [ ] wobei man aber nicht auf individuelle Betreuung verzichten muss. Studierende aus dem Ausland werden von Mentoren unterstützt.

b **Woran haben Sie die richtige Reihenfolge erkannt? Markieren Sie.**

c **Ergänzen Sie.**

stilistisch • logische • Textteilen

Verweiswörter dienen dazu, ____________ Beziehungen zwischen Satzteilen und ____________ herzustellen und ____________ gute und flüssige Texte zu formulieren.

zu Lesen 2, S. 79, Ü3

16 Informationen für Informatikstudenten

GRAMMATIK

a Was passt? Markieren Sie das richtige Verweiswort im folgenden Forumsbeitrag.

Jakob

Als Informatikstudent muss man sich so viel Wissen wie möglich aneignen, ☒ infolgedessen ☐ stattdessen (1) halte ich es für nötig, mich regelmäßig auch über Neuerungen auf diesem Gebiet zu informieren. ☐ Dazu ☐ Dafür (2) hat uns auch unser Professor in der letzten Vorlesung geraten, ☐ deshalb ☐ andernfalls (3) sollte man eine richtig gute Fachzeitschrift abonnieren. Er hat leider keine empfohlen, ☐ andernfalls ☐ folglich (4) frage ich jetzt hier in diesem Forum. Kennt jemand von Euch eine gute IT-Zeitschrift, die nicht allzu umfangreich und ausführlich ist, und ☐ stattdessen ☐ demzufolge (5) kurz und knapp den wichtigsten Stoff vermittelt? Danke schon mal!

b Schreiben Sie, worauf sich die Verweiswörter in a beziehen.

1 infolgedessen: weil man sich so viel Wissen wie möglich aneignen muss

zu Lesen 2, S. 79, Ü3

17 Wie studiert man effektiv? ÜBUNG 10, 11

GRAMMATIK

Schreiben Sie im Forum Linas Antwort auf Jakobs Frage in Übung 16 mit den Verweiswörtern am Rand neu.

Lina96

Hallo Jakob, gleich zu Deiner Frage: Ich hatte auch mal eine Fachzeitschrift abonniert, war aber ziemlich teuer (1). Am Anfang habe ich viel in der Zeitschrift gelesen und vieles nicht verstanden – ich war dann ziemlich frustriert (2). Das Abo würde ich mir sparen, es ist möglich (3), sich online zu informieren oder in die Uni-Bibliothek zu gehen. Einmal habe ich auch einen Kommilitonen in einem höheren Semester nach seiner Vorbereitung auf Prüfungen gefragt und er hat gesagt: „Studiere einfach richtig!" Es reicht aus (4), wenn man in den Vorlesungen und Übungen intensiv mitmacht, ist aber echt anstrengend (5). Ich habe vier Wochen lang mal alle wichtigen Vorlesungen, Seminare und Übungen besucht und hatte so eine 40-Stunden-Woche – ich war kaputt (6). Also vielleicht doch lieber eine Fachzeitschrift ...? ☺

1 das
2 infolgedessen
3 stattdessen
4 demnach
5 das
6 dementsprechend

Hallo Jakob, gleich zu Deiner Frage: Ich hatte auch mal eine Fachzeitschrift abonniert, das war aber ziemlich teuer. ...

zu Sprechen, S. 80, Ü2

18 Mentoring ÜBUNG 12

KOMMUNIKATION

Ergänzen Sie in diesem Gespräch die Redemittel aus dem Kursbuch, S. 80.

■ Lass uns sammeln, mit welchen Problemen ausländische Studierende zu kämpfen haben.
◆ Also, vor allem brauchen sie eine gute Betreuung.
■ Da hast du völlig (1) recht.
◆ Ich wäre für ein Programm zur besseren Betreuung.
■ ______ ______ ______ ______ (2) gerne aufgreifen. Hast du schon mal von Mentoring gehört?
◆ Meinst du damit ein Programm, bei dem ein Student mit einem Mentor in direkten persönlichen Kontakt tritt?
■ Ja. Es gibt regelmäßige Treffen. Der Mentor hat die Aufgabe, Studierende in allen wichtigen Fragen zu beraten.
◆ ______ ______ ______ ______ interessanter ______ (3). Könnte in diesem Rahmen nicht auch eine Art Berufsberatung stattfinden? Meines ______ ______ ______ (4) berücksichtigen, dass ausländische Studierende Karriere machen möchten.
■ ______ ______ ______ (5) überzeugend, aber am wichtigsten finde ich festzulegen, was genau das Ziel des Mentoring ist.
◆ ______ ______ ______ ______ (6) anders sehen. Ich fände es besser, wenn jeder ausländische Studierende die Ziele mit dem Mentor selbst aushandelt. Sonst hätten wir viel zu tun.
■ ______ ______ leuchtet ______ ______ (7). Wir könnten eine Webseite machen und dort ein paar allgemeine Ziele formulieren. Vielleicht könnte man am Semesteranfang alle zu einem Treffen einladen.
◆ Das ist ein toller Vorschlag. Unser ______ ______ ______ (8): Wir machen eine Webseite zum Mentoring und darauf laden wir alle Interessierten zu einem Treffen ein.

zu Sehen und Hören 1, S. 81, Ü1

19 Vorlesung gestern, heute und morgen

WORTSCHATZ

Ergänzen Sie.

Vorlesungen im Wandel

Als Vorlesung (1) bezeichnet man eine ______ (2) an einer ______ (3). Sie wird meistens von ______ (4) gehalten. Der Begriff „Vorlesung" stammt aus dem Mittelalter. Vorlesungen bestanden damals hauptsächlich darin, dass die/der Dozierende den ______ (5) eigene oder fremde Werke vorlas und kommentierte.
Auch heute noch wird oft aus einem Skript vorgelesen. Heutzutage hören mehrere hundert Studierende in einem ______ (6) zu und ______ das Gehörte ______ (7)
Das technische ______ (8) des Internets eröffnet nun ganz neue Möglichkeiten: Vorlesungen können auf Video aufgezeichnet werden und als MOOCs (Massive Open Online Courses) im ______ (9) abgerufen werden. So kann man Vorlesungen an Universitäten, die irgendwo am anderen Ende der Welt liegen, verfolgen.

zu Sehen und Hören 1, S. 81, Ü2

20 Motivierende Vorlesung ÜBUNG 13

LESEN

Lesen Sie den Bericht. Markieren Sie bei den Aufgaben 1–8 das Wort (a, b, c oder d), das in den Satz passt. Es gibt jeweils nur eine richtige Antwort.

Nachmittags im Hörsaal 1103: Der Dozent steht vor einem Laptop und **(1)**. Mittlerweile ist er etwa drei Dutzend Folien durchgegangen. Nur bestenfalls ein Drittel der Studierenden scheint noch aufmerksam zu sein. Das ist der traurige Alltag an vielen Universitäten.
Der Biologieprofessor Erwin Gärtner hat das alte Format **(2)** radikal verändert. Wenn der Biologe seine Vorlesung hält, geht es anders zu als in den meisten Hörsälen. Zum Einstieg **(3)** er heute aus einem Elternbeschwerdebrief: „Unser Sohn folgt nur dann dem Unterricht, wenn der auch interessant ist." Wie also kann ich als Lehrer den Schüler für mein Fach interessieren und möglichst sogar **(4)**? So lautet die Kernfrage der Vorlesung zu „Interesse und Motivation".
Zukünftige Biologielehrerinnen und -lehrer im dritten Semester werden in dieser Veranstaltung in die „Grundlagen der Biologiedidaktik" **(5)**. Was auffällt, ist ein allgemeines Gemurmel. Ein paar Studierende blicken **(6)** in ihre Laptops, andere diskutieren mit ihren Nachbarn halblaut darüber, wie man das Interesse von Schülern am Unterricht messen könnte.
Hier und da wird fleißig **(7)**. Gärtner läuft durch die Reihen, um Fragen zu klären oder eine Diskussion zu begleiten. Nur die hörsaaltypischen Sitzreihen weisen noch darauf hin, dass es sich hier um eine „Vorlesung" **(8)**. Auch so kann der Universitätsalltag aussehen. Man kann nur hoffen, dass dieses Beispiel Schule macht.

(1)
- a differenziert
- b inszeniert
- [x] c referiert
- d diskutiert

(2)
- a dann
- b deshalb
- c trotzdem
- d indem

(3)
- a berichtet
- b motiviert
- c referiert
- d zitiert

(4)
- a bestellen
- b begeistern
- c befragen
- d begleiten

(5)
- a eingeführt
- b eingeleitet
- c eingeleuchtet
- d eingestellt

(6)
- a fundiert
- b konzentriert
- c interaktiv
- d überflüssig

(7)
- a gehört
- b getippt
- c nachvollzogen
- d angefertigt

(8)
- a geht
- b zeigt
- c handelt
- d vorstellt

zu Sehen und Hören 1, S. 81, Ü2

21 Was passt am besten zusammen?

WORTSCHATZ

Ordnen Sie zu.

1 Präsentationsfolien	A durchführen
2 Protokolle	B mitschreiben
3 Sekundärliteratur	C schreiben
4 Seminararbeiten	D exzerpieren
5 Vorlesungen/Vorträge	E entwerfen
6 Recherchen	F verfassen

(Beispiel: 1 – E)

zu Sehen und Hören 1, S. 81, Ü2

22 Körpersprache in verschiedenen Ländern ÜBUNG 14

WORTSCHATZ

a **Was erläutert Alexander Groth in seiner Vorlesung im Kursbuch, S. 81? Ergänzen Sie.**

die Beziehung ist gut • ~~Interesse und Aufmerksamkeit~~ • keine Durchsetzungskraft • unangenehm • unhöflich • Vertrauen

1 Argentinien:	am Ellenbogen anstupsen bedeutet:	Interesse und Aufmerksamkeit
2 Indien:	die Hand nehmen und halten bedeutet:	
3 Deutschland:	a schlaffer Händedruck bedeutet:	
	b Blickkontakt bedeutet:	
4 Großbritannien:	a kräftiger Händedruck wirkt:	
	b in die Augen schauen wirkt:	

b **Was versucht die Frau mit ihrer Körperhaltung wohl auszudrücken? Ordnen Sie die Bilder der jeweiligen Sprechabsicht zu.**

A

B

C

- ☐ jemanden für ihre Idee gewinnen
- ☐ einen Vorschlag ablehnen
- ☐ jemand anderem die Schuld für etwas geben

c **Welches Redemittel passt zu welcher Sprechabsicht in b? Ordnen Sie zu.**

1 Stell dir mal vor, was wir erreichen könnten. [B]
2 Deine Argumente leuchten mir nicht ein. Das kann ich nicht nachvollziehen. ☐
3 Du warst der, der es so machen wollte. Du hast uns in diese Lage gebracht. ☐
4 Wenn du mir da entgegenkommst, wird das gut laufen. ☐
5 Also davon bin ich nicht so begeistert! ☐

zu Schreiben, S. 82, Ü1

23 Mitschriften verfassen: Abkürzungen

SCHREIBEN

Um effektive Mitschriften verfassen zu können, die man auch nach einer gewissen Zeit noch versteht, sollte man sich ein kleines Repertoire an Abkürzungen und Symbolen zulegen. Ordnen Sie die Symbole zu.

→ • ~~↗~~ • > • ⟷ • ≠ • < • + • ↘ • – • =

1 steigen, Zunahme, sich erhöhen ↗
2 mehr/größer als ... ______
3 fallen, Abnahme, sich verringern, zurückgehen ______
4 weniger/kleiner als ... ______
5 positiv ______
6 negativ ______
7 Folge: deshalb, deswegen, folglich, sodass ______
8 Gegensatz, Unterschied ______
9 gleich ______
10 nicht gleich ______

zu Sehen und Hören 2, S. 83, Ü2

24 Anruf bei der Studienfachberatung

HÖREN

CD/AB

Hören Sie ein Telefongespräch zwischen einer Studentin und einem Mitarbeiter der Studienfachberatung und notieren Sie Stichpunkte.

1 Beratung für das Fach: Kunstgeschichte
2 Grund des Anrufs: ____________
3 Anlass: ____________
4 empfohlener Ansprechpartner: ____________
5 Handlungsvorschlag: ____________
6 Weiteres Vorgehen: ____________

zu Sehen und Hören 2, S. 83, Ü2

25 E-Mail an das International Office ÜBUNG 15

SCHREIBEN

Sie möchten gern in einem deutschsprachigen Studiengang an einer Universität in Österreich, der Schweiz oder Deutschland studieren. Schreiben Sie eine E-Mail an das International Office und stellen Sie darin eine Frage, zu der Sie noch nicht genug Informationen auf der Webseite gefunden haben bzw. die Sie unbedingt vor der Abreise klären wollen, z. B. zu einem der folgenden Themen:

~~Angebote für Ihre Spezialisierung~~ • Krankenversicherung • Papiere für die Einreise • mögliche finanzielle Unterstützung • technische Ausstattung im Studentenwohnheim

Berücksichtigen Sie dabei folgende Punkte:
- Nennen Sie zunächst Ihren angestrebten Studiengang und den Studienbeginn.
- Sagen Sie, warum Sie schreiben.
- Erklären Sie Ihr Problem und Ihre Frage.
- Bitten Sie um Bearbeitung.

Sehr geehrte Damen und Herren,

ab dem kommenden Wintersemester werde ich in Bayreuth Musikwissenschaft im Masterstudiengang studieren. Nun benötige ich noch Informationen zum Inhalt dieses Studiengangs.
5 In meinem Bachelor an der Universität in Seoul/Korea habe ich bereits Lehrveranstaltungen zur Komposition und zur Musiktheorie besucht. Ich würde gerne wissen, ob ich diese Spezialisierung in Bayreuth fortführen kann. Gibt es bereits jetzt die Möglichkeit, den Inhalt der einzelnen Seminare zu erfahren? Mich würden auch die Dozenten interessieren, die diese Kurse geben.
10 Ich möchte Sie höflich bitten, mir entsprechende Unterlagen zu schicken oder eine Webseite zu nennen, auf der ich Informationen zu meinen Fragen finden kann.

Mit freundlichen Grüßen

AUSSPRACHE: Betonung von Prä- und Suffixen

1 Präfixe (Vorsilben)

a **Hören Sie die folgenden Verben im Infinitiv. Unterstreichen Sie jeweils die betonte Silbe.**

1 beleidigen	3 abnehmen	5 zerreißen	7 ausfüllen
2 verletzen	4 wegfallen	6 erfüllen	8 abreißen

b **Formulieren Sie Sätze mit den Verben aus a. Verwenden Sie dabei keine Hilfsverben.**

Beispiel: Der Mann beleidigt den Polizisten.

2 Suffixe (Nachsilben) bei Nomen

a **Hören Sie die Wörter aus dem Kursbuch, S. 76. Welche Nachsilben sind immer betont? Markieren Sie.**

das Argument, der Bibliothekar, die Bilanz, die Distanz, das Dokument, die Eleganz, das Experiment, das Instrument, der Volontär, der Sekretär, die Intelligenz, der Enthusiasmus, der Journalismus, der Kommentar, die Kompetenz, die Konferenz, die Konkurrenz, der Sarkasmus, das Medikament, der Organismus, die Resonanz, der Feminismus

b **Hören Sie den folgenden Rap und markieren Sie, welche Nachsilben in jeder Zeile betont werden.**

Der Bewerbungs-Rap

Meine Intelligenz kennt keine Konkurrenz
Auf jeder Konferenz zeig' ich meine Kompetenz.
Ich bin kein Bibliothekar, kein Kommissar.
5 Bin ich ein Star? – Kein Kommentar.
Meine unfassbare Eleganz erhöht jede Bilanz.
Was heißt da Arroganz? Bitte mehr Toleranz!
Meine derzeitige Situation ist keine Illusion.
Ich brauch' eine neue Funktion, daher diese Aktion.
10 Also, Chef, krieg ich den Job?

c **Hören Sie den Rap noch einmal und klatschen Sie den Rhythmus. Rappen Sie mit!**

3 Berufsbezeichnungen mit Betonungswechsel

a **Hören Sie die folgenden Berufsbezeichnungen in männlicher und weiblicher Form. Unterstreichen Sie jeweils die betonten Silben. Was fällt Ihnen auf?**

1 der Dozent – die Dozentin	5 der Professor – die Professorin
2 der Bäcker – die Bäckerin	6 der Konditor – die Konditorin
3 der Richter – die Richterin	7 der Juror – die Jurorin
4 der Jurist – die Juristin	8 der Doktor – die Doktorin

b **Finden Sie analog zu den Beispielen aus a die richtige weibliche Form zu den männlichen Bezeichnungen und sprechen Sie sie mit der richtigen Betonung aus.**

1 der Kommissar – ______	4 der Konkurrent – ______
2 der Inspektor – ______	5 der Direktor – ______
3 der Bibliothekar – ______	6 der Moderator – ______

c **Hören Sie und kontrollieren Sie.**

LESEN 1, S. 74–75

die Akademie, -n
das Design, -s
die Fachrichtung, -en
die Geografie (Sg.)
die Germanistik (Sg.)
das Ingenieurwesen (Sg.)
das Jus, Jura (Recht, Rechtswissenschaft)
die Konstruktion, -en
die bildende Kunst, ¨-e
die Präferenz, -en
das Prinzip, die Prinzipien
die Sozialarbeit (Sg.)
die Sozialpädagogik (Sg.)
die Studienordnung, -en

simulieren

gefragt sein
einen Streit schlichten
im Mittelpunkt stehen, stand, hat/ist gestanden

fern
samt
zuliebe

im weitesten Sinne

WORTSCHATZ, S. 76

die Bilanz, -en
die Eleganz (Sg.)
der Enthusiasmus (Sg.)
der Feminismus (Sg.)
die Kompetenz, -en
die Konkurrenz (Sg.)
die Periode, -n
die Recherche, -n
die Resonanz, -en
der Sarkasmus (Sg.)
der Volontär, -e

sich auswirken auf (+ Akk.)
sich (Dat.) etwas einfangen, fing ein, hat eingefangen
einführen
ergeben, ergab, hat ergeben
ermitteln

ans (Tages)Licht bringen, brachte, hat gebracht
eine lange Leitung haben

geschlechtlich

HÖREN, S. 77

die Ausführung, -en
die/der Dozierende, -n
die/der Frauenbeauftragte, -n
das Geschlecht, -er
die Gleichstellung (Sg.)
die Orthografie, -n (meist Sg.)
die Publikation, -en
der Schriftverkehr (Sg.)

differenzieren
referieren

es für höchste Zeit halten, hielt, hat gehalten

einseitig
fundiert
spezifisch

die öffentliche Einrichtung, -en

LESEN 2, S. 78–79

der Ansprechpartner, -
der Außenhandel (Sg.)
der Austausch (Sg.)
die Belastung, -en
die Besonderheit, -en
der Bezug, ¨-e
der Mentor, -en
die Perspektive, -n
die/der Studierende, -n
das Studium, die Studien
das Bachelor-/Masterstudium
der Überblick über (+ Akk.)

ein Referat, eine Vorlesung halten, hielt, hat gehalten
sich wohlfühlen

vor den Kopf gestoßen sein
schade sein

anschaulich
verstörend
vertieft

dementsprechend

SPRECHEN, S. 80

die Äußerung, -en
der Lernstoff, -e
die Mitschrift, -en

anfertigen
bibliografieren
jemandem einleuchten
exzerpieren
mitnotieren

zu einer Einigung kommen, kam, ist gekommen

SEHEN UND HÖREN 1, S. 81

die Anekdote, -n
die Ansprache, -n
die Ausdrucksweise, -n
das Potenzial, -e
das Statement, -s

Erfahrungen einfließen lassen, ließ, hat gelassen
mit offenem Mund dasitzen

peinlich

SCHREIBEN, S. 82

der Abstand, ¨-e
die Brüstung, -en
die Sekundärliteratur, -en

anfassen
antippen
schlendern

expressiv
interkulturell
mäßig
reserviert
tragfähig

SEHEN UND HÖREN 2, S. 83

das BAföG (Sg.)
der ECTS-Punkt, -e
die Einschreibung, -en
das Stipendium, Stipendien

posten

LEKTIONSTEST 6

1 Wortschatz

Wie heißen die Wörter? Schreiben Sie.

1 Eine Wettbewerbssituation, die Rivalität: (KURKONRENZ) die ____________
2 Alle für einen bestimmten Zweck verwendbaren Möglichkeiten: (ZIALTENPO) das ____________
3 Die Suche nach Informationen für einen bestimmten Zweck: (CHECHERRE) die ____________
4 Unterstützung für Studenten, damit sie ohne finanzielle Probleme studieren können: (STIUMDIPEN) das ____________
5 Regel, nach der eine Gruppe lebt; der Grundsatz: (PZIPRIN) das ____________
6 Die Veröffentlichung von Texten oder Büchern: (KALIPUBTION) die ____________

Je 1 Punkt **Ich habe ______ von 6 möglichen Punkten erreicht.**

2 Grammatik

a **Ergänzen Sie die passenden Verweiswörter und die Präpositionen *samt*, *zuliebe* und *fern*.**

Hallo Ronya, schön, dass es Dir gut geht. Nach all den schlechten Nachrichten hat mich ________ (1) sehr gefreut. Ich dachte, Du bist immer noch in Aachen, ____________ (2) arbeitest Du in Hamburg! ________ (3) finde ich toll! Hast Du schon gehört, dass Marco jetzt ________ (4) der Heimat in Hongkong ein Praktikum macht? Patricia hat ihrem Freund ________ (5) den Studienort gewechselt, sie ist jetzt in Karlsruhe. Und Hanayo ist ________ (6) Hund und Katze zum Tiermedizin-Studium nach Hannover gegangen. Alle sind in Bewegung …
Ich habe nächste Woche meine Abschlussprüfung in Psychologie, ________ (7) muss ich gerade viel lernen. Aber danach würde ich Dich gern mal in Hamburg besuchen, wenn Du Zeit und Lust ________ (8) hast. …

Je 1 Punkt **Ich habe ______ von 8 möglichen Punkten erreicht.**

b **Bilden Sie Nomen auf *-ar*, *-enz* oder *-ment* und ergänzen Sie Nomen und Artikel in der richtigen Form.**

argumentieren • experimentieren • intelligent • kommentieren • kompetent • Bibliothek

1 Der letzte Versuch ist missglückt. Hoffentlich klappt ______ ____________ diesmal.
2 ______ ____________ „Mit einem Auslandsstudium hast du bessere Berufschancen" leuchtete Ekaterina ein – sie bewarb sich um einen Studienplatz in Deutschland.
3 ______ fachliche und persönliche ____________ von Paola wurde nicht angezweifelt, aber es gab Kritik an ihren Sprachkenntnissen.
4 Die bekannten Universalgenies wie Archimedes, Leonardo da Vinci oder Leibniz verfügten alle über ______ weit überdurchschnittliche ____________.
5 In ______ guten ____________ sollten die Hintergründe zu einer Nachricht analysiert werden und die Meinung des Schreibers argumentativ belegt werden.
6 Durch das digitale Zeitalter ändert sich auch das Berufsbild ______ ____________.

Je 2 Punkte **Ich habe ______ von 12 möglichen Punkten erreicht.**

3 Kommunikation

Welche Redemittel drücken eine Zustimmung (Z), welche eine Ablehnung (A) aus? Ordnen Sie zu.

1 Dein Argument leuchtet mir ein. ☐
2 Das klingt zwar gut, aber es überzeugt mich nicht wirklich. ☐
3 Ich möchte deinen Vorschlag aufgreifen. ☐
4 Diese Argumentation kann ich nicht nachvollziehen. ☐

Je 1 Punkt **Ich habe ______ von 4 möglichen Punkten erreicht.**

Auswertung: Vergleichen Sie Ihre Lösungen mit S. AB 202.
Ihre Erfolgspunkte tragen Sie unter jeder Aufgabe ein.

Ich habe ______ von 30 möglichen Punkten erreicht.

😊	🙂	☹
30–26	25–15	14–0

WIEDERHOLUNG WORTSCHATZ

1 Rätsel: Finanzen

Ergänzen Sie.

1 Frau Huber bekommt auf ihrem Sparbuch zurzeit kaum noch Zinsen (NSIZEN).
2 Von ihrem Gehalt bleibt ihr kaum etwas übrig. Sie kann nichts ______ (PNERSA).
3 Die Firma konnte nicht überleben. Sie hatte zu wenige ______ (INEHNMAEN).
4 Tims Traumauto kostet mehr als er hat. Er nimmt dafür einen ______ (DTEKRI) auf.
5 Ich möchte auf keinen Fall ______ (HCDELNUS) machen. Lieber verzichte ich auf Luxus.
6 Die ______ (BASGUNEA) für das Wohnen in Großstädten sind erschreckend hoch.

zur Einstiegsseite, S. 85, Ü2

2 Tipps zum Sparen

WORTSCHATZ

Ergänzen Sie die Überschriften auf der Verbraucherseite einer Jugendzeitschrift und ordnen Sie die Tipps zu.

Auktionshaus • Tarif • Discounter • ~~Fabrik~~ • Sonderangebote • Sparplan

1 Fabrik verkauf — C
2 Preiswert einkaufen beim ______
3 Schlussverkauf und ______
4 ______: Mit kleinen Raten zum großen Vermögen
5 Günstiger ______ für Telefon und Internet
6 Verkauf überflüssiger Sachen bei einem Online-______

A Verkauf doch eine schicke Uhr im Internet!
B Informier dich doch über günstige Verträge bei Preisvergleichsportalen!
C Kauf doch Marken-Kleidung beim Outlet!
D Kauf Waschmittel doch in einem billigen Supermarkt!
E Überweise jeden Monat einen festen Betrag auf ein Konto!
F Kauf Kleidung am besten am Ende der Saison!

7

zu Lesen 1, S. 86, Ü2

3 Privatfinanzen ÜBUNG 1

WORTSCHATZ

Was passt? Ergänzen Sie in der richtigen Form.

bemessen • ~~sanieren~~ • bewusst machen • sich schwertun • einbringen • in Verlegenheit bringen

1 Linda versucht, ihre Finanzen in Ordnung zu bringen. Sie verkauft ihr Auto, um ihre Finanzen zu sanieren.
2 Axel hat auf der Party damit angegeben, wie viel Geld er hat. Damit hat er seine Freundin ______.
3 Die Steuern, die ich zahlen muss, werden nach meinem Einkommen ______.
4 Elke ist hoch motiviert. Sie ist bereit, sich in ihrem neuen Job mehr ______ als in dem alten.
5 Johannes muss sich ______, dass er ab sofort weniger Geld ausgeben darf.
6 Sarah hatte anfangs große Mühe, mit ihrem Gehalt auszukommen. Sie ______ mit dem Sparen ______.

zu Lesen 1, S. 86, Ü2

4 Worauf Menschen verzichten

HÖREN

Was ist richtig? Hören Sie einen Ausschnitt aus einer Radio-Reportage und markieren Sie.

1 Welchen Trend beobachtet der Journalist bei vielen Menschen?
- a Sie beschäftigen sich zu viel mit ihrer Gesundheit.
- b Sie lassen vorübergehend Dinge oder Gewohnheiten weg.
- c Sie übertreiben es mit dem Geldausgeben.

2 Das Problem der Frau ist, dass sie ...
- a Sachen kauft, ohne Rücksicht darauf, wie oft sie diese verwenden wird.
- b zu viel Geld für Sportartikel und Kochutensilien ausgibt.
- c zu wenig Wohnraum und Platz im Keller hat.

3 Womit hat der Mann begonnen?
- a Anzeigen im Internet zu ignorieren.
- b Auf Fernsehen zu verzichten.
- c Werbung zu analysieren.

4 Die Frau hat ihr Verhalten geändert. Sie ...
- a kauft keine Kosmetikartikel mehr.
- b legt keinen Wert mehr auf die Präsentation eines Produktes.
- c kontrolliert ihre Kaufentscheidungen besser.

zu Lesen 1, S. 87, Ü3

5 Stellungnahme: Ohne Geld leben

SCHREIBEN

a **Überfliegen Sie die Reaktionen auf Raphael Fellmers Lebensstil. Welche ist eher positiv (Pro), welche eher negativ (Kontra)? Markieren Sie.**

A **PRO / KONTRA**
Fellmers Lebensstil ist aus meiner Sicht ziemlich radikal. Ich könnte mir so eine Lebensweise sicher nicht vorstellen. Ich gestehe, ich kaufe gern, sehr gern sogar. Besonders Klamotten. Geld ist für mich etwas, was man verdient, um es danach gleich wieder auszugeben. Wie soll sonst unser Wirtschaftskreislauf funktionieren? Wenn wir nicht mehr konsumieren, können andere Menschen nichts verdienen und verlieren im Endeffekt ihre Lebensgrundlage. Allerdings wäre meiner Ansicht nach schon viel erreicht, wenn wir die Produkte, die wir kaufen, sorgsamer auswählen würden. Also weniger „ex und hopp", dafür mehr werthaltige Sachen. Die dürfen gern auch gebraucht sein.

B **PRO / KONTRA**
Vielleicht brauchen wir jemanden wie Fellmer, um uns klarzumachen, dass in unserer Welt gerade irgendwas gewaltig schiefläuft. Wir brauchen endlich andere Ziele als das neueste, sechste Smartphone. Ich hatte meine Probleme mit Fellmers extremem Ansatz und einigen seiner Argumente. Aber ich gebe zu: Er bringt in seinem Buch eine Menge Informationen über unseren Wirtschaftskreislauf, die mir neu waren. Noch wichtiger finde ich aber: Er vermittelt Werte wie Freundschaft, Gastfreundschaft, Achtsamkeit, Empathie. Das sind Dinge, die man nicht kaufen kann. Ich gebe zu, ich bin ein wenig neidisch auf seinen Mut.

b **Reagieren Sie auf einen der beiden Texte mit einer eigenen Stellungnahme (circa 100 Wörter). Sie können sich einer in a geäußerten Meinung anschließen oder dagegen argumentieren.**

WIEDERHOLUNG GRAMMATIK

zu Lesen 1, S. 87, Ü4

6 Welt (fast) ohne Geld

a Bilden Sie Nomen aus den Verben und ergänzen Sie.

1 Sie bauen Kartoffeln an. Der Anbau von Kartoffeln ...
2 Sie stellen Joghurt und Käse her.
_______ von Joghurt und Käse ...
3 Sie ernten Obst und Gemüse.
_______ von Obst und Gemüse ...
4 Man schmeckt die natürlichen Aromen.
_______ der natürlichen Aromen ...
5 Sie putzen die Gemeinschaftsräume.
_______ der Gemeinschaftsräume ...
6 Sie fahren mit einem Elektro-Auto. _______ mit einem Elektro-Auto ...
7 Sie tauschen Musikunterricht gegen Haarschnitte. _______ von Musikunterricht gegen Haarschnitte ...
8 Sie zahlen mit einer eigenen Währung. _______ mit einer eigenen Währung ...

b Ergänzen Sie aus a die Nomen mit Artikel in der Tabelle.

ohne Endung	*Ge-*	Endung *-ung*	Endung *-e*	Endung *-t*	Infinitiv als Nomen
der Anbau					

zu Lesen 1, S. 87, Ü4

7 Verbalstil – Nominalstil: Teil 1 ÜBUNG 2, 3, 4

GRAMMATIK ENTDECKEN

a Was ändert sich bei der Umformulierung? Ergänzen Sie und unterstreichen Sie dann.

Verbalstil	Nominalstil
1 Viele Menschen setzen sich für ein Ende der Lebensmittelverschwendung ein. Das ist erfreulich.	Der Einsatz vieler Menschen für ein Ende der Lebensmittelverschwendung ist erfreulich.
2 Man sollte mit Lebensmitteln respektvoll umgehen. Das ist besonders wichtig.	Der _______ Umgang mit Lebensmitteln ist besonders wichtig.
3 Unser Thema: Wir retten _______, bevor sie vernichtet werden.	Unser Thema: Die Rettung von Lebensmitteln, bevor sie vernichtet werden.
4a Man organisiert ein Treffen zum Thema „Foodsaving" in Berlin, das finden wir toll. 4b Ein Treffen zum Thema „Foodsaving" wird in Berlin organisiert. Das finden wir toll.	Die Organisation _______ _______ zum Thema „Foodsaving" in Berlin finden wir toll.

b Ordnen Sie die Sätze aus a zu. Zwei Sätze können doppelt zugeordnet werden.

1 Vokalwechsel Verb → Nomen: Satz 1,
2 Adverb → dekliniertes Adjektiv: Satz _______
3 Subjekt → Genitivattribut: Satz _______
4 Akkusativergänzung → Genitivattribut: Satz _______
5 Nomen ohne Artikel → *von* + Dativ: Satz _______

zu Lesen 1, S. 87, Ü4

8 Plattform „Foodsaving"

GRAMMATIK

Schreiben Sie die Sätze im Verbalstil abwechselnd im Aktiv und im Passiv. Achten Sie dabei auch auf die Zeit.

1 Die Gründung der Plattform „Foodsaving" war ein gewisses Risiko für alle Beteiligten.
Man gründete die Plattform „Foodsaving".
Die Plattform „Foodsaving" wurde gegründet.
Das war ein gewisses Risiko für alle Beteiligten.

2 Das Treffen einer wichtigen Entscheidung ist oft mit einer Neuorientierung im Leben verbunden.
Man ______,
was oft mit einer Neuorientierung im Leben verbunden ist.

3 Die Finanzierung von sozialen Projekten ist keine Selbstverständlichkeit.
______.
Das ist keine Selbstverständlichkeit.

4 Das Angebot von finanzieller Unterstützung wird gern angenommen.
Man ______,
was gern angenommen wird.

5 Die professionelle Bewältigung der Probleme hat alle Mitarbeiter motiviert.
______,
was alle Mitarbeiter motiviert hat.

zu Lesen 1, S. 87, Ü4

9 Teilen statt kaufen

GRAMMATIK

Schreiben Sie die Sätze im Nominalstil.

1 Die Initiative „Foodsaving" startete vor zwei Monaten. Das wurde sehr begrüßt.
Der Start der Initiative „Foodsaving" vor zwei Monaten wurde sehr begrüßt.

2 Viele Leute denken um, was erfreulich ist.
______ ist erfreulich.

3 Man lädt fremde Menschen zum Abendessen ein. Das kann zu interessanten neuen Bekanntschaften führen.
______ zum Abendessen kann zu interessanten neuen Bekanntschaften führen.

4 Man gibt die Lebensmittel bei einer zentralen Sammelstelle ab, was praktisch ist.
______ bei einer zentralen Sammelstelle ist praktisch.

5 Man tauscht CDs gegen Bücher. Das ist ein Beispiel für nachhaltigen Konsum.
______ ist ein Beispiel für nachhaltigen Konsum.

6 Poster und Plakate werden für die Demonstration gemalt. Das macht Spaß.
______ für die Demonstration macht Spaß.

7 Die Preise für Nahrungsmittel steigen stark an. Das ist problematisch.
______ für Nahrungsmittel ist problematisch.

8 Die Ressourcen in unserer Gesellschaft sind ungerecht verteilt. Das wird von vielen kritisiert.
______ in unserer Gesellschaft wird von vielen kritisiert.

zu Sehen und Hören, S. 88, Ü2

10 Lebenslauf eines Rappers

LESEN

Lesen Sie die Reportage über den Rapper Challa. Markieren Sie bei den Aufgaben 1–11 das Wort (a, b, c oder d), das in den Satz passt. Es gibt jeweils nur eine richtige Antwort.

Der Kreuzberger Rapper Challa ist ein Beispiel für gelungene Integration, **(1)** es sie nicht nur in Berlin, sondern auch andernorts gibt. Er unterrichtet Rap und Breakdance – und holt dabei Kinder von der Straße. Doch das war nicht immer so. (5)
Caglar Budakli, genannt „Challa", wurde 1982 in Kreuzberg geboren. Seine Eltern kamen in den 50er-Jahren als Gastarbeiter nach Berlin. 2004 kam Challa **(2)** schwerer Körperverletzung ins Gefängnis. Heute lebt er mit seiner Freundin in Kreuzberg. (10)
Im Gefängnis begann Challa, über sein Leben und die Probleme von Kindern **(3)** Einwandererfamilien zu rappen. Seine Songs veröffentlicht Challa inzwischen auch auf YouTube. Im November tritt er in New York auf. In einem Interview mit der Berliner (15) Zeitung „taz" erzählt Challa von sich: „Ich wäre gern Anwalt geworden. Aber ich hatte nie **(4)**, die fest im Leben standen und etwas aus sich gemacht haben. Mein Vater übte eine Tätigkeit als Gabelstaplerfahrer aus. Ich wollte mehr erreichen. Er hat mit dieser (20) Arbeit zwar gutes Geld **(5)**, aber er sprach kaum Deutsch und konnte mir in der Schule nicht helfen. Wir hatten ständig Probleme.
Im Knast habe ich angefangen, Lieder zu **(6)**. Die Texte hatte ich eigentlich schon lange im Kopf. Aber (25) aufgeschrieben habe ich sie erst in der Zelle. Da gab es keine Beats, also habe ich das Radio laufen lassen und aufgedreht, wenn mal kein Sprecher geredet hat, bei Werbejingles beispielsweise. Dann habe ich versucht, Reime hinzukriegen, **(7)** auf diese Beats (30) passen. Dabei habe ich mein Leben erzählt.
Mein Rap ist sozialkritisch, ich greife die Politik an, weil die keine **(8)**arbeit leistet. Ich erzähle mein Leben und arbeite die Vergangenheit auf. Das ist eigentlich das Ziel von Rap. (35)
Seit vier Jahren zeige ich den Kids, wie man authentisch rappt: Ich unterrichte Rap und Breakdance in einem Jugendzentrum, sogar meine Eltern sind stolz auf mich. Zu meinen alten Freunden habe ich den Kontakt abgebrochen. **(9)** habe ich fast ein Jahr (40) für die Polizei gearbeitet – die hatten mich gefragt, ob ich der Polizei helfen will, Jugendliche auf den richtigen Weg zu **(10)**. Ich habe dann in deren Auftrag in Schulen über meine Vergangenheit erzählt. Ich will eine Familie gründen und unabhängig (45) leben. Ich will kein Heiliger werden, aber mit meiner **(11)** im Reinen sein."

(1)
- a als
- b wie (angekreuzt)
- c warum
- d wieso

(2)
- a da
- b deshalb
- c weil
- d wegen

(3)
- a mit
- b trotz
- c aus
- d zu

(4)
- a Ausbilder
- b Bilder
- c Vorbilder
- d Ideen

(5)
- a gegeben
- b eingebracht
- c investiert
- d verdient

(6)
- a entsorgen
- b zitieren
- c rappen
- d ermitteln

(7)
- a mit denen
- b für die
- c die
- d welchen

(8)
- a Aggressions
- b Interpretations
- c Präventions
- d Prognose

(9)
- a Aufgrund
- b Mangels
- c Stattdessen
- d Zumal

(10)
- a bringen
- b einbringen
- c gehen
- d geraten

(11)
- a Gegenwart
- b Vergangenheit
- c Zeit
- d Zukunft

7

zu Sehen und Hören, S. 88, Ü2

11 Rap gegen Geldsorgen ÜBUNG 5

WORTSCHATZ

Lesen Sie den Rap-Text. Erklären Sie die Bedeutung der Abschnitte. Verwenden Sie andere Wörter als im Original.

Wach auf!

1 **Kann es sein, dass du dich das letzte Mal gefragt hast, warum du in deinem Leben noch nie richtig was gespart hast?**

2 **Du weißt, die Werbung verspricht dir ein schöneres Leben. Doch beachtet man die Kosten nicht, gibt es größere Schäden.**

3 **Erst nur klein gedruckt doch vor Gericht dann ganz groß.**

4 **Hast einen Haufen Schulden am Hals, dann geht der Spaß los. Jede Woche ist der Briefkasten randvoll: Rechnungen und Mahnungen und Ratenzahlungen, na toll!**

5 **Nur weil du schnell nur diese eine Unterschrift gemacht hast und weil du nicht vorher über die Kosten nachgedacht hast.**

1 Der Rapper weist darauf hin, wie wichtig es ist, etwas Geld zurückzulegen.

2 ...

zu Sehen und Hören, S. 89, Ü4

12 Verbalstil – Nominalstil: Teil 2 ÜBUNG 6, 7

GRAMMATIK ENTDECKEN

a **Markieren Sie die Unterschiede.**

Verbalstil	Nominalstil	
1 Junge Leute suchen nach Ferienjobs.	Die Suche junger Leute nach Ferienjobs ...	Verb + Präposition → Nomen + Präposition
2 Er arbeitet am Wochenende im Schwimmbad.	Seine Arbeit am Wochenende im Schwimmbad ...	Personalpronomen → Possessivartikel
3 Manche Eltern bessern das Taschengeld auf.	Die Aufbesserung des Taschengeldes durch manche Eltern ...	Verursachende Person/Sache → *durch* + Akkusativ
4 Die Schuldenberatung hilft dem Jugendlichen.	Die Hilfe der Schuldenberatung für den Jugendlichen ...	Verb + Dativ → Nomen + Präposition

b **Besondere Formen. Ergänzen Sie *geringe*, *große*, *ständigen* und *häufige*.**

1 Viele Jugendliche freuen sich sehr über die Erhöhung ihres Taschengeldes, das ist verständlich.
Die große Freude vieler Jugendlicher über die Erhöhung ihres Taschengeldes ist verständlich.

2 Meine Großeltern haben sich immer über die zu hohen Ausgaben meiner Eltern beklagt, das hat meine Mutter genervt.
Die __________ Klagen meiner Großeltern über die zu hohen Ausgaben meiner Eltern haben meine Mutter genervt.

3 Max und Tanja streiten sich oft wegen ihrer Schulden, das macht beide unglücklich.
Der __________ Streit von Max und Tanja wegen ihrer Schulden macht beide unglücklich.

4 Sie leben sparsam und geben nur wenig aus.
Sie leben sparsam und haben nur __________ Ausgaben.

c **Welche Adverbien in b entsprechen den Adjektiven? Unterstreichen Sie.**

d **Ergänzen Sie.**

gesprochenen • Dokumenten • ~~Wissenschaftssprache~~ • lebendiger • abstrakt

Der Nominalstil wird häufig in der Fachsprache, in der Wissenschaftssprache (1) und in amtlichen ____________ (2) gebraucht, er wirkt ____________ (3).
Der Verbalstil wird in Texten gebraucht, die näher an der ____________ (4) Sprache sind, und beim Sprechen selbst. Er wirkt ____________ (5).

zu Sehen und Hören, S. 89, Ü4

13 Junge Leute und ihre Finanzen

GRAMMATIK

a **Schreiben Sie die Sätze im Verbalstil.**

1 Die immer häufigere Verschuldung von jungen Menschen wird langsam zum Problem.
Es wird langsam zum Problem, dass sich junge Menschen immer öfter verschulden.

2 Die Teilnahme junger Leute am Wirtschaftsleben ist eigentlich erfreulich.
Es ist eigentlich erfreulich, dass ____________

3 Die große Freude über ihr erstes Gehalt ist verständlich.

Es ist verständlich, dass ____________

4 Ihr unterschiedliches Verhalten beim Einkaufen im Internet wird von Online-Firmen genau analysiert.
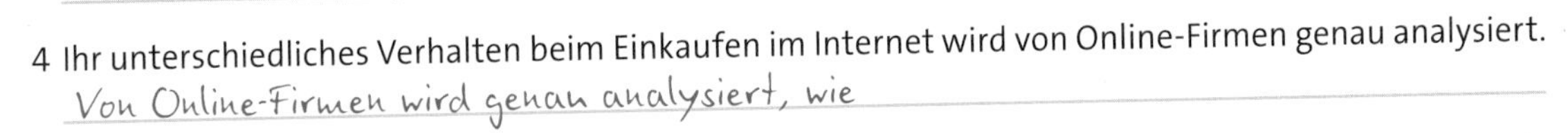
Von Online-Firmen wird genau analysiert, wie ____________

5 Die Aufnahme von Online-Krediten durch junge Erwachsene ist oft problematisch.
Es ist oft problematisch, wenn ____________

6 Die Hilfe eines Sozialarbeiters für die Jugendlichen ist manchmal notwendig.
Es ist manchmal notwendig, dass ____________

b **Schreiben Sie die Sätze im Nominalstil.**

1 Es war ein Thema in den Medien, dass sich fast 4 Millionen junge Leute im letzten Jahr hoch verschuldeten.
Die hohe Verschuldung von fast 4 Millionen jungen Leuten im letzten Jahr war ein Thema in den Medien.

2 Sie schließen den ersten Vertrag selbstständig ab, das ist eigentlich positiv.
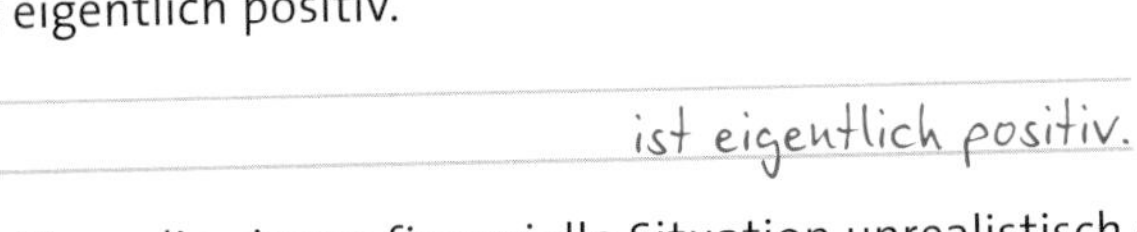
____________ ist eigentlich positiv.

3 Sie schätzen die eigene finanzielle Situation unrealistisch ein. Das ist immer wieder ein Problem.
____________ ist immer wieder ein Problem.

4 Sie schaffen sich oft teure Handys an, was zu Schulden führen kann.
____________ kann zu Schulden führen.

5 Es ist nicht ungewöhnlich, dass viele Jugendliche älteren Freunden sehr vertrauen.
____________ ist nicht ungewöhnlich.

zu Lesen 2, S. 90, Ü2

14 Schuldnerberatung als Fernsehereignis

HÖREN

36 CD1AB

Was ist richtig? Hören Sie den Radiobeitrag und markieren Sie.

1 Herr Kunolt ist gelernter ...
- [a] Sozialpolitiker.
- [b] Sozialpädagoge.
- [c] Sozialberater.

2 In der Sendung „Endlich schuldenfrei!" ...
- [a] begleicht er die Schulden der Betroffenen.
- [b] bietet er Finanzierungsmöglichkeiten an.
- [c] hilft er Betroffenen bei Finanzproblemen.

3 Das Ehepaar Busch hat einen Kredit aufgenommen, um ...
- [a] Pferde zu kaufen.
- [b] einen Betrieb zu kaufen.
- [c] ein großes Haus zu bauen.

4 Der Ehemann ...
- [a] hat ein regelmäßiges Einkommen.
- [b] verdient nicht gut.
- [c] hat alle Schulden auf sich genommen.

5 Herr Kunolt erklärt dem Ehepaar, ...
- [a] wie man vermeidet, Geld auszugeben.
- [b] wie schlecht ihre finanzielle Situation wirklich aussieht.
- [c] welcher Weg sie von den Schulden befreit.

6 Wie geht Herr Kunolt vor?
- [a] Er stellt zuerst alle Rechnungen zurück.
- [b] Er ordnet Rechnung und Mahnungen danach, was sofort gezahlt werden muss.
- [c] Er zahlt erst alle Rechnungen.

7 Worum geht es Herrn Kunolt? Er möchte ...
- [a] möglichst viele Zuschauer gewinnen.
- [b] klarmachen, dass jeder irgendwann Schulden macht.
- [c] etwas Positives bei allen bewirken.

zu *Wussten Sie schon?*, S. 91

15 Emils Rettung ÜBUNG 8

WORTSCHATZ

Was passt? Ordnen Sie zu.

☐ Gläubigern • ☐ Einkommen • ☐ Privatinsolvenz • ☐ Ratenzahlungen • 1 überschuldet • ☐ schuldenfrei • ☐ schuldet • ☐ Schuldnerberatung • ☐ verpflichtet • ☐ Zahlungsproblemen

Das ist Emil. Er ist (1). Das heißt, er (2) verschiedenen Firmen richtig viel Geld, wie z. B. seinem Handyanbieter. Sein monatliches (3) ist nicht hoch genug, um alles zu bezahlen.

Emils Freund gibt ihm den Tipp, zu einer kostenlosen Beratung zu gehen. Die Berater sind zur Verschwiegenheit (4), das heißt, niemand anderes erfährt etwas von seinen (5).

Beim ersten Treffen mit dem Berater erklärt Emil seine Lage. Er muss alle Zahlen und Fakten auf den Tisch legen. Dann erläutert der Berater, welche Möglichkeiten für Emil infrage kommen: zum Beispiel (6) vereinbaren, oder wenn es einfach zu viele Schulden sind, gibt es die (7). Der Berater verhandelt für Emil mit den (8), bei denen Emil Schulden hat.

Es gelingt dem Berater, eine Lösung zu finden. Die Regelung passt gut zu Emil und zu seinem Einkommen. Das ist wichtig, damit er die Zahlungen auch einhalten kann. Wenn er das geschafft hat, ist Emil (9). Hoffentlich braucht er die (10) nie wieder!

WIEDERHOLUNG GRAMMATIK

zu Lesen 2, S. 91, Ü4

16 Brief an die reiche Tante

Ergänzen Sie *weil, denn, deswegen, wegen, dank, vor* oder *aus*.

Liebe Tante Agathe,

wie geht es Dir? Ich hoffe gut. Als wir uns das letzte Mal getroffen haben, hatte ich wegen (1) der Scheidung von Jürgen und der Kündigung ziemlich große Probleme. __________ (2) ich auch in finanziellen Schwierigkeiten war, hast Du mir geholfen. __________ (3) Deiner Großzügigkeit konnte ich meine Schulden zurückzahlen und den Kindern Sachen zum Skifahren kaufen. Das war wichtig, __________ (4) im Winter haben sie mit der Schule eine Ski-Klassenfahrt gemacht.
Inzwischen habe ich einen neuen Job, bei dem ich ganz gut verdiene, allerdings ist er auch sehr anstrengend. Manchmal schlafe ich __________ (5) Erschöpfung an meinem Schreibtisch fast ein. Kinder und Job – das ist dann doch ziemlich viel. Aber ich bin zufrieden und würde Dich (nicht nur) __________ (6) Dankbarkeit für Deine damalige Unterstützung sehr gern zu uns einladen. Während der Woche arbeite ich und die Kinder sind in der Schule, __________ (7) wäre es an einem Wochenende am besten. Würde es Dir nächsten Sonntag passen?

Viele liebe Grüße und hoffentlich bis bald
Deine Martha

zu Lesen 2, S. 91, Ü4

17 Satzstrukturen: Kausale Zusammenhänge ÜBUNG 9, 10

GRAMMATIK ENTDECKEN

a **Markieren Sie die kausalen Nebensatzkonnektoren** blau, **die Hauptsatzkonnektoren** rot **und die Präpositionen mit Genitiv** grün.

1. Mangels Nachfrage nach seiner Erfindung konnte der Erfinder Daniel D. die Kredite nicht zurückzahlen.
2. Aufgrund der unbezahlten Rechnungen und der wachsenden Schulden war Daniel erst einmal ratlos.
3. Er wollte zur Bezahlung der offenen Rechnungen keinen neuen Kredit aufnehmen, das wäre nämlich der Einstieg in eine weitere Verschuldung gewesen.
4. Wegen dieser finanziellen Probleme hat sich Daniel an eine Schuldnerberatung gewendet.
5. Der Schuldnerberater hat ihm geholfen. Aus diesem Grund blickt Daniel zuversichtlich in die Zukunft.
6. Daniel kommt finanziell langsam wieder auf die Beine, zumal ein guter Freund etwas Geld in eine neue Erfindung investiert hat.
7. Das alles hat Daniels Erfindergeist wieder geweckt. Aus diesem Grund arbeitet er bereits mit viel Energie an der neuen Idee.

b **Ergänzen Sie *aus diesem Grund, zumal* und *nämlich*.**

1. Dieser Nebensatzkonnektor benennt einen weiteren, meist besonders wichtigen Grund: __________
2. Dieser Hauptsatzkonnektor steht meistens hinter dem Verb an Position 3: __________
3. Es handelt sich um einen mehrteiligen Hauptsatzkonnektor: __________

zu Lesen 2, S. 91, Ü4

18 Vor dem Neustart

GRAMMATIK

a **Was ist richtig? Markieren Sie.**

Lieber Donald,

wie geht es Dir? Ich hoffe gut. Bei mir läuft es inzwischen wieder ganz ok, ☒ *zumal* ☐ *daher* (1) ich wieder an einer neuen Erfindung arbeite. Ich hatte doch ☐ *dank* ☐ *mangels* (2) Geld einige Probleme und wusste nicht, wie es weitergehen sollte. ☐ *Aus diesem Grund* ☐ *Denn* (3) habe ich mich an Dagobert gewendet, ich wollte ihn ☐ *nämlich* ☐ *zumal* (4) um Hilfe bitten. Das hat er ☐ *aufgrund* ☐ *mangels* (5) seines Geizes natürlich sofort abgelehnt, er hat sogar behauptet, er müsse seine Neffen unterstützen und bräuchte deshalb eigentlich selbst Unterstützung. Das stimmt natürlich nicht, ich weiß ☐ *denn* ☐ *nämlich* (6), dass er Euch keinen Cent gibt. ☐ *Mangels* ☐ *Aufgrund* (7) dieser Lage musste ich mir also etwas Neues einfallen lassen ... und ☐ *dank* ☐ *mangels* (8) meiner Ideen und meines Optimismus' ist mir auch etwas eingefallen: Ich habe Gustav gefragt, ob er nicht eine sichere Geldanlage sucht und etwas von seinem Geld in meine neueste Erfindung (streng geheim!) investieren will, er hat ☐ *aufgrund* ☐ *nämlich* (9) vor Kurzem im Lotto gewonnen. Und er will! Nächsten Samstag besucht er mich. ☐ *Zumal* ☐ *Aus diesem Grund* (10) wollte ich Dich fragen, ob Du mit Daisy auch kommen möchtest. Ich würde mich sehr freuen!

Viele Grüße
Dein Daniel

b **Schreiben Sie je einen Satz mit den Wörtern in Klammern.**

1 Einige Firmen haben Misserfolge, weil sie Fehlentscheidungen treffen. (aufgrund, nämlich)
Aufgrund getroffener Fehlentscheidungen haben einige Firmen Misserfolge.
Einige Firmen haben Misserfolge, sie treffen nämlich Fehlentscheidungen.

2 Weil sie schlechte Erfahrungen gemacht haben, ist das Selbstvertrauen einiger „Re-Starter" beim Neuanfang manchmal etwas beeinträchtigt. (aufgrund, deshalb)

3 Viele Personen geraten nicht in die Schuldenfalle, weil sie mit ihrem Geld vorsichtig umgehen. (aus diesem Grund, wegen)

4 Manche Unternehmer scheitern, weil es keine Nachfrage nach ihren Produkten gibt. (mangels, deswegen)

zu Wortschatz, S. 92, Ü2

19 Wortbildung: Adjektive ÜBUNG 11, 12

GRAMMATIK ENTDECKEN

a **Schreiben Sie die Ausdrücke im Verbalstil.**

1 Der häufige Streit von Anna und Bernd
Anna und Bernd streiten sich häufig/oft.
2 Seine heutige Entscheidung
____
3 Ihre sofortige Kündigung
____
4 Peters jetzige Schwierigkeiten
____
5 Das morgige Treffen der Manager
____
6 Pauls baldige Heirat
____
7 Tanjas ständige Beschwerden
____
8 Termin nur nach vorheriger Anmeldung
____

b **Markieren Sie die Adverbien und die Adjektive in a.**

c **Bilden Sie Adjektive auf *-ig*. Das *-s* des Adverbs fällt dabei weg.**

1 damals – damalig
2 abseits – _______
3 rückwärts – _______
4 ehemals – _______
5 mehrmals – _______

zu Wortschatz, S. 92, Ü2

20 Kurznachrichten aus der Wirtschaft

Was ist richtig? Markieren Sie.

1 Gestern legten die fünf von der *jetzigen/jetzt/jetzig* (1) Bundesregierung beauftragten sogenannten Wirtschaftsweisen in einer Pressekonferenz ihre Prognose für das kommende Jahr vor. Die Aussichten sind gut. Experten rechnen mit einer *bald/baldig/baldigen* (2) Erholung auf dem Arbeitsmarkt.

2 Für die *morgen/morgige/morgiges* (3) Eröffnung der Hannover Messe rechnen die Veranstalter wieder mit einem Besucherrekord. Zum Auftakt der weltgrößten Industrieschau verkündeten die *hier/hiesigen/hiesige* (4) Verbände für das laufende Jahr Wachstumsziele von rund zwei Prozent.

3 Der Bundesverband der Deutschen Industrie (BDI) hat seine Konjunkturprognose deutlich angehoben und rechnet im laufenden Jahr nun mit einem *stets/stetigen/stetig* (5) Wirtschaftswachstum. Dies teilte der Pressesprecher auf der *heutig/heutige/heutigen* (6) Sitzung mit.

zu Sprechen, S. 93, Ü2

21 Geld und Moral ÜBUNG 13, 14

KOMMUNIKATION

Lesen Sie die schriftliche Wiedergabe einer Gesprächsrunde. Markieren Sie die passenden Redemittel.

Journalist: In unserer Reihe „Moral im Alltag" geht es um den Fall einer Leserin aus Recklinghausen. Die junge Mutter ist regelmäßig mit ihren Zwillingen unterwegs. Sie schreibt: „Wenn ich in den Park will, muss ich durch eine Fußgängerunterführung. Dort steht meistens ein bedürftiger Mann, der anstelle zu betteln eine Obdachlosenzeitung verkauft. Er hilft mir mit dem Kinderwagen. Muss ich dem Mann dafür eine Ausgabe seiner Zeitung abkaufen?"

Frau Müller: Darf ich [a] *das bitte zu Ende führen?* [b] *dazu etwas sagen?* (1)

Journalist: Ich bitte darum.

Frau Müller: Ich würde sagen: „Ja". Und zwar sollte sie ihm deshalb eine Zeitung abkaufen, weil er Geld braucht. Ich verstehe diese Situation als Tauschgeschäft. Die Frau bekommt eine Dienstleistung, die sie in dem Moment in Anspruch nimmt. Dafür bezahlt sie mit Geld.

Herr Fritz: [a] *Dazu würde ich auch gern etwas sagen.* [b] *Würden Sie mich bitte ausreden lassen?* (2) Selbst wenn das Tauschgeschäft, von dem Sie sprechen, auf den ersten Blick wie eine gute Sache erscheint, ist mir nicht ganz wohl dabei.

Frau Müller: [a] *Einen Moment bitte, ich bin gleich fertig.* [b] *Würden Sie mich bitte ausreden lassen?* (3)

Herr Fritz: Natürlich.

Frau Müller: Der Zeitungsverkäufer hilft, indem er der Frau den Kinderwagen über die Treppen trägt. Deshalb sollte die junge Mutter diesem Menschen, der finanzielle Unterstützung benötigt, unbedingt helfen. Sie muss ihm nicht unbedingt eine Zeitung abkaufen, sie kann ihm auch einfach so etwas Geld geben.

Herr Fritz: Darf ich [a] *da kurz einhaken?* [b] *das bitte zu Ende führen!* (4)

Frau Müller: Ja.

Herr Fritz: Sie sehen es offenbar als normal an, dass eine Hilfe eine Gegenleistung notwendig macht. „Wie du mir, so ich dir", heißt ja auch das Sprichwort. Ich denke allerdings: In unserer westlichen Kultur ist diese Vorstellung bei Erwachsenen nicht mehr so verbreitet. Es ist nicht positiv, wenn man Hilfe mit der Forderung nach Gegenleistung verknüpft. Denken Sie das einmal zu Ende. Der Obdachlose würde sich selber schaden. Denn normalerweise erhält er Geld ohne Gegenleistung.

Frau Müller: Da haben Sie natürlich recht.

Journalist: Danke für das erhellende Gespräch. Und bis zur nächsten Ausgabe unserer Reihe „Moral im Alltag".

zu Sprechen, S. 93, Ü2

22 Armut und Reichtum

WORTSCHATZ

Bilden Sie aus den Verben Nomen und ergänzen Sie in der richtigen Form.

protestieren • finanzieren • insolvent sein • ~~analysieren~~ • rationalisieren • konzentrieren • sich engagieren • definieren • investieren • prognostizieren

1 Es gibt verschiedene ______________ von Armut, z. B. die absolute, die relative und die gefühlte Armut.

2 Der Einsatz von Maschinen und Robotern hat zu einer ______________ in der Industrie geführt, wodurch viele Arbeitnehmer ihren Arbeitsplatz verloren haben.

3 Für viele Menschen ist die ______________ ihres Lebensunterhalts ein großes Problem.

4 Es werden immer neue Analysen über die wirklichen Gründe für Armut veröffentlicht.

5 Von den ______________ gegen die neuesten Sparmaßnahmen der Regierung wurde in den Medien berichtet.
6 Das soziale ______________ einiger Milliardäre ändert nichts an dem grundsätzlichen Problem der Armut.
7 Die Wirtschaftsforscher lagen alle falsch: Ihre ______________ für Wachstum sind nicht eingetreten, stattdessen gab es eine Krise.
8 Immer mehr Firmen mussten ______________ anmelden, denn sie waren pleite.
9 Seit der letzten Krise sind die ______________ der Betriebe deutlich zurückgegangen.
10 Die ______________ von großem Reichtum in den Händen weniger ist oft Anlass für Kritik an dieser Wirtschaftsweise.

zu Hören, S. 94, Ü2

23 Zahlungsverkehr

WORTSCHATZ

Ordnen Sie die Begriffe den Bedeutungen zu.

die Bankleitzahl (BLZ) • das Bargeld • der Code • die Lastschrift • der Transfer • ~~die Währung~~ • die Ziffer

1 ______________ 1, 2, 3, 4, 5, 6, 7, 8, 9, 0
2 ______________ Geld in Form von Banknoten und Münzen
3 ______________ Übertragung von Geldwerten in fremder Währung von einem Land in ein anderes
4 ______________ z. B. 700 202 70, in Deutschland verwendete 8-stellige (in Österreich 5-stellige) Nummer, die eine Bank eindeutig identifiziert
5 ______________ z. B. DE für Deutschland, kurze Kennzeichnung
6 die Währung z. B. Euro, Franken, Dollar
7 ______________ z. B. für regelmäßige Zahlungen wie Telefongebühren; eine Person oder Firma erhält schriftlich das Recht, Geld vom Konto abzubuchen.

zu Hören, S. 94, Ü2

24 Wie ich bezahle

SCHREIBEN

Schreiben Sie in einer E-Mail (circa 100 Wörter) an Ihre Freundin Anna, in welcher Form Sie Ihre Wohnung und sonstige Ausgaben bezahlen.

Fahrrad auf dem Flohmarkt • ~~im Supermarkt~~ • Miete • Mitgliedschaft im Fitnesscenter • Telefon/Mobilfunk • Strom/Gas/Heizung • ...

per Ratenzahlung • per Dauerauftrag • durch Überweisung vom Konto • ~~bar~~ • durch Bareinzahlung • per Lastschrift

Liebe Anna,

danke für Deine Nachricht gestern, über die ich mich sehr gefreut habe.
Mein Volontariat hier in Stuttgart hat gut angefangen und ich habe auch meine Finanzen neu geordnet. Vorige Woche habe ich hier ein Konto eröffnet.
Dazu bekam ich eine EC-Karte. Seitdem hat sich auch in meinem Alltag einiges geändert. Im Supermarkt bezahle ich nicht mehr bar, sondern ...
Meine Miete wird am Monatsanfang per ...
...

zu Schreiben, S. 95, Ü2

25 Liechtenstein im Vergleich ÜBUNG 15

KOMMUNIKATION

Vergleichen Sie die Wirtschaft des Fürstentums Liechtenstein mit der Wirtschaft in der Schweiz oder der in Ihrem Heimatland. Verwenden Sie die Redemittel aus dem Kursbuch, S. 95.

Das Fürstentum Liechtenstein ist mit circa 37 000 Einwohnern relativ klein. Die Wirtschaft ist vorwiegend auf Industrie und Dienstleistung konzentriert. Landwirtschaft spielt in dem gebirgigen Land kaum eine Rolle. Über die Hälfte aller Beschäftigten verdient ihren Lebensunterhalt im Dienstleistungssektor, das heißt in der öffentlichen Verwaltung, im Unterrichts- und Gesundheitswesen. Dazu zählt auch der Finanzsektor, für den Liechtenstein bekannt ist. Über 40 Prozent der beschäftigten Personen sind in der Industrie und im Gewerbe tätig. Damit ist dieser Anteil im Vergleich zu den deutschsprachigen Nachbarländern Schweiz, Deutschland und Österreich mit jeweils nur circa 25 Prozent deutlich höher. Die Industrie in Liechtenstein ist aufgrund der begrenzten Absatzmöglichkeiten im Inland exportorientiert. Die meisten Betriebe müssen ihre Produkte im Ausland verkaufen. Über 50 Prozent der Beschäftigten sind nicht in Liechtenstein wohnhaft, d. h. sie stammen aus dem Ausland. Die meisten pendelnden Arbeitskräfte kommen aus der Schweiz und Österreich.

Bevölkerung: Im Vergleich zu (1) den drei deutschsprachigen Nachbarländern hat Liechtenstein viel weniger Einwohner.

Arbeitskräfte: ________ (2) es in Liechtenstein nur wenige Einwohner und nicht ausreichend viele Arbeitskräfte gibt, sind in den europäischen Nachbarländern teilweise relativ viele arbeitslos. Die Anzahl der Menschen, die nach Liechtenstein zur Arbeit pendeln, ________ (3) den höchsten in ganz Europa.

Landwirtschaft: Die Bedeutung der Landwirtschaft Liechtensteins ist wegen der geografischen Lage nicht ________ (4) mit der in den anderen europäischen Ländern.

Dienstleistungen: Dafür ist der Dienstleistungssektor sehr groß im ________ ________ (5) den Nachbarländern.

Industrie: Überraschenderweise sind in Liechtenstein ________ Menschen in der Industrie beschäftigt ________ (6) in den anderen deutschsprachigen Nachbarländern.

zu Schreiben, S. 95, Ü2

26 Reichtum in Österreich und Deutschland

WORTSCHATZ

Was passt nicht? Streichen Sie durch.

Wirtschaftszeitschriften wie das englischsprachige Forbes oder das deutsche Manager Magazin publizieren *regelmäßig* / ~~*vorbildlich*~~ (1) Ranglisten über erfolgreiche Unternehmer. Auf einem der ersten Plätze der österreichischen Milliardäre steht der Inhaber des Kultgetränks Red Bull. Sein Besitz wird im Jahr 2015 mit 12,2 Milliarden *beziffert* / *bezeichnet* (2). Der *geschätzte* / *garantierte* (3) Gesamtwert der Reichtümer der 100 reichsten Österreicher entspricht knapp 40 Prozent der österreichischen Wirtschaftsleistung. Auf Platz 1 in Deutschland steht die Familie Quandt mit *schätzungsweise* / *überraschenderweise* (4) 31 Milliarden Euro. Dieser immense Besitz ist *investiert* / *finanziert* (5) in Aktien von BMW und anderen Firmen. Deutschlands Reiche werden *aufgrund* / *mangels* (6) steigender Preise für Immobilien und am Aktienmarkt immer reicher. Eine Studie der Universität Linz kommt zu dem Schluss, dass vermögende Haushalte in Österreich *erheblich* / *entsetzlich* (7) mehr als bisher angenommen besitzen und dass dieses Vermögen äußerst ungleich verteilt ist. Immer mehr Menschen finden es bedenklich, dass Vermögen bei immer weniger Superreichen *verloren* / *geballt* (8) ist und empfinden diese ungleiche Verteilung von Besitz als *ungerecht* / *ungewöhnlich* (9).

EINSTIEGSSEITE, S. 85

unvorhergesehen

LESEN 1, S. 86–87

der Parasit, -en
der Schmarotzer, -
der Tramper, -
die Utopie, -n

sich ausdrücken in (+ Dat.)
sich bemessen nach, bemaß, hat bemessen
sich einbringen in (+ Akk.), brachte ein, hat eingebracht
sanieren

sich etwas bewusst machen
jemanden in Verlegenheit bringen, brachte, hat gebracht
sich schwer tun mit etwas, tat, hat getan

auf Kosten anderer

SEHEN UND HÖREN, S. 88–89

der Bezirk, -e
die Mahnung, -en
die Prävention, -en
die Ratenzahlung, -en
die Schuldenfalle, -n
die Wohlfahrt (meist Sg.)

es geht um

LESEN 2, S. 90–91

die Auflage, -n (*hier:* zu erfüllende Verpflichtungen)
der Ausweg, -e
die/der Betroffene, -n
der Gläubiger, -
die Insolvenz, -en
der Schuldner, -
das Verfahren, -
die Verfassung (*hier:* psychisch, Sg.)

sich begeben, begab, hat begeben
geraten in (+ Akk.), geriet, ist geraten
sich überschulden
jemandem zustehen, stand zu, hat zugestanden

etwas/jemanden ansehen als, sah an, hat angesehen
sich gegenseitig/wechselseitig bedingen
Schiffbruch erleiden, erlitt, hat erlitten
auf sich nehmen, nahm, hat genommen

abgesehen von
betroffen sein von
insolvent sein

außergerichtlich

aufgrund (+ Gen.)
mangels (+ Gen.)

zumal

WORTSCHATZ, S. 92

der Boom (Sg.)
die Konjunktur, -en
der Landwirt, -e
der Mindestlohn, ¨-e
die Prognose, -n
die Quote, -n
das Wachstum (Sg.)

prognostizieren

hiesig

abseits
ehemals
mehrmals

SPRECHEN, S. 93

die Grundsicherung (Sg.)

einhaken
investieren in (+ Akk.)
jemanden unterbrechen, unterbrach, hat unterbrochen

jemanden ausreden lassen, ließ ausreden, hat ausreden lassen

obdachlos

HÖREN, S. 94

die Bankleitzahl, -en
das Bargeld (Sg.)
die Behörde, -n
der Code, -s
der Dauerauftrag, ¨-e
die Lastschrift, -en
der Transfer, -s
die Währung, -en
der Zahlungsverkehr (Sg.)
die Ziffer, -n

SCHREIBEN, S. 95

das Budget, -s
der Kanton, -e

liegen bei, lag, hat/ist gelegen

geballt sein

erheblich

schätzungsweise

LEKTIONSTEST 7

1 Wortschatz

Was passt? Ordnen Sie zu.

☐ das Budget • ☐ die Konjunktur • ☐ das Wachstum • ☐ die Prognose • ☐ der Schuldner • ☐ der Gläubiger • ☐ die Insolvenz • ☐ die Währung

1 Das Geld eines Landes.
2 Jemand, der einen Kredit aufnimmt.
3 Jemand, der einen Kredit gibt.
4 Eine Firma/Person kann nicht mehr zahlen.
5 Die aktuelle wirtschaftliche Entwicklung in einem Land.
6 Produktion und Dienstleistungen in einer Volkswirtschaft nehmen zu.
7 Vorhersage über die Entwicklung einer Volkswirtschaft.
8 Das Geld, das einem für einen bestimmten Zweck zur Verfügung steht.

Je 1 Punkt **Ich habe ______ von 8 möglichen Punkten erreicht.**

2 Grammatik

a **In der Schule. Schreiben Sie die Sätze im Nominalstil.**

1 Man interpretiert oft Gedichte, was Schüler nicht auf das praktische Leben vorbereitet.
________________________ bereitet Schüler nicht auf das praktische Leben vor.

2 Junge Erwachsene eröffnen ein Konto, was manchmal nicht ganz einfach ist.
________________________ ist manchmal nicht ganz einfach.

3 Dieses Thema wird zukünftig in der Schule behandelt, das wäre wünschenswert.
________________________ wäre wünschenswert.

Je 3 Punkte **Ich habe ______ von 9 möglichen Punkten erreicht.**

b **Schreiben Sie die Sätze im Verbalstil.**

1 Wegen seiner früheren Überschuldung bekommt Max keinen Kredit mehr.
________________________, bekommt Max keinen Kredit mehr.

2 Aufgrund ihres gestrigen Gesprächs mit ihrer Bank kann Andrea ein Pferd kaufen.
________________________, kann Andrea ein Pferd kaufen.

3 Mangels einer positiven wirtschaftlichen Entwicklung muss die Firma Kurzarbeit einführen.
________________________, muss die Firma Kurzarbeit einführen.

Je 3 Punkte **Ich habe ______ von 9 möglichen Punkten erreicht.**

3 Kommunikation

Ordnen Sie zu.

A um das Wort bitten B Vergleiche ausdrücken C etwas mit Beispielen erklären

1 ☐ Unter Armut verstehe ich, wenn ...
2 ☐ Anders als in ... sind bei uns ...
3 ☐ In meinem Land werden weniger ... bezahlt als in ...
4 ☐ Dazu würde ich gern etwas sagen: ...
5 ☐ Derjenige gilt laut UN-Definition als arm, der ...
6 ☐ Lassen Sie mich darauf antworten: ...
7 ☐ Das Preisniveau in meinem Land ist nicht vergleichbar mit ...
8 ☐ Dazu hätte ich einen Vorschlag.

Je 0,5 Punkte **Ich habe ______ von 4 möglichen Punkten erreicht.**

Auswertung: Vergleichen Sie Ihre Lösungen mit S. AB 203.
Ihre Erfolgspunkte tragen Sie unter jeder Aufgabe ein.

Ich habe ______ von 30 möglichen Punkten erreicht.

☺	☺	☹
30–26	25–15	14–0

WIEDERHOLUNG WORTSCHATZ

1 Gefühlslagen

a **Was passt nicht? Streichen Sie durch.**

1 die Zuneigung – das Vertrauen – die Geborgenheit – ~~die Enttäuschung~~
2 der Leistungsdruck – die Verunsicherung – die Empathie – der Misserfolg
3 die Gegenseitigkeit – die Sucht – die Harmonie – das Einverständnis
4 verlockend – verführerisch – unzureichend – lohnenswert
5 ungezwungen – peinlich – verstörend – verwirrend

b **Was passt? Ordnen Sie zu.**

1 Das Motiv für ein bestimmtes Handeln
2 Wer sich gegen etwas sträubt,
3 Wenn man jemandem sein Herz ausschüttet,
4 Wenn einem etwas über den Kopf wächst,
5 Wenn man jemandem etwas gönnt,
6 Wenn man jemanden demotiviert,
7 Wenn man auf jemanden eingeht,
8 Wer sich vor den Kopf gestoßen fühlt,
9 Wer sich einer Sache verschreibt,

A der widersetzt sich einer Sache.
B dann ist man überfordert.
C ist emotional verletzt oder gekränkt.
D dann vertraut man sich dieser Person an.
E beschäftigt man sich mit ihm.
F freut man sich für die Person über etwas.
G nennt man auch den Beweggrund.
H identifiziert sich meist auch damit.
I nimmt man ihm die Freude / das Interesse an etwas.

zu Lesen 1, S. 98, Ü1

2 Eine gesunde seelische Entwicklung ÜBUNG 1

WORTSCHATZ

Ergänzen Sie jeweils das passende Wort in der richtigen Form. Sie können dazu auch die Lernwortschatzseite heranziehen.

1 Lange Zeit wurde v e r k a n n t, also unterschätzt, welch große Bedeutung das soziale Umfeld für die gesunde seelische Entwicklung hat.
2 Die Familie, der Freundeskreis, die Schule oder der Arbeitsplatz sind im besten Fall K ________ im Leben, die einen Menschen stabilisieren.
3 Muss man schwierige Lebenslagen m ________ oder bewältigen, hilft es, wenn einem wichtige Bezugspersonen zur Seite stehen.
4 Natürlich müssen junge Menschen auch lernen, sich allein im Leben z ________ bzw. klarzukommen.
5 Sinnvoll scheint es dabei, sich in gewissem Maße von den Eltern a ________ und auf eigenen Beinen zu stehen.
6 Auch wenn es Eltern emotional oft nicht leichtfällt, die zunehmende Selbstständigkeit ihrer Kinder zu akzeptieren, sagt ihnen ihre V ________, dass das richtig ist.
7 Natürlich gibt es keinen objektiven G ________, der einem genau sagt, was die richtige Distanz zwischen erwachsenen Kindern und ihren Eltern ist.
8 Hat man dann einmal eine gewisse Eigenständigkeit erreicht, lernt man diejenigen zu achten und zu s ________, die einen auf diesem Weg unterstützt haben.
9 E ________, also Einfühlungsvermögen und Verständnis, sind dabei die Säulen, die das gegenseitige Miteinander fördern.

8

WIEDERHOLUNG GRAMMATIK

zu Lesen 1, S. 99, Ü2

3 Anders gesagt

Schreiben Sie Sätze mit dem Partizip I.

1 Menschen, die sich in andere hineinversetzen können, sind fast immer emotional intelligent.
Sich in andere hineinversetzende Menschen sind fast immer emotional intelligent.

2 Oft sind es auch Menschen, die intensiv mitfühlen.
Oft sind es auch ______ Menschen.

3 Menschenkenntnis und Empathie sind dabei Faktoren, die entscheiden.
Menschenkenntnis und Empathie sind dabei ______.

4 Leute mit einem hohen EQ sind häufig Personen, die vorausdenken.
Leute mit einem hohen EQ sind häufig ______.

5 Menschen, die effektiv planen, haben oft ein gutes Gefühl für ihre Mitmenschen.
______ haben oft ein gutes Gefühl für ihre Mitmenschen.

6 Viele Tests, die den EQ prüfen, kann man online machen.
______ kann man online machen.

7 Ich habe einen EQ, der meine eigenen Erwartungen übertrifft.
Ich habe ______.

8 Das ist ein Ergebnis, das mich selbst überrascht.
Das ist ______.

zu Lesen 1, S. 99, Ü2

4 Gerundiv als Passiversatz ÜBUNG 2, 3, 4

GRAMMATIK ENTDECKEN

a **Markieren Sie *zu* in den Sätzen rot.**

1 Die auf der Sitzung durchzusprechende Tagesordnung ist sehr umfangreich.
2 Unsere Firma konzentriert sich auf die zu entwickelnden Produkte.
3 Die einzuhaltenden Vorschriften wurden nicht beachtet.
4 Die zu messenden Verbesserungen waren ein großer Erfolg für Max.
5 Sein Lächeln war eine kaum wahrzunehmende Reaktion.

b **Bilden Sie aus den Gerundiv-Konstruktionen in a Relativsätze. Achten Sie dabei auf das richtige Modalverb *(können/müssen)*.**

1 Die Tagesordnung, die auf der Sitzung durchgesprochen werden muss, ist sehr umfangreich.

c **Was ist richtig? Markieren Sie.**

1 Wenn das Verb trennbar ist, steht *zu* zwischen dem Präfix und dem Partizip I.
2 Wenn das Verb trennbar ist, steht *zu* vor dem Präfix und dem Partizip I.
3 Ob das Modalverb *können* oder *müssen* verwendet wird, richtet sich nach dem Verb im Hauptsatz.
4 Ob das Modalverb *können* oder *müssen* verwendet wird, richtet sich nach dem Kontext.

zu Lesen 1, S. 99, Ü2

5 Mit anderen Worten

GRAMMATIK

Bilden Sie Gerundiv-Konstruktionen.

1 Eine Situation, die leicht verändert werden kann, ist eine leicht zu verändernde Situation.
2 Eine Regel, die beachtet werden muss, ist ______.
3 Ein Beispiel, das hervorgehoben werden muss, ist ______.
4 Ein Verhalten, das kritisiert werden muss, ist ______.
5 Ein Charakter, den man nicht mehr umformen kann, ist ______.
6 Ein Fehler, der zu korrigieren ist, ist ______.
7 Eine Übung, die sich leicht bearbeiten lässt, ist eine ______.

zu Wortschatz, S. 100, Ü1

6 Zwei Meinungen

HÖREN / WORTSCHATZ

a **Hören Sie zwei Kommentare zu den Tipps im Kursbuch, S. 100. Welcher Tipp ist jeweils gemeint? Ergänzen Sie.**

1 Bastians Kommentar: Tipp ______
2 Doreens Kommentar: Tipp ______

b **Lesen Sie nun die Kommentare. Was passt nicht? Streichen Sie durch.**

Bastian: Ja, das ist wohl eine vernünftige ~~*Wahl*~~ / *Strategie* (1), wobei man oft auch abwägen muss, ob es sich wirklich lohnt, immer an den *kurzfristigen / langfristigen* (2) Erfolg zu denken. Man muss doch zwischendurch mal einem *Impuls / Vorschlag* (3) nachgeben und sich etwas Schönes *gönnen / bezahlen* (4), wie beispielsweise besondere Klamotten oder das neueste Handy, auch wenn man es nicht wirklich braucht. Für wirklich wichtige Ziele im Leben, wie das *Erlangen / Haben* (5) eines Universitätsdiploms, braucht man jedoch Ausdauer und Fleiß. Da ist diese Strategie sicherlich *anständig / angebracht* (6).

Doreen: Für mich ist das der grundlegendste Punkt überhaupt, wenn wir über emotionale Intelligenz sprechen. Es ist sehr *gefühlsbetont / mitfühlend* (7) und positiv, einem anderen Menschen zu zeigen, dass man sich für ihn interessiert und sich auch in ihn *vorstellen / hineinversetzen* (8) kann. Und ich bin sicher, dass einem dann umgekehrt die Mitmenschen auch mit mehr Einfühlungsvermögen begegnen und *sensibler / rationaler* (9) reagieren. Man könnte dadurch auch viele *Feindseligkeiten / Freundschaften* (10) aus der Welt schaffen, und es *hält / stellt* (11) sich automatisch ein größeres Vertrauen untereinander ein.

zu Wortschatz, S. 100, Ü1

7 Das könnte helfen

SCHREIBEN

Kombinieren Sie die Tipps zur emotionalen Intelligenz in der linken Spalte frei mit jeweils einem Redemittel in der rechten Spalte. Schreiben Sie die Sätze dann zu Ende.

Tipps	Redemittel
1 „Auf die innere Stimme hören"	A „*sollte man auf jeden / keinen Fall, sofern ...*
2 „Gefühle im Griff haben"	B *ist vor allem dann sinnvoll, wenn man ...*
3 „Belohnungen aufsparen"	C *ist vielleicht nicht immer effizient, aber ...*
4 „feindselige Gedanken notieren"	D *ist für mich richtig innovativ und ..., vor allem, weil ...*
5 „Empathie und Sensibilität zeigen"	E *bringt in Situationen etwas, in denen man ...*
6 „an Beziehungen arbeiten"	F *ist ein Rat, den mir ... schon gegeben hat, als ich ...*"

1 „Auf die innere Stimme hören" ist vielleicht nicht immer effizient, aber man hat danach meist ein gutes Gefühl, wenn man nicht nur rational mit dem Verstand entschieden hat.

zu Wortschatz, S. 100, Ü3

8 Wie hoch ist Ihr EQ? ÜBUNG 5, 6

GRAMMATIK

a **Bilden Sie aus den Nomen Adjektive auf *-(i)ell*.**

1 die Existenz: existenziell
2 die Substanz: ____________
3 die Tradition: ____________
4 das Individuum: ____________
5 die Sensation: ____________
6 die Kultur: ____________

b **Bilden Sie aus den Nomen in Klammern Adjektive auf *-(i)al* und ergänzen Sie sie in der richtigen Form.**

Testen Sie Ihren EQ selbst!

Sie wollen sicher wissen, inwieweit Sie selbst über die einzelnen Fähigkeiten, die zur emotionalen (Emotion) (1) Intelligenz gehören, verfügen oder nicht.
Hier einige ____________ (Fundament) (2) Fragen, die Sie sich selbst stellen können:
5 ▪ Wie gut weiß ich über mich selbst Bescheid? Was ist für mich ____________ (Norm) (3)? Weiß ich, wie ich in bestimmten Momenten reagiere und warum?
▪ Kann ich meine Gefühle kontrollieren oder stehe ich ihnen hilflos gegenüber?
▪ Kann ich ____________ (Optimum) (4) einerseits mit Ärger und Wut, andererseits mit Freude und Zuneigung umgehen – bei mir selbst und bei anderen?
10 ▪ Ist Kommunikationsfähigkeit eine meiner ____________ (Zentrum) (5) Eigenschaften?
▪ Kann ich anderen gut zuhören?
▪ Kann ich auf andere Menschen eingehen?
▪ Arbeite ich gern im Team? Habe ich ein ____________ (Kollege) (6) Verhältnis zu meinen Mitarbeitern?
15 Wenn Sie mehr über Ihren persönlichen EQ wissen wollen, machen Sie unseren Test!

c **Was ist richtig? Markieren Sie.**

1 Kinder sollten sich nicht zu lange in virtuellen Welten aufhalten, sonst verlieren sie den Bezug zur ☐ *realen* ☐ *reellen* Welt.
2 Der Patient hat eine ☐ *reelle* ☐ *reale* Chance auf Heilung.
3 Das war kein herzlicher Abschied, sondern eine sehr ☐ *formelle* ☐ *formale* Verabschiedung.
4 Wenn man eine Doktorarbeit schreibt, muss man ☐ *formelle* ☐ *formale* Regeln beachten.

zu Sprechen, S. 101, Ü2

9 Wie Psychotests funktionieren

LESEN

Lesen Sie den Text auf S. AB 125. Welcher der Sätze A–H gehört in welche Lücke (1–6)? Es gibt jeweils nur eine richtige Lösung. Zwei Sätze können Sie nicht zuordnen (x).

[2] A Daher rühre das starke Interesse an den Tests.
☐ B „Und aussagekräftiger als Horoskope sind sie allemal."
☐ C Psychotests in Zeitschriften wenden sich hauptsächlich an das weibliche Geschlecht.
☐ D Das sei ein erheblicher Aufwand, den viele Magazine gar nicht leisten könnten.
☐ E Sie versuchen, die Fragen mit Blick auf das gewünschte Ergebnis zu beantworten.
☐ F Den meisten Persönlichkeitstests liegen folgende Faktoren zugrunde:
☐ G Menschen suchen immer nach einem Strohhalm, an dem sie sich festklammern können.
☐ H Seriöse wissenschaftliche Aussagen liefern sie zwar nicht.

Unterhaltung und Lebenshilfe

Ob es um die eigene Menschenkenntnis geht, um das Talent zum Flirten oder die Treue in der Paarbeziehung: Psychotests in Frauenzeitschriften, Lifestyle-Magazinen 5 und Klatschblättern wollen den Lesern helfen, ihre Befindlichkeiten zu ergründen und sich in verschiedenen Lebenslagen zurechtzufinden. (1) Aber dennoch bieten sie ein wenig Orientierung im Alltag, wenn man sie nicht allzu ernst nimmt.

10 Da wundert es nicht, dass die Kästchen zum Ankreuzen beim Friseur oder Zahnarzt nur selten noch unangetastet sind. „Viele Menschen haben das Bedürfnis, etwas über sich zu lernen", sagt der Psychologe Michael Ziegelmayer aus Freiburg. (2) Dass sie in der Regel nur wenig mit strenger Wissenschaft zu tun haben, tue dem keinen Abbruch. Für ernsthafte Intelligenz-, Persönlichkeits- oder Personalauswahltests bedürfe es nämlich einer Entwick- 15 lung von zwei bis drei Jahren und eines Budgets von bis zu 200 000 Euro. (3) Einen Zeitschriftentest könne dagegen jeder Psychologe mit mehr oder weniger Kreativität in einigen Stunden entwerfen. Trotzdem steckt natürlich auch hinter populärwissenschaftlichen Tests ein Schema: „Wenn ich einen neuen Test entwerfe, überprüfe ich die Fragen an einer Gruppe von Versuchspersonen", erzählt Arnd Stein, der seit mehreren Jahren Psychotests für ver- 20 schiedene Medien erarbeitet. „ (4) Normgebundenheit, Belastbarkeit, Unabhängigkeit, Entschluss- und Kontaktbereitschaft", erläutert Werner Stangl, Psychologe an der Johannes Kepler Universität in Linz (Österreich). Diese Bestandteile seien weitgehend austauschbar und würden je nach Test unterschiedlich gewichtet. Mit dem Ergebnis lasse sich dann etwas über Eigenschaften und Verhalten eines Menschen aussagen.

25 Dazu werde wiederum die Reaktion des Lesers in konkreten Situationen abgefragt. „Wenn ich eine bestimmte Eigenschaft des Lesers testen will, muss ich diesen seelischen Bereich in verschiedene, lebensnahe Fragen aufgliedern. Das ist auch der Grund, warum manche Fragen bisweilen sehr platt daherkommen. Je konkreter gefragt wird, desto eindeutiger kann auch die Antwort interpretiert werden", sagt Stein. Manche Leser allerdings meinen daher, 30 den Test durchschauen und austricksen zu können. (5) Das sei allerdings wenig sinnvoll. In der Regel wird man auch aufgefordert, vor allem zu sich selbst ehrlich zu sein.

Die Funktion der Tests geben die Experten daher als „Unterhaltung gepaart mit Persönlichkeitsdiagnostik" an. Bei wirklich ernsthaften Lebensproblemen sollte man sich jedoch an professionelle Beratungsstellen oder Psychologen wenden. Aber auch wenn die Tests keine 35 wissenschaftlich oder klinisch verwertbaren Ergebnisse liefern: Ein Garant für Kurzweil und Diskussionsstoff können sie nach Worten von Arnd Stein sehr wohl sein. (6)

zu Sprechen, S. 101, Ü3

10 Was diskutabel ist, kann man diskutieren ÜBUNG 7, 8

GRAMMATIK

a **Welche Verben stecken in den Adjektiven auf *-abel*? Ergänzen Sie.**

1 diskutabel – diskutieren
2 akzeptabel – ____
3 respektabel – ____
4 transportabel – ____
5 variabel – ____
6 praktikabel – ____

b **Welche Nomen stecken in den Adjektiven auf *-(i)ös*? Ergänzen Sie.**

1 voluminös – das Volumen
2 muskulös – ____
3 monströs – ____
4 religiös – ____
5 infektiös – ____
6 luxuriös – ____

zu Sprechen, S. 101, Ü3

11 Das kann (nicht) gemacht werden

GRAMMATIK

a **Erklären Sie das Adjektiv mithilfe des Passivs.**

1 Eine indiskutable Lösung ist eine Lösung, die nicht diskutiert werden kann.
2 Ein transportabler Drucker ist ein Drucker, ______.
3 Eine respektable Entscheidung ist eine Entscheidung, ______.

b **Erklären Sie das Adjektiv mithilfe des Aktivs.**

1 Variable Kosten sind Kosten, die variieren können.
2 Eine blamable Niederlage im Fußballspiel ist eine Niederlage, die das Team ______.
3 Eine rentable Investition ist eine Investition, die sich ______.

zu Sprechen, S. 101, Ü3

12 Jakob, Ulrich, Martin und der Baron

GRAMMATIK

Bilden Sie aus den Nomen in Klammern Adjektive auf -*(i)ös* und ergänzen Sie sie in der richtigen Form.

1 Jakob trainiert seit sechs Monaten im Fitnessstudio. Inzwischen ist er ziemlich muskulös. (Muskel)
2 Ulrich hat Gesangsunterricht. Seine Stimme klingt inzwischen weich und ______. (Melodie)
3 Martin hat starke Rückenschmerzen. Er versucht sie ______ zu behandeln. (Medikament)
4 Niemand wusste genau, woher Baron von Drachenstein plötzlich kam und woher er auf einmal so viel Geld hatte. Seine Aussagen diesbezüglich waren sehr ______. (Nebel)
Der Baron hat eine etwas ______ Vergangenheit. (Mysterium)
Er hat sein altes Schloss restauriert, aber dadurch ist es nicht viel schöner geworden. Es war schon immer ein ziemlich ______ Gebäude. (Monstrum)

zu Schreiben, S. 102, Ü2

13 Ein Schaubild erläutern und Stellung nehmen

HÖREN

C 38 CD|AB a **Sehen Sie das Schaubild auf S. AB 127 an. Hören Sie nun Gonzalos Stellungnahme dazu. Ergänzen Sie mithilfe seiner Aussagen die fehlenden Informationen im Balkendiagramm.**

Gonzalo

Mira

Was sind Ihre persönlichen Lebensziele?

Welche Dinge sind für Sie persönlich wichtig und erstrebenswert?

	(1)	(2)
Gesundheit und körperliches Wohlbefinden	94 %	92 %
Selbstbestimmung des eigenen Lebens	90 %	89 %
Gesellschaft von ______________ (3)	90 %	87 %
Lebensfreude und Genuss	89 %	87 %
______________ (4)	86 %	84 %
Berufliche Erfüllung	83 %	85 %
Partnerschaft	84 %	79 %
______________ (5)	73 %	76 %
Gründung einer Familie	78 %	69 %
Kreativität und Selbstverwirklichung	71 %	70 %
Hoher Lebensstandard	58 %	59 %
______________ (6)	49 %	42 %

■ Frauen (1)
■ ______________ (2)

Basis: 16- bis 35-Jährige

39 CD|AB **b Hören Sie nun Miras Stellungnahme. Notieren Sie in Stichpunkten, zu welchen acht Punkten sie etwas sagt.**

- Gesundheit und körperliches Wohlbefinden
- ______________
- ______________
- ______________
- ______________
- ______________
- ______________
- ______________

38–39 CD|AB **c Hören Sie die beiden Stellungnahmen noch einmal. Wie gelingen ihr/ihm die folgenden Punkte? Verteilen Sie 5–1 Punkte (5 = sehr gut; 3 = mittel; 1 = schlecht).**

Gonzalo	Mira	
☐	☐	verwendet geeignete Redemittel.
☐	☐	verbindet die Sätze gut miteinander.
5	☐	bildet grammatikalisch korrekte Sätze.
☐	☐	gibt ausführliche und detaillierte Informationen zur Grafik.
☐	☐	spricht flüssig und betont richtig.
☐	☐	moduliert die Stimme, d. h. spricht nicht monoton.
☐	☐	vergleicht die Situation mit der im Heimatland.

zu Schreiben, S. 102, Ü2

14 Wie drückt man das am besten aus? ÜBUNG 9

KOMMUNIKATION

a **Ordnen Sie den einzelnen Punkten zur Beschreibung und Kommentierung einer Grafik links die passenden Redemittel rechts zu.**

1 Daten und Informationen einer Grafik sprachlich wiedergeben
2 Unterschiede formulieren
3 das Gelesene kommentieren und eigene Erfahrungen nennen

- [3] *„Was besonders auffällt / ins Auge springt, ist ...*
- [ ] *Die Grafik veranschaulicht das Ergebnis einer Umfrage. Darin wurden ... nach ... gefragt / zu ... befragt.*
- [ ] *Persönlich halte ich „..." für die wichtigste Voraussetzung für ...*
- [ ] *Im vorliegenden Schaubild geht es um die Frage ...*
- [ ] *Ein Grund dafür könnte ... sein.*
- [ ] *Bei der Frage ... sind die Unterschiede zwischen ... beträchtlich/gering.*
- [ ] *... würde in meiner Heimat ähnlich/unterschiedlich/ganz anders ausfallen: ...*
- [ ] *Verglichen mit / Im Vergleich zu ... nannten ...*
- [ ] *Dem wird gegenübergestellt, wie viel Prozent ...*
- [ ] *Ein wichtiger Gesichtspunkt wäre für mich noch ...“*

b **Formulieren Sie zu der folgenden Grafik jeweils mindestens einen Satz zu jedem Punkt (1–3) aus a. Verwenden Sie dazu auch die entsprechenden Redemittel.**

Im vorliegenden Schaubild geht es um die Frage, was für uns / einen persönlich im Leben zählt...

zu Hören, S. 103, Ü1

15 Was die Therapeutin meint ÜBUNG 10

LESEN

a Lesen Sie Ausschnitte aus einem Zeitungsinterview mit der Therapeutin Nelia Schmid-König. Der Text enthält insgesamt 18 Fehler in Grammatik, Wortschatz, Rechtschreibung oder Zeichensetzung. Pro Zeile gibt es maximal einen Fehler, manche Zeilen sind korrekt. Wenn Sie einen Fehler gefunden haben, markieren Sie den Fehler im Text und schreiben Sie die Korrektur in die Randzeile. Wenn die Zeile korrekt ist, machen Sie ein Häkchen (✓).

Die Kinder- und Jugendpsychotherapeutin Dr. Nelia Schmid-König im Gespräch

Frage: ______________________________

5 ______________________________

Nelia Schmid-König: Hauptsächlich sind ~~sie~~ fünf Symptomgruppen: (1) es
Kinder mit depressiven Verstimmungen bis ausgewachsenen Depres- (2) ✓
sionen, dann gibt es Kinder, eher die Jungs, die von Aggressionen zu (3) ______
tun haben. Dann gibt es die Gruppe der lernstörungen, die Psycho- (4) ______
10 somatisierung nimmt hierbei ganz stark zu – das bedeutet, das die (5) ______
Kinder ihre Konflikte auf den Körper verlagern, also, dass sie zum (6) ______
Beispiel Kopfschmerzen oder Bauchweh haben, als sie in die Schule (7) ______
gehen. Und schließlich sind da noch die Kinder und Jugendlichen (8) ______
mit der ADHS-Symptomatik, also dieser unruhigen, unkonzentrierten (9) ______
15 Schüler. Es sind vor allem Junge, die ihrem Umfeld und sich selber (10) ______
großen Ärger machen und auch oft nicht gut in der Schule sind, weil (11) ______
sie vermutlich überdurchschnittlich intelligent sind. (12) ______

Frage: ______________________________

____

20 **Nelia Schmid-König:** Es sieht so aus, als wenn die heutigen Kinder (13) ______
und Jugendlichen neurotischer oder gestört als früher seien, das ist (14) ______
aber nicht der Fall. Sie kommen schneller beim Therapeuten, weil sie (15) ______
aus Siecht der Eltern und der Lehrer nicht mehr so gut „funktionieren" (16) ______
und weil sie auffälliger sind. Ich glaubte nicht, dass sie kränker sind (17) ______
25 als früher, aber es eine größere Offenheit dafür da, dass ihr Kind jetzt (18) ______
eine andere, außerfamiliäre Unterstützung brauche. (19) ______

Frage: ______________________________

____

Nelia Schmid-König: Mit einem einfachem Wort, das schwer umzu- (20) ______
30 setzen ist: Zeit! Erziehung hat ganz viel mit Beziehung zu tun und (21) ______
Beziehung braucht Zeit Und ich stelle immer wieder fest, dass ich es (22) ______
mit wunderbaren Eltern zu machen habe, auch fähigen Eltern. Und (23) ______
genauso sind auch die Kinder, da sind viele Ressourcen vorhanden (24) ______
bei den Kindern. Was fehlt, ist die Zeit! Die Zeit, einander begegnen. (25) ______

b **Welche Fragen passen? Ergänzen Sie.**

8

zu Lesen 2, S. 104, Ü1

16 Wortfelder erschließen

WORTSCHATZ

a **Wie lautet das Gegenteil? Ordnen Sie zu.**

die Ausdauer • die Gewissenhaftigkeit • der Mut • ~~die Auffälligkeit~~ • die Schuldgefühle • das Umfeld

1 die Unauffälligkeit – *die Auffälligkeit*
2 die Feigheit – ______
3 das reine Gewissen – ______
4 das weit Entfernte – ______
5 die Nachlässigkeit – ______
6 die Ungeduld – ______

b **Erklären Sie die folgenden Ausdrücke aus dem Text im Kursbuch, S. 104/105. Nennen Sie jeweils ein konkretes Beispiel aus Ihrem Heimatland, wenn möglich.**

1 ein neues Zeitalter bricht an (Z. 15) = *ein neuer Zeitabschnitt beginnt*
2 jemanden zum Umdenken bringen (Z. 27) = ______
3 ein eingefahrenes Verhaltensmuster (Z. 35) = ______
4 die soziale Schere (Z. 54) = ______
5 ein sozialer Brennpunkt (Z. 58) = ______

zu Lesen 2, S. 104, Ü1

17 Ihre Meinung zu Ratgebern? ÜBUNG 11

SCHREIBEN

Lesen Sie die Aufforderung aus „Psychologie aktuell" und verfassen Sie dazu einen Leserbrief, in dem Sie auf folgende Fragen eingehen.

1 Haben Sie selbst schon Ratgeber gelesen? Wenn ja, welche?
2 Können solche Bücher Menschen als allgemeine Richtlinie für ihr Leben dienen?
3 Sind Ratgeber möglicherweise auch eine Hilfe in schwierigen Situationen?
4 Wenn ja, was ist ausschlaggebend dafür, dass sie Menschen helfen können?
5 Warum sind psychologische Ratgeber Ihrer Ansicht nach so erfolgreich?

Einer Erfolgsgeschichte auf der Spur

Millionen Menschen weltweit lassen sich fesseln von psychologischen Ratgebern, häufig zu Themen wie „Das große Glück im Leben finden", „Extrem erfolgreich im Beruf sein" oder „Seine Kinder zu wohlgeratenen Menschen erziehen". Warum Menschen immer öfter danach greifen und auf umwälzende Veränderungen in ihrem Leben hoffen, worauf es in solchen Büchern wirklich ankommt, das wollen wir nun von unseren Lesern wissen. Bitte schreiben Sie Ihre ganz persönliche Meinung zum Thema an: Psychologie_aktuell@redaktion.de

einen Leserbrief verfassen

„In Ihrer aktuellen Ausgabe fordern Sie Ihre Leser auf, ...
Letztes Jahr kam ich mit ... nicht zurecht.
Folglich begann ich ... zu lesen.
Darin wurde ausführlich geschildert, wie ...
... sind meiner Meinung nach als ... zu verstehen.
Sie sollen die Leser in die Lage versetzen, ... zu ...
Man sollte es aber möglichst vermeiden, ...
Meines Erachtens sind solche Ratgeber ..., weil ...
Ihr großer Erfolg beruht sicherlich auch auf ..."

In Ihrer aktuellen Ausgabe fordern Sie Ihre Leser auf, über Ihre persönlichen Erfahrungen mit psychologischen Ratgebern zu berichten. ....

zu *Wussten Sie schon?*, S. 106

18 Freudsche Begriffe

WORTSCHATZ

Welche Fachbegriffe passen zu den Erklärungen? Ordnen Sie zu.

☐ „Freudscher Versprecher" • ☐ Psychoanalyse • ☐ Das Unbewusste

(1) ist ein psychotherapeutisches Verfahren, das versucht, dem Patienten ein vertieftes Verständnis über die Ursachen für sein Leiden zu vermitteln und so eine Heilung zu ermöglichen.
(2) ist der Bereich der menschlichen Psyche, zu dem das Bewusstsein und die Wahrnehmung des Menschen keinen direkten Zugang hat, das aber Handeln, Denken und Fühlen wesentlich beeinflusst.
(3) ist eine sprachliche Fehlleistung, bei der laut Freud die eigentliche Meinung oder Intention des Sprechers unfreiwillig zutage tritt. Wenn man zum Beispiel einen Übernachtungsgast hat, der nachts laut schnarcht, und ihn fragt: „Haben Sie gut geschnarcht?" statt „Haben Sie gut geschlafen?"

WIEDERHOLUNG GRAMMATIK

zu Lesen 2, S. 106, Ü2

19 Aktive und passive Aktivitäten

Bilden Sie Sätze im Passiv. Markieren Sie die handelnde Person (Agens) rot, die Verbform blau und die Präposition grün.

1 Viele Patienten lügen den Therapeuten an.
Der Therapeut wird von vielen Patienten angelogen.
2 Paul hat Anna während ihrer Ehe immer reichlich beschenkt.

3 Der Psychiater konnte die Schuldunfähigkeit des Angeklagten beweisen.

8

zu Lesen 2, S. 106, Ü2

20 Aspektverschiebung mit Modalverben: Aktiv – Passiv

ÜBUNG 12, 13

GRAMMATIK ENTDECKEN

a **Markieren Sie das Agens rot und die Verbform blau.**

Aktiv	Passiv
1 Manche Eltern wollen den Erfolg der Kinder schon früh fördern.	Der Erfolg der Kinder soll auf Wunsch mancher Eltern schon früh gefördert werden.
2 Ratgeber wollen es den Lesern leichter machen, Probleme zu bewältigen.	Den Lesern soll es mithilfe von Ratgebern leichter gemacht werden, Probleme zu bewältigen.
3 Der Autor will die stereotypen Rollen von Mann und Frau infrage stellen.	Die stereotypen Rollen von Mann und Frau sollen nach den Vorstellungen des Autors infrage gestellt werden.
4 Der Verlag will das Buch aus dem Russischen ins Deutsche übersetzen.	Das Buch soll auf Wunsch des Verlags aus dem Russischen ins Deutsche übersetzt werden.

b **Lesen Sie die Sätze in a noch einmal und ergänzen Sie.**

1 Wie ändert sich das Modalverb vom Aktiv zum Passiv? wollen → ______
2 Mit welchen Ausdrücken kann das Agens im Passivsatz eingefügt werden? auf Wunsch + Gen., ...

zu Lesen 2, S. 106, Ü2

21 Vorschläge zur Verbesserung des Miteinanders

GRAMMATIK

a **Bilden Sie Aktivsätze mit *wollen*.**

1 Eine Lösung der Konflikte mit dem Jugendlichen soll auf Wunsch der Eltern gefunden werden.
Die Eltern wollen eine Lösung der Konflikte mit dem Jugendlichen finden.

2 Durch die Sitzungen bei einer Kinderpsychologin soll nach Vorstellung der Eltern ein respektvollerer Umgang miteinander erreicht werden.

3 Nach Vorstellung der Therapeutin soll den Eltern beigebracht werden, die eigene Meinung des Jugendlichen zu akzeptieren.

4 Die Eltern sollen mithilfe der Therapeutin dafür sensibilisiert werden, ihrem Kind mehr zuzuhören.

5 Auf Anregung der Therapeutin sollen weitere Gesprächstermine zwischen den Eltern und dem Jugendlichen vereinbart werden.

b **Bilden Sie Passivsätze mit *sollen*.**

1 Tanja will die Streitereien um die Hausarbeit endgültig beenden.
Die Streitereien um die Hausarbeit sollen auf Wunsch von Tanja endgültig beendet werden.

2 Alexa und ihr Mann wollen die Steuererklärung endlich einmal pünktlich abgeben.

3 Sven und Anna wollen ihre Kinder nicht mehr so oft ermahnen, ihre Zimmer aufzuräumen.

4 Fabian und Paola wollen alte Sachen endlich mal wegwerfen und nicht ewig im Keller aufheben.

zu Lesen 2, S. 106, Ü3

22 Passiversatz mit *bekommen* und Partizip II ÜBUNG 14

GRAMMATIK ENTDECKEN

a **Schreiben Sie die Sätze im Passiv.**

1 Mein Freund Toni bekommt einen Ratgeber zum Geburtstag geschenkt.
Meinem Freund Toni wird ein Ratgeber zum Geburtstag geschenkt.

2 Der Leser bekommt vom Autor bestimmte Verhaltensweisen erklärt.
Dem Leser werden vom Autor bestimmte Verhaltensweisen erklärt.

3 Der Studierende bekommt sein Diplom überreicht.
Dem Studierenden ______.

4 Die Psychologin bekommt von einem Verlag regelmäßig Fachzeitschriften zugeschickt.
Der Psychologin ______.

b **Was ist richtig? Markieren Sie.**

1 Den Passivsatz mit *bekommen* und ☒ *Partizip II* ☐ *Partizip I* kann man nur mit Verben wie *anbieten, erklären, liefern, schenken, schicken, senden, zeigen* etc. bilden.
2 Diese Verben haben ☐ *ein Dativ- und ein Akkusativobjekt.* ☐ *nur ein Dativobjekt.*
3 Statt *bekommen* kann man in der ☐ *Hochsprache* ☐ *Umgangssprache* auch *kriegen* benutzen.

zu Lesen 2, S. 106, Ü3

23 Wer bekommt was ...?

GRAMMATIK

Schreiben Sie Sätze mit *bekommen* und Partizip II.

1 Die Reisekosten werden der Autorin von ihrem Verlag erstattet.
2 Dem Familientherapeuten wird eine Stelle als Dozent angeboten.
3 Jedem Interessenten wird ein Gratis-Exemplar der Zeitschrift geschenkt.
4 Dem Tutor werden die E-Mail-Adressen der Studierenden geschickt.
5 Der Zusammenhang von Erziehung und Charakter wird den Eltern erklärt.
6 Der neue Preis der Zeitschrift wird dem Abonnenten vom Verlag mitgeteilt.

1 Die Autorin bekommt die Reisekosten von ihrem Verlag erstattet.

zu Sehen und Hören, S. 107, Ü2

24 Eine spannende Vorlesung ÜBUNG 15

SCHREIBEN

Karina schreibt ihrem Freund Steff sowie ihrer ehemaligen Deutschlehrerin, die ihr zum Lehramtsstudium geraten hat, eine E-Mail. Ergänzen Sie die zweite E-Mail eventuell mithilfe der Informationen aus der E-Mail an Steff.

Lieber Steff,

wie geht es Dir mit Deinem Studium in Köln? Ich will ja Lehrerin werden und habe in München einen Studienplatz „Lehramt für Grundschule" bekommen. (5) Zurzeit gehe ich auch schon fleißig in die Uni.
Richtig super ist eine Psychologie-Vorlesung, sie heißt „Persönlichkeit und Verhalten" von einer jungen (10) Dozentin, Anne Frey. Es ist wirklich spannend, ihr zuzuhören, und sie ist immer gut vorbereitet, bringt Beispiele aus dem realen Leben und hat tolle Folien. (15)
Stell Dir vor, wie sie uns erklärt hat, was man unter „Alltagspsychologie" genau versteht: Sie zeigte uns Fotos, auf denen der Schauspieler Olli Dittrich vier verschiedene (20) Lehrertypen darstellt – einmal auch eine Frau. Wie Du Dir denken kannst, waren die Fotos sehr witzig und die Dozentin hat es damit im Nu geschafft, uns das „Phänomen des ersten Eindrucks" klarzumachen. (25)
Leider sind nicht alle Vorlesungen und Seminare so klasse, aber alles in allem bin ich ganz zufrieden mit meiner Studienentscheidung. (30)
Lass bald mal was von Dir hören.

Alles Liebe
Karina

Liebe Frau von Krafft,

ich hoffe, es geht Ihnen (0) gut und Sie haben in diesem Schuljahr wieder nette, fleißige Klassen.
Dafür, dass Sie uns so gut auf die Abiturprüfungen vorbereitet haben, wollte ich mich noch einmal ganz herzlich bei Ihnen ________ (1). Stellen Sie sich ________ (2), ich habe mich nun auch für ein Lehramtsstudium eingeschrieben und besuche die ersten Veranstaltungen an der Uni.
Besonders gut gefällt mir eine Vorlesung ________ (3) dem Titel „Persönlichkeit und Verhalten" im Fach Psychologie. Beeindruckend ist dabei vor allem die Art und ________ (4), wie die Dozentin Inhalte vermittelt, nämlich in Form einer Kombination aus lebensnahen Beispielen und übersichtlich strukturierten Folien.
Das ________ (5) „Alltagspsychologie" und das „Phänomen des ersten Eindrucks" erläuterte sie uns anhand von Fotos mit dem Schauspieler Olli Dittrich, in unterschiedlichen Verkleidungen ________ (6) Lehrer bzw. Lehrerin. Dies ist ihr damit auf wirklich unterhaltsame Weise ________ (7).
Die Veranstaltungen in meinem Studium haben zwar nicht durchgehend eine so ________ (8) Qualität, dennoch bereue ich meine Fächerwahl bislang noch nicht.
Ich ________ (9) mich über eine Nachricht von Ihnen sehr freuen.

________ (10) Grüße
Karina Landers

8

AUSSPRACHE: Selbstsicherheit durch die richtige Intonation

1 Sicheres Auftreten an der Uni

a **Hören Sie das folgende Prüfungsgespräch zwischen einem Professor und einem Studenten. Wie klingt der Student? Selbstsicher (s) oder unsicher (u). Ergänzen Sie.**

1 Professor: Wofür steht die Abkürzung E. I.?
Student: Emotionale Intelligenz. [u]

2 Professor: Wer ist von der ADHS-Symptomatik betroffen?
Student: Manchmal sind auch Kinder mit überdurchschnittlicher Intelligenz betroffen. [ ]

3 Professor: Welche Therapieform ist für Eltern und Kinder geeignet?
Student: Die Familientherapie. [ ]

4 Professor: Sind emotionale Intelligenz und IQ das Gleiche?
Student: Nein, die emotionale Intelligenz ist unabhängig vom IQ. [ ]

5 Professor: Ist der berufliche Erfolg nur vom IQ abhängig?
Student: Nein, der Charakter eines Menschen ist wichtiger. [ ]

b **Woran erkennen Sie Selbstsicherheit? Markieren Sie.**

Selbstsichere Sprecher sprechen ...

1 laut
2 zögernd
3 langsam und betont
4 mit fallender Intonation
5 ohne zu zögern
6 schnell
7 mit schwebender oder steigender Intonation
8 leise

2 Überzeugender Vortrag

a **Tragen Sie den Text möglichst selbstsicher vor.**

Gefühle im Griff haben

Gerade am Arbeitsplatz finde ich es angebracht, dass man seine Gefühle unter Kontrolle hat und nicht zu emotional reagiert. Ein Mensch mit Gefühlsausbrüchen wirkt meist nicht sehr professionell. Aber auch im Privatleben scheint es mir wichtig, dass man nicht jedem spontanen Impuls nachgibt.

41 CD AB

b **Hören Sie und vergleichen Sie mit Ihrem eigenen Vortrag.**

c **Tragen Sie Ihre eigenen Ausarbeitungen aus dem Kursbuch, S. 100, Aufgabe 2a, selbstsicher vor.**

EINSTIEGSSEITE, S. 97

die Depression, -en
die Empathie (Sg.)
die Individualität, -en
die Psychosomatik (Sg.)

zu tun haben mit, hatte zu tun,
hat zu tun gehabt

LESEN 1, S. 98–99

das Defizit, -e
der Gradmesser, -
die Konstante, -n
der Parameter, -
die Resistenz, -en
die Vernunft (Sg.)
die Weisheit, -en

(sich) abgrenzen von
etwas betrachten als
einschätzen
meistern
schätzen (*hier:* respektieren)
verkennen, verkannte,
hat verkannt
vermögen, vermag,
hat vermocht
wahrnehmen, nahm wahr,
hat wahrgenommen
sich zurechtfinden mit, fand
zurecht, hat zurechtgefunden

in den Sinn kommen, kam,
ist gekommen

intuitiv

WORTSCHATZ, S. 100

der Gefühlsausbruch, ⸚e
der Impuls, -e
das Selbstwertgefühl, -e

erlangen
sich etwas gönnen
sich hineinversetzen in (+ Akk.)

etwas angebracht finden, fand,
hat gefunden
etwas im Griff haben

berufsmäßig
feindselig
gefühlsbetont
gefühlsmäßig
ideell
kurz-/langfristig
reell
sensationell
sensibel
substanziell
virtuell

SPRECHEN, S. 101

die Anziehungskraft, ⸚e
der Rückschluss, ⸚e
das Temperament, -e

ausweichen, wich aus,
ist ausgewichen
ertappen
hinnehmen, nahm hin,
hat hingenommen
verbergen vor (+ Dat.), verbarg,
hat verborgen

jemanden aus dem Konzept
bringen, brachte, hat gebracht

beschämend
einfühlsam
gelegentlich
indiskutabel
rentabel
vertrauensselig
vordergründig

SCHREIBEN, S. 102

der Balken, -
der Freiraum, ⸚e

modulieren
etwas miteinander verknüpfen

beträchtlich

HÖREN, S. 103

die Symptomatik (Sg.)

jemanden bedrücken

sich einer Sache bedienen

LESEN 2, S. 104–106

die Auffälligkeit, -en
die Ausdauer (Sg.)
der (soziale) Brennpunkt, -e
die Feigheit, -en
die Gewissenhaftigkeit (Sg.)
die Hypnose (Sg.)
der Mut (Sg.)
die Nachlässigkeit, -en
die Psyche, -n
die Psychoanalyse (Sg.)
die (soziale) Schere (Sg.)
das Schuldgefühl, -e
das Umfeld, -er
das Verhaltensmuster, -
der Versprecher, -
das Zeitalter, -

ankommen auf (+ Akk.), kam an,
ist angekommen
belegen
(*hier:* aufzeigen, beweisen)
beitragen zu, trug bei,
hat beigetragen
darlegen
jemanden fesseln
(*hier:* faszinieren)
verschlüsseln
zurechtkommen mit, kam
zurecht, ist zurechtgekommen

jemanden zu etwas bringen,
brachte, hat gebracht
sich in eine neue Rolle
einfinden, fand sich ein,
hat sich eingefunden
hinter die Kulissen schauen
in die Lage versetzen

ausschlaggebend
eingefahren (*hier:* gewohnt)
provokant
überholt
(*hier:* nicht mehr aktuell)
unbewusst

SEHEN UND HÖREN, S. 107

bestehen in (+ Dat.), bestand,
hat bestanden
veranschaulichen

LEKTIONSTEST 8

1 Wortschatz

Was bedeuten folgende Ausdrücke? Ordnen Sie zu.

1 etwas hinnehmen
2 etwas angebracht finden
3 jemandem ausweichen
4 sich in jemanden hineinversetzen
5 etwas im Griff haben
6 sich etwas gönnen
7 jemanden aus dem Konzept bringen

A nachfühlen, wie es jemandem geht
B eine unabänderliche Situation akzeptieren
C etwas / eine Situation unter Kontrolle haben
D eine andere Person durcheinanderbringen
E den Kontakt mit einer Person meiden
F sich etwas Schönes/Angenehmes leisten
G etwas für passend halten

Je 1 Punkt **Ich habe ______ von 7 möglichen Punkten erreicht.**

2 Grammatik

a **Formen Sie um.**

1 Eine Situation, die schwer einzuschätzen ist, ist eine schwer ______________________ Situation.
2 Ergebnisse, die man schriftlich belegen muss, sind schriftlich ______________________ Ergebnisse.
3 Menschen, die sich leicht ablenken lassen, sind leicht ______________________ Menschen.

Je 1,5 Punkte **Ich habe ______ von 4,5 möglichen Punkten erreicht.**

b **Formen Sie die Sätze ins Passiv oder Aktiv um. Schreiben Sie Ihre Lösungen auf ein separates Blatt.**

1 Der Forscher will die Ergebnisse verschlüsselt speichern.
2 In sozialen Brennpunkten sollen laut Stadtverwaltung mehr Streetworker eingesetzt werden.
3 Psychologen wollen Eltern in die Lage versetzen, ihre Kinder besser zu verstehen.
4 Paare sollen laut Therapeutin dazu gebracht werden, sich offener zu begegnen.

Je 1 Punkt **Ich habe ______ von 4 möglichen Punkten erreicht.**

c **Schreiben Sie die Sätze mit *bekommen* neu auf ein separates Blatt.**

1 Dem Politiker wird das Projekt erklärt.
2 Dem Patienten werden viele Fragen gestellt.
3 Die therapeutischen Ansätze werden den Psychologiestudenten erläutert.

Je 1,5 Punkte **Ich habe ______ von 4,5 möglichen Punkten erreicht.**

d **Was passt? Ergänzen Sie *-abel, -al, -ell* und *-ös* in der richtigen Form.**

1 den *ide*______ Partner finden
2 sich für einen Empfang *form*______ kleiden
3 eine *infekti*______ Krankheit haben
4 *tradition*______ Werte schätzen
5 eine *akzept*______ Lösung für ein Problem finden

Je 1 Punkt **Ich habe ______ von 5 möglichen Punkten erreicht.**

3 Kommunikation

Ergänzen Sie die passenden Wörter.

Die Grafik v _ _ a _ _ _ _ _ _ _ _ _ _ _ _ t (1) das Ergebnis einer Umfrage. Bei der Frage nach den Prioritäten im Leben sind die U _ _ _ _ s _ _ _ _ _ _ (2) zwischen den Geschlechtern relativ gering. Was besonders ins _ u _ _ (3) springt, ist die große Bedeutung der freien persönlichen Entscheidung. Die Befragung würde in meinem Heimatland ganz anders _ _ _ f _ _ _ _ n (4). Ein _ _ u _ _ (5) dafür könnten die unterschiedlichen traditionellen Werte sein.

Je 1 Punkt **Ich habe ______ von 5 möglichen Punkten erreicht.**

Auswertung: Vergleichen Sie Ihre Lösungen mit S. AB 203.
Ihre Erfolgspunkte tragen Sie unter jeder Aufgabe ein.

Ich habe ______ von 30 möglichen Punkten erreicht.

☺	😐	☹
30–26	25–15	14–0

WIEDERHOLUNG WORTSCHATZ

1 Bernds neue Bude

Ergänzen Sie in der richtigen Form.

Einkaufspassage • Fassade • Infrastruktur • sanieren • Stadtrand • Versorgung • ~~vornehm~~ • verwandeln • wimmeln

Liebe Lena,

stell Dir vor, gestern war ich mal wieder ausgiebig shoppen. In der neuen ______ (1) in der Hohenzollernstraße traf ich Bernd. Der erzählte mir, dass er jetzt ganz in der Nähe wohnt und nicht mehr am ______ (2). Die Gegend ist besonders bei jüngeren Leuten sehr gefragt. Dort stehen lauter vornehme (3) Altbauten aus den 1890er-Jahren. Die alten Gebäude sind luxuriös ______ (4). Oft blieb da nur noch die ______ (5) stehen, alles andere wurde abgerissen und neu gemacht. Es ist schon erstaunlich, wie sich einige Stadtteile in trendige Quartiere ______ (6) haben. In Bernds Straße ______ (7) es nur so von interessanten Boutiquen. Aber es gibt natürlich auch eine gute ______ (8) mit Lebensmitteln. Außerdem ist die Verkehrsanbindung sehr gut. Die Stadtplaner haben offenbar Wert auf eine gute städtische ______ (9) gelegt. Also, ich muss sagen, ich beneide Bernd ein bisschen!

LG Steffi

zur Einstiegsseite, S. 109, Ü1

WORTSCHATZ

2 Visionen des Architekten Frei Otto

Ersetzen Sie die Wörter in Klammern durch Synonyme.

Frei Otto (1925–2015) war einer der Architekten des 20. Jahrhunderts, der für seine (Ideen) Visionen (1) weltbekannt wurde. Der Entwurf begrünter Hochhäuser ist ein Beispiel dafür. Zusammen mit Günter Behnisch (machte) ______ (2) er die Dachkonstruktion des Münchner Olympiastadions für die Spiele. Außerdem (stylte) ______ (3) er zahlreiche Gebäude im In- und Ausland, unter anderem (arbeitete) ______ (4) er beim Bau des japanischen Pavillons für die Expo 2000 in Hannover mit. Seit den 1980er-Jahren (erarbeitete) ______ (5) Otto außerdem mit seinem Schüler Mahmoud Bodo Rasch Zeltdachkonstruktionen im islamischen Raum. Hier ist vor allem das Behörden- und Kulturzentrum Tuwaiq Palace in Riad (aufzuzählen) ______ (6). Der Empfänger zahlreicher Architektur-Preise wurde als Visionär (geliebt) ______ (7). Das deutschsprachige Architekturmagazin „Häuser" wählte das Olympia-Ensemble zum wichtigsten deutschen Gebäude. Viele seiner (Sachen) ______ (8) zeigen, dass es ihm darum ging, die Natur in seine Gebäude zu (bringen) ______ (9). Zur Architektur der Zukunft sagte Otto: „Meine Wünsche von früher haben sich (verwirklicht) ______ (10)."

Olympiastadion in München

zu Lesen 1, S. 110, Ü2

WORTSCHATZ

3 Umwelt in Großstädten ÜBUNG 1

a Welche Erklärung ist richtig? Markieren Sie.

1 die Solarzelle
- [x] a Gerät zur Umwandlung von Sonnenenergie in Elektrizität.
- [ ] b Kleiner Raum, in dem man sich bräunen kann.

2 der Kollektor
- [ ] a Mensch, der Geld sammelt.
- [ ] b Gerät, das Energie sammelt.

3 der Feinstaub
- [ ] a Schmutz im Haushalt, verursacht zum Beispiel durch Haustiere.
- [ ] b Schädlicher Staub in der Luft, verursacht durch Gase aus Autos u. a.

4 das Abwasser
- [ ] a Wasser, das von einem Fluss in die Häuser geleitet wird.
- [ ] b Wasser, das in Haushalten, Industrie etc. verbraucht wurde und abfließt.

5 der Smog
- [ ] a Dunst oder Nebel über Großstädten, Industriegebieten.
- [ ] b Dunst in der Küche, wenn die Abzugshaube nicht funktioniert.

6 das Treibhausgas
- [ ] a Gas, das zur Erwärmung der Temperaturen auf der Erde beiträgt.
- [ ] b Gas, das man braucht, um Pflanzen in einem Treibhaus zu ziehen.

b Welche Sätze passen zu den Verben aus dem Lesetext im Kursbuch, S. 110/111? Ordnen Sie zu.

1 ausstoßen (Z. 5/6) — D
2 einspeisen (Z. 7)
3 anlocken (Z. 22)
4 ausmachen (Z. 37)
5 vorrechnen (Z. 44)
6 entgegenwirken (Z. 46)

A Man sollte etwas gegen schlechte Entwicklungen tun.
B Man kalkuliert, z. B. wie viel Personal gebraucht wird, und erklärt das anderen.
C Städte nehmen nur einen kleinen Teil der Fläche ein.
D Fabriken produzieren Schadstoffe und lassen sie in die Luft frei.
E Strom wird ins öffentliche Netz abgegeben.
F Städte üben eine Anziehungskraft aus.

c Ergänzen Sie die Verben aus b in der richtigen Form.

1 Mit einer intelligenten Werbeaktion gelang es der Solarenergiefirma, neue Kunden anzulocken.
2 Eine funktionierende Müllentsorgung __________ nur einen Teil des Umweltschutzes __________.
3 Wenn die Schornsteine von Fabriken nicht mehr so viele Schadstoffe __________ würden, wäre das ein Fortschritt.
4 Die Regierung hat nicht damit gerechnet, dass moderne Häuser so viel Strom und Wärme in die Netze __________.
5 In der gestrigen Verhandlung __________ der Bürgermeister den Stadträten die möglichen Steuerersparnisse __________.
6 Die Wissenschaftler appellieren an die Politiker, mit einer besseren Umweltpolitik unguten Tendenzen __________.

zu *Wussten Sie schon?*, S. 111

4 Was machen eigentlich die Fraunhofer-Institute?

HÖREN

Hören Sie zwei Beispiele dafür, was die Institute der Fraunhofer-Gesellschaft alles an moderner Technik entwickeln. Was ist richtig? Markieren Sie.

42 CD|AB

Abschnitt 1

1 Dr. Anton Winterfeld arbeitet an einem Projekt, das ...
- [a] die wirtschaftliche Bedeutung von Edelsteinen untersucht.
- [b] sich mit der vollautomatischen Herstellung von Edelsteinen beschäftigt.
- [c] Edelsteine sucht, die man zu Schmuck verarbeiten kann.

2 Winterfeld gefällt seine Beschäftigung, ...
- [a] die einen praktischen Nutzen hat.
- [b] bei der er theoretisch denken muss.
- [c] die er Außenstehenden schwer erklären kann.

3 Wie wird Winterfelds Tätigkeit finanziert?
- [a] Durch Unterstützung vom Staat.
- [b] Durch Einnahmen von den jeweiligen Kunden.
- [c] Durch Verkauf der Edelsteine auf dem Markt.

CD|AB

Abschnitt 2

1 Was wird am Fraunhofer-Institut in Dortmund entwickelt?
- [a] Transportfahrzeuge mit Fahrer.
- [b] Moderne Lagerhallen.
- [c] Fahrerlose Kleinmaschinen zum Warentransport.

2 Es geht darum, ...
- [a] eine Ware im Regal zu finden und abzutransportieren.
- [b] einem Fahrer zu zeigen, wo die Ware ist.
- [c] Regale neu zu beladen.

3 Warum gleicht die Funktionsweise von 50 Transportern einem Schwarm?
- [a] Sie erhalten von anderen Anweisungen.
- [b] Sie kommunizieren ständig mit allen anderen.
- [c] Sie überwinden Hindernisse mühelos.

4 Wie werden die Roboter gesteuert?
- [a] Ähnlich wie ein Auktionshaus.
- [b] Ähnlich wie eine Taxizentrale.
- [c] Es gibt eine externe Steuerung.

5 Welche Daten übermittelt der Roboter als Angebot?
- [a] Seine Entfernung zur Ware.
- [b] Die Angebote aller anderen.
- [c] Die Stromreserve in der Halle.

6 Worin liegt der Vorteil der Transportfahrzeuge?
- [a] Man kann damit eine qualitativ bessere Leistung erzielen.
- [b] Man kann die Leistung der Arbeiter optimieren.
- [c] Sie nehmen den Menschen anstrengende und langweilige Arbeit ab.

9

WIEDERHOLUNG GRAMMATIK

zu Lesen 1, S. 112, Ü3

5 Vertikale Landwirtschaft

a **Ergänzen Sie *wenn*, *falls*, *sofern* oder *bei*. Manchmal gibt es mehrere Möglichkeiten.**

1 Falls in Zukunft wirklich so viele Menschen in Großstädte ziehen, wird die Versorgung der Stadtbewohner mit Nahrungsmitteln schwierig.
2 Das Ernährungsproblem kann nur dann gelöst werden, ___ neue Methoden der landwirtschaftlichen Produktion angewendet werden.
3 Eine Möglichkeit sind mehrstöckige Gebäude in der Stadt, in denen auf den verschiedenen Stockwerken Obst und Gemüse angebaut werden, ___ man der Idee von Dr. Dickson Despommier, einem der Erfinder der vertikalen Landwirtschaft, folgt.
4 ___ einem solchen Anbau von Obst und Gemüse spart man viel Ackerland.
5 Auch die Transportkosten werden gesenkt, ___ man Obst und Gemüse direkt beim Verbraucher in der Stadt produziert.
6 ___ diese Methode der Nahrungsmittelproduktion irgendwann einmal wirklich verwendet wird, kann auch viel Energie gespart werden.
7 ___ Nutzung dieser Lebensmittelproduktion zur Versorgung der Bevölkerung könnten einige Probleme in den Städten der Zukunft gelöst werden.

b **Beginnen Sie die Sätze 1, 5 und 6 mit dem Verb.**

1 Ziehen in Zukunft wirklich so viele Menschen in Großstädte, wird die Versorgung der Stadtbewohner mit Nahrungsmitteln schwierig.

zu Lesen 1, S. 112, Ü3

6 Satzstrukturen: Konditionale Zusammenhänge ÜBUNG 2, 3, 4

GRAMMATIK ENTDECKEN

a **Unterstreichen Sie die konditionalen Elemente. Formulieren Sie dann die Sätze mit *wenn* bzw. *wenn kein/nicht* neu.**

	NK	HK	P
1 Ohne den Einsatz von Glashaus-Techniken wird der Anbau in vertikalen Farmen nicht funktionieren.	☐	☐	☒
2 Angenommen, dass in einem mehrstöckigen Gebäude Pflanzen angebaut werden, wachsen dort dann zum Beispiel Bohnen und Kartoffeln.	☐	☐	☐
3 Unter der Bedingung gleichbleibender Temperaturen wachsen die Pflanzen besonders gut.	☐	☐	☐
4 In den mehrstöckigen Gebäuden gibt es auch Solaranlagen, andernfalls wird die Energieversorgung zum Problem.	☐	☐	☐
5 Vorausgesetzt, dass das Regenwasser gesammelt wird, kann es zur Bewässerung der Pflanzen genutzt werden.	☐	☐	☐
6 Im Falle einer speziellen Beleuchtung wachsen die Pflanzen im Hochhaus schneller als im Freien.	☐	☐	☐

1 Wenn keine Glashaus-Techniken eingesetzt werden, wird der Anbau in vertikalen Farmen nicht funktionieren.

b **Handelt es sich in a um einen Nebensatzkonnektor (NK), einen Hauptsatzkonnektor (HK) oder eine Präposition (P)? Markieren Sie.**

zu Lesen 1, S. 112, Ü3

7 Vertikale Landwirtschaft – auch auf dem Balkon

GRAMMATIK

a **Formulieren Sie die Sätze mithilfe der Ausdrücke in Klammern um.**

1 Unter der Bedingung weiterer Forschung in Metropolen wie New York und Shanghai können noch mehr Ideen für diese Art der Lebensmittelproduktion entwickelt werden. (unter der Bedingung, dass)

Unter der Bedingung, dass in Metropolen wie New York und Shanghai weiter geforscht wird, können noch mehr Ideen für diese Art der Lebensmittelproduktion entwickelt werden.

2 Ohne die Weiterentwicklung der vertikalen Landwirtschaft wird es früher oder später Versorgungsprobleme in den Metropolen geben. (andernfalls)

Man muss ______, ______ wird es früher oder später Versorgungsprobleme in den Metropolen geben.

3 Würden die Pflanzen nicht in Etagen angebaut, wäre diese Variante der Landwirtschaft nicht so platzsparend. (ohne)

______ wäre diese Variante der Landwirtschaft nicht so platzsparend.

4 Wenn man chemiefreie Pflanzen haben will, kann man einen „Senkrecht-Garten" auf dem eigenen Balkon oder Fensterbrett einrichten. (Verb Position 1)

______, kann man einen „Senkrecht-Garten" auf dem eigenen Balkon oder Fensterbrett einrichten.

5 Beim Pflanzen von Apfelbäumen auf dem Balkon sollte man eine Sorte wählen, die klein und schlank wächst. (angenommen, dass)

______, sollte man eine Sorte wählen, die klein und schlank wächst.

6 Falls sich die Haushalte ausreichend versorgen, entstehen keine Transportkosten. (im Falle)

______, entstehen keine Transportkosten.

b **Schreiben Sie die Sätze mit *sonst/andernfalls* und mithilfe der Wörter in Klammern zu Ende.**

1 Bauen Sie Gemüse selbst an, ... (nicht wissen, ob es wirklich gesund ist).
2 Tomaten brauchen viel Platz zum Wachsen, ... (nicht wirklich gut schmecken).
3 Auberginen mögen viel Sonne und Windschutz, ... (nicht richtig reif werden).
4 Die Erde sollten Sie immer feucht halten, ... (Pflanzen austrocknen).
5 Chilis und Peperoni pflanzen Sie am besten erst nach draußen, wenn die Pflanzen 10 cm groß sind, ... (erfrieren).
6 Chilis sollten Sie erst ernten, wenn sie tiefrot sind, ... (nicht richtig scharf sein).
7 Zucchini brauchen viel Bio-Dünger, ... (Pflanzen nicht viele Früchte entwickeln).

1 Bauen Sie Gemüse selbst an, sonst/andernfalls wissen Sie nicht, ob es wirklich gesund ist.

9

zu Lesen 1, S. 112, Ü4

8 Meine Stadt in der Zukunft

SCHREIBEN

Lesen Sie die Artikel über Innovationen in Großstädten und schreiben Sie den folgenden Blogbeitrag weiter. Gehen Sie dabei auf folgende Punkte ein.

- Was gefällt Ihnen an den berichteten Beispielen besonders?
- Was halten Sie an den Vorschlägen für realistisch und sinnvoll?
- Welche positiven Auswirkungen hätte eine Einführung dieser Innovationen?
- Was wird bezüglich der drei genannten Beispiele in Ihrer Heimatstadt gemacht?
- In welchem weiteren Bereich, z. B. Verkehr, Bauen usw. wünschen Sie sich Veränderungen?

Salat vom Dach
Beete und Äcker ziehen vom Land zurück in die Stadt, etwa auf die Dächer von Supermärkten. Oder auf Hausfassaden. Oder in Unternehmen. In Konferenzräumen wachsen Tomaten von der Decke, in Foyers sprießt Reis aus dem Boden. Das spart nicht nur Transportkosten, sondern beschert den Stadtbewohnern ein gesundes, frisches Essen.

Parkplatz finden per App
Kaum noch vorstellbar: Ein Drittel des Verkehrs in Innenstädten wurde früher allein durch die Parkplatzsuche verursacht. In Zukunft erkennen Sensoren im Asphalt oder in Straßenlaternen, wo noch Lücken sind. Der Fahrer reserviert den Parkplatz per App und lässt sich dorthin lotsen.

Radfahren auf dem Wasser
Weil in der Innenstadt kein Platz für Radfahrer ist, weichen sie aufs Wasser aus. In London denken Stadtplaner genau darüber nach: Ein schwimmender Radweg auf dem Fluss Themse, der entlang des Südufers führen soll. Weil das Projekt teuer wird, plant man eine Maut: 1,50 Pfund soll die Benutzung kosten.

Im Internet habe ich einige Artikel entdeckt, die mich zum Nachdenken angeregt haben. Mit Freunden habe ich ausführlich über die beschriebenen Erfindungen diskutiert. Denn auch in meinem Heimatland ... suchen wir nach Lösungen für Probleme im Großstadtalltag. Wenn es darum geht, unser tägliches Leben zu verbessern, dann ist wohl ...

zu Lesen 1, S. 112, Ü4

9 Nachrichten aus Wissenschaft und Forschung

HÖREN

44 CDIAB

Welche Aussage ist richtig? Hören Sie und markieren Sie.

1 Wie sind die Bevölkerungszahlen in Städten und auf dem Land?
- a Die Bevölkerungszahl der Städte ist größer als die auf dem Land.
- b Bald werden mehr Menschen in Städten leben als außerhalb.

2 Wie viel Erdöl verbraucht die Stadt New York?
- a Genauso viel wie ein Tankschiff in eineinhalb Tagen.
- b In eineinhalb Tagen die Inhaltsmenge eines Supertankers.

3 Warum ist der Energieverbrauch in Moskau hoch?
- a Weil Energie dort erzeugt wird.
- b Wegen niedriger Temperaturen im Winter.

4 Welches Verhältnis stimmt?
- a Die Weltbevölkerung verbraucht 10 Prozent des Treibstoffs.
- b 7 Prozent der Weltbevölkerung produzieren 13 Prozent des Mülls.

5 Wie hat London den Energieverbrauch gesenkt? Indem ...
- a man den Strom teurer machte.
- b Menschen mehr mit Bussen und Bahnen fahren.

zu Sehen und Hören, S. 113, Ü2

10 Der „Prinzessinnengarten" und seine Umgebung ÜBUNG 5

WORTSCHATZ

Was ist richtig? Markieren Sie.

Der „Prinzessinnengarten" funktioniert wie ein Erdbeerfeld. Es gibt keine *Beete / Stellen* (1) wie auf dem Land. Die Pflanzen sind in tragbare Kästen gepflanzt. Kunden bekommen gezeigt, wie man erntet. Bei der Pflege des Gartens können auch absolute *Spezialisten / Dilettanten* (2) nicht viel verkehrt machen. Die Leute staunen über die *Diversität / Monokultur* (3) der Pflanzen. Viele Berlin-Touristen sind überrascht darüber, dass sie mitten in der Stadt plötzlich Gemüse *angepflanzt / eingespeist* (4) finden. Der Garten hat die Gegend verändert, die vorher als *quirlig / spießig* (5) galt.

zu Sehen und Hören, S. 113, Ü2

11 E-Mail an eine Zeitungsredaktion

SCHREIBEN

Jennifer Reichart aus München schreibt an ihren Kommilitonen in Kiel und an die Redaktion eines Wochenblatts in München. Ergänzen Sie. Verwenden Sie dazu eventuell auch die Informationen aus der ersten E-Mail.

Von: Jenni_fer@gmx.de An: lorenzius@aol.com
Betreff: Cooles Projekt in Berlin

Hallo Lorenz,
wie geht's? Ich hab' hier in Berlin schon eine ganze Menge unternommen. Ich schicke Dir im Anhang drei Fotos von einem ganz besonderen Restaurant. Es ist in Kreuzberg auf dem Gelände des „Prinzessinnengartens", eines alternativen Gartenbauprojekts. Die Betreiber, die sich selber „Dilettanten" nennen, wollen den interessierten Stadtbewohnern die Möglichkeit geben zu lernen, wie man Obst und Gemüse in der Stadt anbaut. Die haben da in Plastikkästen alles Mögliche, zum Beispiel 20 verschiedene Tomatensorten. Man kann hingehen und selber ernten, gegen Bezahlung natürlich. Leute, die hier mithelfen, bekommen einen günstigen „Mitarbeiterpreis". Wir haben in dem Restaurant einen Gemüseteller gegessen, der war superfrisch und toll gewürzt. Wenn wir mal zusammen in Berlin sind, müssen wir da unbedingt hin.
LG Jenny

Von: Jenni_fer@gmx.de An: muenchnerwoche@info.de
Betreff: Projektvorschlag zum Thema „Lebenswerte Stadt der Zukunft"

Sehr geehrte (1) Damen und Herren,
in Ihrer letzten Ausgabe vom 14. April ________ (2) Sie Ihre Leser um Einsendung interessanter Projektideen zum Thema „Lebenswerte Stadt der Zukunft". Im Anhang ________ (3) Sie drei Fotos und einen Text dazu. Eine mögliche Überschrift dazu wäre „Überhaupt nicht spießige Gärtner: Ökologisches und soziales Projekt in Berlin."
In meinem Artikel geht es ________ (4) den sogenannten „Prinzessinnengarten".
Dieses Projekt ________ (5) bereits öfter in den Medien porträtiert, doch für die Leser Ihres Wochenblattes ________ (6) es noch nicht so bekannt sein. Der Garten ________ (7) sich am Moritzplatz in Kreuzberg. Die Betreiber wollen Stadtbewohnern ökologischen Anbau und Biodiversität nahebringen. Gleichzeitig wollen sie den Menschen in der Nachbarschaft die ________ (8) zum preiswerten Einkauf von vegetarischen Lebensmitteln geben. Beides wäre auch in München sehr wünschenswert.
Ich ________ (9) mich freuen, wenn Sie meinen Text und die Fotos in einer Ihrer ________ (10) Ausgaben veröffentlichen würden.

Mit freundlichen Grüßen
Jennifer Reichart

zu Schreiben, S. 114, Ü1

12 Probleme von Großstädtern ÜBUNG 6

KOMMUNIKATION

Ordnen Sie die Redemittel dem Blogbeitrag zu. Ein Redemittel passt nicht.

6 In meinem Bekanntenkreis gibt es • ☐ einen weiteren Aspekt in die Diskussion einbringen • ☐ Ich lebe in • ☐ Mit Interesse habe ich die Beiträge • ☐ Negativ wirkt sich • ☐ Plötzlich habe ich gemerkt, wie schwer es ist, • ☐ Positive Ansätze sehe ich darin, • ☐ Das kann man in Deutschland zum Beispiel dadurch, • ☐ Viele haben doch einfach

Wohnen in der Großstadt

Michi13

(1) zum Thema „Stadtleben" in diesem Blog gelesen. Ich würde gern (2). Es gibt ja nicht nur psychische Folgen des Lebens in Großstädten. (3) ein praktisches Problem, sie können sich die teuren Mieten einfach nicht leisten. (4) der teuersten Stadt Deutschlands. Hier gibt man inzwischen 50 Prozent des Einkommens und mehr für Miete aus. Ehrlich gesagt bleibt vielen da nicht mehr so viel Geld übrig, um in den exklusiven Läden der Innenstadt einzukaufen. Oder in Restaurants und Bars, über die man in der Zeitung liest, zu gehen. Auch der Besuch von Konzerten oder Theateraufführungen ist für manche einfach unbezahlbar.
(5) das Großstadtleben meiner Meinung nach dahingehend aus, dass die Schere zwischen denen, die sich alles leisten können, und denen, die das nicht können, immer weiter auseinandergeht.
(6) einen Fall, den ich für recht typisch halte. Eine Kollegin hat sich vor ein paar Monaten von ihrem Partner getrennt und musste sich eine neue Wohnung suchen. Es war für sie fast unmöglich, etwas zu finden. Inzwischen wohnt sie zusammen mit einer anderen Frau in einer Zweizimmerwohnung. Vorübergehend, hofft sie. (7) als Alleinstehende Wohnraum zu finden, den man sich leisten kann. (8) dass die Stadtregierung mehr bezahlbare Mietobjekte baut beziehungsweise zur Verfügung stellt. Mich würde interessieren, wie man in anderen Ländern mit diesem Thema umgeht.

WIEDERHOLUNG GRAMMATIK

zu Wortschatz, S. 115, Ü3

13 Ein schönes Dorf

Ergänzen Sie die Präpositionen.

2015 wurde Heringerdorf mit einer Medaille im Wettbewerb „Die schönsten Dörfer des Nordens" ausgezeichnet, dar*auf* (1) sind wir sehr stolz. Unser Dorf ist eigentlich nicht bekannt ______ (2) große Taten oder Persönlichkeiten, aber es ist reich ______ (3) historischen Gebäuden. Die Jury war besonders begeistert ______ (4) den gut erhaltenen Ziegelbauten und dem großen Zusammenhalt der Dorfgemeinde. Das Dorf ist schön anzusehen und deshalb auch beliebt ______ (5) Touristen. Wer ______ (6) vielfältigen Unterhaltungsangeboten interessiert ist, für den bietet Heringerdorf wenig Attraktives. Aber wer ______ (7) einem Besuch des Bauernmarktes und einer Besichtigung der Kirche zufrieden ist, der ist bei uns genau richtig.

zu Wortschatz, S. 115, Ü3

14 Adjektive und Partizipien mit Präpositionen ÜBUNG 7, 8

GRAMMATIK

a **Was passt? Ergänzen Sie.**

angewiesen • ~~aufgeschlossen~~ • entscheidend • gespannt • glücklich • dankbar • überzeugt • unzufrieden • verwundert

Schöne neue Stadt

Glücklicherweise gibt es Architekten, die sich nicht mit der Hässlichkeit vieler Kleinstädte abfinden, sondern die aufgeschlossen (1) gegenüber Neuem sind. Diese Architekten sind davon ______ (2), dass es möglich ist, wirklich attraktive Stadtviertel zu bauen. Ihrer Ansicht nach ist es für das Konzept ______ (3), dass der Stadtteil von den Bewohnern mit allen Sinnen genossen werden kann. Wenn man eine gelungene Kombination verschiedener Gebäude bauen will, ist man auf gewisse Regeln und Vorgaben ______ (4). Gibt es diese nicht, finden manche zukünftigen Hausbesitzer das Ergebnis komisch und sind ______ (5) darüber: Das eine Haus sieht dann nämlich aus wie ein normales Reihenhaus, das daneben wie eine Villa.
Die Stadtbaurätin Huber ist ______ (6) für die innovativen Ideen der Architekten, sie ist aber sehr ______ (7) mit dem Fachwissen in ihrer Behörde, denn davon gibt es zu wenig. Meistens sitzen sich bei den Treffen nur Juristen gegenüber. Sie sagt: „Ich bin schon ______ (8) darüber, wenn auch mal ein Architekt dabei ist." Kürzlich hat ein Projekt geklappt, Frau Huber ist schon sehr ______ (9) auf das Resultat.

b **Unterstreichen Sie die zu den Adjektiven/Partizipien gehörenden Präpositionen.**

zu Wortschatz, S. 115, Ü3

15 Sommer in Orange

FILMTIPP / WORTSCHATZ

Ergänzen Sie die Präpositionen *aus, auf, bei, in, mit, nach, von* und *zwischen*.

Marcus H. Rosenmüllers Komödie, erschienen 2011, porträtiert das Lebensgefühl der 1980er-Jahre. In ironisch-komödiantischem Stil erzählt der Regisseur Rosenmüller von (1) deutschen Anhängern des indischen Gurus Bhagwan, die in einem oberbayrischen Dorf ein Leben nach ungewöhnlichen Regeln führen. Die Drehbuchautorin Ursula Gruber verarbeitete dabei eigene Erlebnisse. Ihr Drehbuch basiert ______ (2) Erinnerungen an ihre Kindheit. Rosenmüllers Interesse galt der Diskrepanz ______ (3) dem Wunsch ______ (4) einem wilden und freien Leben und der Sehnsucht ______ (5) Tradition. Die Dreharbeiten fanden überwiegend südlich ______ (6) München statt.
Amrita ist eine alleinerziehende Frau mit Hang zum alternativen Lebensstil. Sie lebt ______ (7) ihren beiden Kindern, Lili und Fabian, in einer Kreuzberger Kommune zusammen mit mehreren Gleichgesinnten. Mit ihrem Lebensgefährten und der Gemeinschaft zieht sie in ein Bauernhaus ______ (8) Bayern. Die Bewohner des Dorfes Talbichl begegnen den Städtern ______ (9) Berlin ______ (10) Skepsis. Es missfällt ihnen, dass sie sich ______ (11) ihrer orangefarbenen Kleidung, ihren Meditationsritualen und ihrer Freizügigkeit ______ (12) der Dorfgemeinschaft abgrenzen. Lili fühlt sich ______ (13) ihrer Mutter vernachlässigt, da diese dauernd ______ (14) ihren persönlichen Problemen beschäftigt ist. Sie hat durch den Umzug ihre Freunde verloren und gerät bei den Konflikten zwischen Dorf und Kommune ______ (15) die Fronten. Schließlich findet Lili Freunde bei einer Familie im Dorf und übernimmt mehr und mehr deren Lebensweise. ______ (16) einem Dorffest kommt es zum Streit …

zu Lesen 2, S. 116, Ü1

16 Vier Stimmen zu einem sozialen Experiment

LESEN

Lesen Sie die vier Texte. In welchen Texten A–D gibt es Aussagen zu den Themenschwerpunkten (1–5)? Bei jedem Themenschwerpunkt sind ein, zwei oder drei Stichpunkte möglich, insgesamt aber nicht mehr als zehn.

Thema	Text A	Text B	Text C	Text D
0 Beispiel *Ziele der Einwohner*	—	wollen sich selber mit Nahrung und Energie versorgen	—	wollen mehr, als bloß einen gemeinsamen Ort bewohnen
1 Beschreibung des Ortes				
2 Aufnahmebedingungen				
3 Förderung des Gemeinschaftsgefühls				
4 Kosten für das Leben im Dorf				
5 Technische Ausstattung im Dorf				

A

Georg, 51, einer der Dorfvorsteher

150 bis 300 Leute sollen hier einmal leben, aber wir dürfen nicht zu schnell wachsen. Ich bin jetzt Anfang 50. Früher habe ich zwei Baufirmen in Frankfurt geführt, dann bin ich aber leider krank geworden. Ich habe meine Unternehmen abgegeben, mit Meditieren begonnen und das Dorf mitgegründet. Dass ich einmal in einer großen Gemeinschaft leben würde, hätte ich mir (5) früher nicht vorstellen können. Niemand trägt Hippie-Klamotten. Ich selbstverständlich auch nicht. Inzwischen sind insgesamt an die hundert Leute zugezogen, darunter zwanzig Kinder. Sie sind aus verschiedenen Ländern. Es gibt hier eine Französin, eine Argentinierin, eine Polin, eine Rumänin, ein Schweizer Ehepaar und demnächst auch eines aus Japan. Außerdem (10) einige Künstler, einen Chemiker, einen UNO-Mitarbeiter aus Genf, der Rest: Handwerker, Akademiker, Manager, Rentner, Krankenschwestern und Pfleger aus umliegenden Gemeinden sowie auch einige Münchner, die zu ihrer Arbeitsstelle noch pendeln. 25 000 Euro müssen alle, die bei uns dauerhaft leben wollen, vor ihrem Eintritt in die Genossenschaftskasse einzahlen, dafür (15) bekommen sie das Recht auf billigen Wohnraum und billiges Essen: Sie dürfen für 250 Euro im Monat in der Kantine essen, wenn sie möchten, dreimal am Tag. Aber sie können auch zu Hause kochen. Sie dürfen allein, in einer Wohngemeinschaft oder mit Partner oder Familie wohnen – gegen eine Warmmiete von nur fünf Euro pro Quadratmeter. (20)

Otto, 62, Bürgermeister des Ortes, zu dem das alternative Dorf gehört

Wir haben es mit einer Art schwäbischem Hightech-Dorf zu tun. Es liegt in der Nähe von Dinkelsbühl auf halbem Weg zwischen Ulm und Würzburg. Auf den Feldern wächst genügend Gemüse und Obst für den Eigenbedarf, Platz für Ziegen und Hühner gibt es auch. Die Bewohner wollen sich nicht nur selbst mit Nahrung versorgen, sondern es geht auch um eine moderne Energieversorgung.
Dort gibt es zwei Forscher, die sich ein Glasfasernetz mit eigenem Server und ein Labor eingerichtet haben. Die beiden denken darüber nach, wie man ohne Verbrennung Strom und Wärmeenergie erzeugen kann.
In Zeiten der Landflucht von jungen Leuten bin ich froh über die zugereisten Städter. Die neu entstandene Dorfgemeinschaft bedeutet für uns viel Positives: stabile Wasserpreise und Schulen, die nicht geschlossen werden. Vielleicht ist das alternative Dorf ein Symbol für die neue Landlust vieler Städter. Das Dorf liegt nicht zu weit weg, um unter der Woche in die Großstadt zu pendeln. Die Bewohner versuchen, zwischen modernem Arbeitsplatz vor dem Computer und Wohnen in idyllischer Natur, zwischen moderner freiberuflicher Tätigkeit als Einzelkämpfer und alter Sehnsucht nach Geborgenheit in dörflicher Gemeinschaft eine Verbindung zu schaffen.

Rita, 43, Bewohnerin

Unsere Gemeinschaft ist schon so groß wie ein ganzes Dorf. Niemand weiß genau, wie viele Bewohner sie gerade hat, weil sie von Monat zu Monat wächst. Seit zwei Jahren schon. Rituale sind in dieser Situation besonders wichtig, sie festigen die Gemeinschaft. Zum gemeinsamen Essen in der Kantine ertönt ein Gong; auch vor langen Diskussionsabenden wird er geschlagen. Morgens nach dem Frühstück in der Kantine bilden die Bewohner einen Kreis. Sie fassen sich an der Hand und schweigen bis zu zehn Minuten lang, dieses Ritual nennen wir Morgenkreis. Nach dem Schweigen kommt im Morgenkreis Alltägliches zur Sprache: Wer fährt wann die 190 Kilometer nach München oder die 120 nach Stuttgart und könnte etwas mitnehmen? Mag jemand bei der Birnenernte helfen? Ein Techniker, er ist vom Dorf angestellt, verkündet: Die fünfte Solaranlage ist angeschlossen. Das Dorf erzeugt jetzt an guten Sonnentagen fünfzig Prozent mehr Strom, als es verbraucht.

Niko, 29, Bewohner

Wir wohnen seit einem Jahr zu siebt in einer Wohngemeinschaft zusammen. Wir sind alle Handwerker. Der Älteste von uns ist 32. Wir wohnen nicht bloß zusammen, wir schmeißen alle unsere Einkünfte zusammen und bedienen uns den Monat über aus der gemeinsamen Kasse. Natürlich gab es anfangs längere Diskussionen, zum Beispiel darüber, warum ein Nichtraucher die Zigaretten der Raucher mitbezahlen soll. Ich habe vor meiner Zeit hier in Brüssel mit dem Restaurieren von alten Möbeln viel Geld verdient und schick gewohnt. Hier gehören mir nur noch Schrank und Bett. Ich muss jetzt mit 1500 Euro brutto und weniger Kneipen-Besuchen auskommen. Wenn ich möchte, dass meine Freundin zu mir hierher zieht, muss ich das Dorfplenum um Erlaubnis fragen. Das Experiment Gemeinschaftseinkommen hat noch keiner von uns sieben abgebrochen – trotz kleiner Reibereien ab und zu. Wir haben eine Menge über uns gelernt.
Bei uns gibt es nämlich regelmäßig Seminare und Vorträge. Da geht es um Themen wie die Krise von Marktwirtschaft und Wachstumsgesellschaft. Dazu laden wir Fachleute aus ganz Deutschland ein. Oder es gibt Workshops zum erfolgreichen Kommunizieren. Das Erfolgsrezept für die Förderung der Zusammengehörigkeit mit der großen Gruppe: Es kommt darauf an, die richtige Balance zwischen Freiheit und Verbundenheit zu finden.

zu Lesen 2, S. 116, Ü2

17 Leben auf dem Land?

Was ist richtig? Markieren Sie.

Lieber Sebastian,

Michael und ich stehen vor einer wichtigen Entscheidung und wir brauchen Deinen Rat. Wir überlegen uns ernsthaft, in eine alternative Gemeinschaft aufs Land zu ziehen, *obwohl/trotzdem* (1) wir uns das bisher nicht vorstellen konnten. Der Hintergrund ist: Michael ist seit einiger Zeit in seiner Arbeit nicht mehr sehr glücklich, *dennoch/auch wenn* (2) er gut verdient. Und ich muss im Krankenhaus zwar auch viel arbeiten, *dennoch/selbst wenn* (3) beschäftige ich mich nebenbei intensiv mit alternativer Medizin – und das machen die Leute in der Gemeinschaft dort auch! Und außerdem brauchen wir eine neue Wohnung, denn *trotz/selbst bei* (4) unseres guten Verhältnisses zu unserem Vermieter wurde uns gekündigt. Vor Kurzem hat uns nun eine sehr gute Freundin gefragt, ob wir nicht bei dem Projekt „Tempelhof" mitmachen wollen. Und *selbst wenn/trotzdem* (5) so etwas bisher nicht in unserer Lebensplanung vorkam, überlegen wir uns das. Es wird natürlich *trotz/selbst bei* (6) den besten Vorsätzen am Anfang nicht ganz einfach werden, sein Leben komplett umzustellen. Aber *obwohl/wie* (7) schwierig das *auch* werden mag, versuchen könnten wir es ja mal, oder? Was meinst Du? Ich bin schon sehr gespannt auf Deine Antwort!

Viele liebe Grüße, auch von Michael,
Beate

zu Lesen 2, S. 116, Ü2

18 Satzstrukturen: Konzessive Zusammenhänge ÜBUNG 9, 10 GRAMMATIK ENTDECKEN

a **Ersetzen Sie in dem Leserbrief die unterstrichenen Wörter durch *trotz, obwohl, trotzdem/dennoch*.**

Sehr geehrte Damen und Herren,

~~ungeachtet der Tatsache, dass~~ obwohl (1) die alternative Gemeinschaft „Tempelhof" zum Teil eine wichtige und sinnvolle Bereicherung für unser Dorf darstellt, muss ich mich heute beschweren. Trotz meiner Sympathie für biologische Eier und frischen Ziegenkäse sind die vielen Hühner und Ziegen oft eine wirkliche Belästigung! Morgens um 4 Uhr krähen die ersten Hähne, obgleich (2) es noch Nacht ist. Ich konnte danach meistens wieder einschlafen, allerdings (3) bin ich bald darauf von den Ziegen wieder geweckt worden. Ich bin jetzt tagsüber oft müde, obschon (4) ich extra aufs Land gezogen bin, um gut schlafen zu können. Und jetzt wollen die „Tempelhofer" ungeachtet (5) meines Protestes auch noch Kühe anschaffen. Ich bin nicht nach Kreßberg gezogen, weil ich Schmutz und Lärm mag! Der Bürgermeister sollte über geeignete Maßnahmen nachdenken.

Mit freundlichen Grüßen

Herbert Kuhnert, Ministerialrat a. D.

b **Welche Konnektoren erfordern die gleiche Satzstruktur? Ordnen Sie zu.**

ungeachtet (+ Genitiv) • ungeachtet der Tatsache, dass • ~~obgleich~~ • obschon • allerdings

obwohl: obgleich
trotz (+ Genitiv):
trotzdem, dennoch:

c **Was ist richtig? Markieren Sie.**

Die konzessiven Elemente *ungeachtet, ungeachtet der Tatsache, dass ..., obgleich, obschon* haben eher ☐ *umgangssprachlichen* ☐ *schriftsprachlichen* Charakter.

zu Lesen 2, S. 116, Ü2

19 Antwort an Herrn Kuhnert aus Tempelhof

GRAMMATIK

a **Ergänzen Sie.**

ungeachtet • allerdings • ~~ungeachtet der Tatsache, dass~~ • obschon • obgleich

Sehr geehrter Herr Kuhnert,
es tut uns sehr leid, dass Sie sich durch uns belästigt fühlen, ______ (1) wir uns sehr bemühen, mit unseren Nachbarn im Dorf gut auszukommen. ______ (2) wir Verständnis für Ihre Probleme haben, haben wir weiterhin die Absicht, Tiere auf unserem Hof zu halten. Auf dem Land gehören diese Geräusche nun einmal dazu, ______ (3) ist es sicher nicht immer leicht, das zu akzeptieren. Wir haben schon daran gedacht, einen schalldichten Hühnerstall zu bauen, ungeachtet der Tatsache, dass (4) wir dazu gar nicht verpflichtet sind. Wir möchten aber auf jeden Fall versuchen, die entstandenen Probleme ______ (5) der damit verbundenen Kosten konstruktiv zu lösen. Vielleicht kommen Sie einfach mal bei uns vorbei, schauen sich bei uns um – lernen dabei vielleicht auch den Hahn kennen ☺ – und dann besprechen wir alles in unserem Hofcafé.

Viele Grüße
Ihre „Tempelhofer"

b **Schreiben Sie den Text aus a der Nummerierung entsprechend mit *trotz* (1), *dennoch* (2), *obwohl* (3), *trotzdem* (4) und *auch wenn* (5) neu.**

Sehr geehrter Herr Kuhnert,
es tut uns sehr leid, dass Sie sich trotz unserer großen Bemühungen, mit unseren Nachbarn im Dorf gut auszukommen, durch uns belästigt fühlen.

zu Hören, S. 117, Ü2

20 Technik im alternativen Dorf ÜBUNG 11

WORTSCHATZ

Was ist richtig? Markieren Sie.

1 Um was für eine Landwirtschaft geht es den Bewohnern? Um [a] *ökonomische.* [x] *ökologische.*
2 Ihre Häuser sind aus [a] *natürlichen regionalen Baustoffen.* [b] *chemischen Hightech-Baustoffen.*
3 Die Wärme wird gewonnen aus [a] *nachwachsenden Rohstoffen.* [b] *Gasen von den Nutztieren.*
4 Wie produzieren sie ihren Strom? [a] *Mithilfe von Solarzellen.* [b] *Gar nicht.*
5 Mit Kompost-Toiletten wollen sie vermeiden, dass Wasser [a] *wiederverwendet wird.* [b] *verschwendet wird.*

zu Sprechen, S. 118, Ü2

21 Leben in der Megastadt ÜBUNG 12, 13

KOMMUNIKATION

a **Was ist richtig? Markieren Sie.**

1 Eben wurde *verstanden / behauptet / erzählt*, die meisten Menschen würden glauben, dass Megastädte keine Zukunft haben, weil sie lebensfeindlich sind. Es lässt sich aber feststellen, dass Millionen von Menschen anderer Meinung sind. (Funktion: C/D)
2 Leider fehlt mir ein *schlagendes / tretendes / ziehendes* Argument für diese Sicht. Wie kommen Sie darauf, dass alle Großstädte gleich sind? (Funktion: ______)
3 Darauf würde ich gern etwas *kritisieren / erwidern / schimpfen*: Es ist doch vielmehr so, dass immer mehr Menschen in die Städte drängen, weil die Lebensqualität von vielen dort als höher empfunden wird. (Funktion: ______)
4 Meine Vorrednerin hat soeben sehr ausführlich *ausgeführt / aufgegriffen / angebracht*, dass der Versuch vieler junger Familien, sich auf dem Land ein Leben aufzubauen, oftmals erfolglos bleibt. (Funktion: ______)
5 Für mich war die Argumentation meines Vorredners nicht *geklärt / möglich / stichhaltig*. Seine Beispiele haben mit unserer Wirklichkeit doch recht wenig zu tun. (Funktion: ______)
6 Mein Vorredner *beziehungsweise / bedauerlicherweise / oder* das gesamte Team hat uns mit ihren Argumenten überzeugt, unter anderem, weil sie auf aktuelle Daten zurückgegriffen haben. (Funktion: ______)
7 Wir sollten unbedingt die Meinung, das Leben auf dem Lande sei menschlicher, kritisch *übernehmen / teilen / hinterfragen*. Denken wir doch einfach nur mal an die Ausstattung mit Schulen. (Funktion: ______)

b **Ordnen Sie den Sätzen in a passende Funktionen zu.**

A auf ein Argument eingehen
B einen Beitrag hinterfragen
C ein Argument entkräften
D ein Argument des Vorredners zusammenfassen
E ein Argument ablehnen
F ein Argument akzeptieren

zu Sprechen, S. 119, Ü3

22 Debatte: Stadt- oder Landleben? ÜBUNG 14, 15

GRAMMATIK

a **Was passt? Ergänzen Sie *und zwar, beziehungsweise/respektive* und *vielmehr*.**

1 *oder, genauer/besser gesagt* ______________________
2 *genau gemeint ist damit:* und zwar
3 *richtiger, genauer/besser gesagt* und nach verneinter Aussage: *im Gegenteil:* ______________

b **Schreiben Sie die Sätze mit *und zwar, beziehungsweise/respektive* und *vielmehr* neu. Manchmal gibt es mehrere Möglichkeiten.**

1 Die Diskussionsteilnehmer und die Moderatoren kommen aus Hamburg oder aus Freiburg.
2 Wir haben in der Debatte „Stadt-Land“ drei Themenschwerpunkte. Genau sind damit Arbeitsmöglichkeiten, Freizeitmöglichkeiten und Gesundheit gemeint.
3 In einer Stadt, genauer gesagt in einer Großstadt, hat man viel mehr kulturelle Angebote als auf dem Land.
4 Das Landleben ist nicht nur etwas für alternative Aussteiger, sondern es ist auch für stressgeplagte Stadtmenschen attraktiv.
5 In dieser Land-WG wohnen nur Künstler. Dabei handelt es sich um Maler, Bildhauer und Musiker.

1 Die Diskussionsteilnehmer und Moderatoren kommen aus Hamburg beziehungsweise Freiburg.

EINSTIEGSSEITE, S. 109

der Entwurf, ¨-e
die Schiene, -n
die Vision, -en

LESEN 1, S. 110–112

das Abwasser, ¨-er
der Feinstaub (Sg.)
der Kollektor, -en
die Kommune, -n
die Metropole, -n
die Optik, -en
der Pionier, -e
der Smog (Sg.)
die Solarzelle, -n
das Treibhausgas, -e
die Unmenge, -n
die Urbanisierung, -en
der Zustrom, ¨-e

anlocken
appellieren
ausstopfen
entgegenwirken
surren

Energie einspeisen
die Grundlage für etwas legen

innovativ
quirlig
ungebremst
ungeklärt (*hier:* unsauber)

andernfalls
unter der Bedingung, dass
im Falle, dass
sofern
sonst
vorausgesetzt, dass

SEHEN UND HÖREN, S. 113

das Beet, -e
der Dilettant, -en
die Diversität (Sg.)

etwas ansetzen
(*hier:* anpflanzen)

spießig

neuerdings

SCHREIBEN, S. 114

die Hektik (Sg.)

sich fernhalten von (+ Dat.),
hielt fern, hat ferngehalten

anonym

sich einer Sache bewusst werden

dahingehend
derartig
womöglich

WORTSCHATZ, S. 115

die Bevölkerungsdichte (Sg.)
die Diskrepanz, -en
(zwischen + Dat.)
die Provinz, -en
die Siedlung, -en
die Sparkasse, -n
die Tristesse, -n
die Wanderschaft (Sg.)

kreuzen

angewiesen auf (+ Akk.)
aufgeschlossen gegenüber
(+ Dat.)
bemüht um (+ Akk.)
dankbar für (+ Akk.)
erfahren in (+ Dat.)
erfreut über (+ Akk.)
gespannt auf (+ Akk.)
überzeugt von
zufrieden mit

einen trockenen Humor haben
eine spitze Zunge haben

kurzweilig

zurzeit

LESEN 2, S. 116

der Aussteiger, -
der Eigenbedarf (Sg.)
das Glasfasernetz, -e
die Nutzfläche, -n
die Schlosserwerkstatt, ¨-en
die Schneiderei, -en
die Urkunde, -n
der Vorstand, ¨-e
die Ziege, -n

los sein (*hier:* etwas passiert)

alternativ (*hier:* anders als
das bisher Übliche)
belästigt

obschon
obgleich
ungeachtet (+ Gen.)

HÖREN, S. 117

die Linde, -n

SPRECHEN, S. 118–119

der Blickkontakt, -e
die Jury, -s
der Kontrahent, -en

etwas ausführen (*hier:* erklären)
etwas behaupten
etwas erwidern
fungieren
hinterfragen
nicken
präzisieren

ein Argument anbringen,
brachte an, hat angebracht
an einem Punkt ansetzen

angemessen
schlagend (*hier:* ein schlagendes
Argument)
stichhaltig

beziehungsweise
respektive
vielmehr

LEKTIONSTEST 9

1 Wortschatz

Wie heißen die Wörter? Schreiben Sie.

1 Jemand, der ein anderes Leben als ein „normales“ führt: der ________________ (USATSIEREG)
2 Eine Mischung aus Abgasen und Luftfeuchtigkeit: der ____________ (MSOG)
3 Eine Stadt, die ein wichtiges Zentrum für etwas ist: die ________________ (MRTEOPLEO)
4 Ständige Unruhe und Eile, die nervös macht: die ____________ (HKTEIK)
5 Es ziehen immer mehr Menschen in die Städte: die ________________________ (RUBNAISIERNUG)

Je 1 Punkt **Ich habe ______ von 5 möglichen Punkten erreicht.**

2 Grammatik

a **Schreiben Sie die Sätze mit dem Wort in Klammern neu auf ein separates Blatt.**

1 Angenommen, dass die Tests positiv verlaufen, ist das selbstfahrende Auto bald Wirklichkeit. (bei)
2 Im Falle einer Realisierung erhöht das selbstfahrende Auto die Verkehrssicherheit. (wenn)
3 Ungeachtet ihres ganz normalen Aussehens steckt in diesen fahrerlosen Autos jede Menge Hightech. (obwohl)
4 Trotz aller erfreulichen Entwicklung der Technik bleibt die Frage, was mit den Daten passiert, die das autonome Auto in jeder Sekunde sammelt. (allerdings)

Je 3 Punkte **Ich habe ______ von 12 möglichen Punkten erreicht.**

b **Ergänzen Sie *gespannt, bemüht, glücklich, angewiesen* und *überzeugt* und die passende Präposition.**

Alex besitzt kein Auto mehr und er ist heute ________________ ________ (1) diese Entscheidung. Am Anfang war er ________________ dar________ (2), ob er es ohne Auto überhaupt aushalten würde. Aber seit die Stadtverwaltung ________________ ________ (3) autofreie Innenstädte ist, ist Autofahren in der Stadt nicht mehr attraktiv. Alex ist inzwischen völlig ________________ ________ (4) seiner neuen Fortbewegungsart. Die heutige Generation ist nicht mehr ________________ ________ (5) das Auto, sondern kombiniert stattdessen Fahrrad, Bahncard und Carsharing.

Je 2 Punkte **Ich habe ______ von 10 möglichen Punkten erreicht.**

3 Kommunikation

Ergänzen Sie *beziehungsweise, einsteigen, erwidern, hinterfragen, überzeugt* sowie *und zwar*.

1 Als Erstes könnten wir mit dem starken Argument „Autos im Zentrum schaden der Umwelt“ ________________ (1).
2 Darauf möchte ich ________________ (2), dass immer mehr Stadtverwaltungen Autos in der Innenstadt verbieten.
3 Wenn ich dich richtig verstanden habe, dann willst du sagen, dass die Städte etwas gegen Schmutz ________________ (3) Feinstaub unternehmen.
4 Das Argument ________________ (4) mich nicht, ________________ (5) aus folgendem Grund: In vielen Großstädten nehmen der Verkehr und die schlechte Luft zu.
5 Das Argument „Verkehr bedeutet automatisch schlechte Luft“ sollten wir kritisch ________________ (6).

Je 0,5 Punkte **Ich habe ______ von 3 möglichen Punkten erreicht.**

Auswertung: Vergleichen Sie Ihre Lösungen mit S. AB 203.
Ihre Erfolgspunkte tragen Sie unter jeder Aufgabe ein.

Ich habe ______ von 30 möglichen Punkten erreicht.

😊	😐	☹
30–26	25–15	14–0

WIEDERHOLUNG WORTSCHATZ

1 Über Autoren und Leser

Was passt? Ergänzen Sie in der richtigen Form.

Manche Autoren setzen sich beim Schreiben von Literatur mit Themen auseinander (1), die etwas mit ihrem eigenen Leben zu tun haben. *(ans Licht bringen / sich auseinandersetzen mit / etwas bewirken bei)*. Natürlich werden sie dabei auch oft von aktuellen Ereignissen ____________ (2) *(beeinflussen/desillusionieren/zerstreuen)*. Deshalb sind auch sehr persönliche Geschichten nie ganz ____________ (3) *(selbst verfasst/authentisch/ausführlich)*. Einem Schriftsteller sollte es natürlich auch gelingen, ____________ (4) *(bebildert/umfangreich/anschaulich)* zu schreiben. Was vor allem jüngere Leser nicht so sehr schätzen, sind ____________ (5) *(langatmig/abwechslungsreich/anspruchslos)* Beschreibungen. Wer sich nicht sicher ist, ob ihn ein Buch wirklich interessiert, kann einfach im Internet einige Seiten daraus ____________ (6) *(kommentieren/recherchieren/durchblättern)*, die Online-Buchhandlungen als Leseproben anbieten. Dort erfährt man aus den Leserbewertungen auch, wie gut beispielsweise ein neuer Roman ____________ (7) *(ausgehen/ankommen/reflektieren)*. Je ____________ (8) *(zeitgenössisch/renommiert/legendär)* ein Schriftsteller ist, desto besser verkaufen sich natürlich seine neuen ____________ (9) *(Werke/Handouts/Zeilen)*.

zur Einstiegsseite, S. 121, Ü1

2 Kluge Sprüche und ihre Bedeutung

LESEN

Welches Zitat passt? Ordnen Sie diese Erläuterungen den Zitaten im Kursbuch, S. 121, zu und ergänzen Sie jeweils das passende Zitat darunter.

1 Das ist ein Aufschrei gegen die Unterdrückung von Gedanken, Ideen, Kritik oder Utopien, ja eigentlich ein klares Statement für die Freiheit des Denkens und Schreibens.
Dort, wo man Bücher verbrennt, verbrennt man am Ende auch Menschen. (Heinrich Heine)

2 Bücher haben die Aufgabe, Menschen zu „knacken", ihr Innerstes nach außen zu kehren und sichtbar zu machen.

____

3 Bücher sind dazu da, sich daran zu freuen, die Menschen zum Träumen zu bringen und sie die Sorgen des Alltags vergessen zu lassen.

____

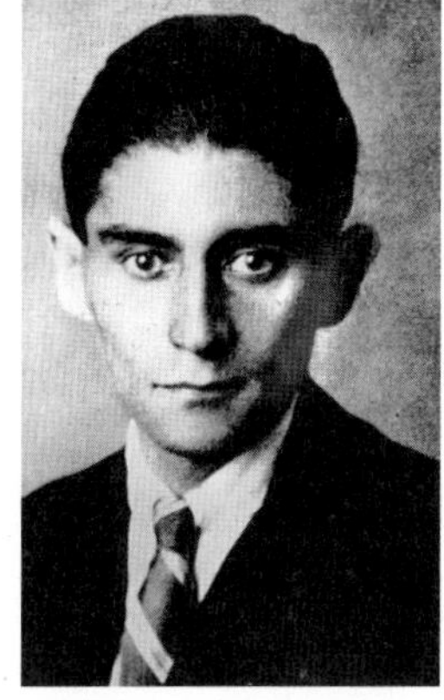
Franz Kafka (1883–1924)

4 Der Mensch muss auch im Kopf aktiv bleiben und sein Gehirn trainieren.

____

5 Beim Lesen kann man sich in eine andere Person verwandeln.

____

zu Lesen 1, S. 122, Ü2

3 Literatur, die mir zusagt

HÖREN

Lesen Sie die Fragen. Hören Sie dann zwei Anrufer in einer Radiosendung und notieren Sie Stichpunkte.

	Luis	Helena
1 Was liest die Person am liebsten?		
2 Über welche Autoren wird gesprochen?	Jörg Maurer	L. Feuchtwanger, ...
3 Welche Titel hat die Person gelesen?		„Erfolg", ...
4 Welche Hauptfiguren werden genannt?		
5 Wo spielen die Werke?		
6 Was fasziniert ihn/sie an diesen Romanen?		

zu Lesen 1, S. 122, Ü2

4 Was beim Lesen passiert ÜBUNG 1

WORTSCHATZ

Was passt nicht? Streichen Sie durch.

1 In ein Buch kann man *eintauchen.* / *sich vertiefen.* / ~~*sinken.*~~ / *versinken.*
2 Wenn einem beim Lesen etwas sofort klar wird, versteht man es *im Nu.* / *restlos.* / *auf Anhieb.* / *unmittelbar.*
3 Wer etwas unbedeutend findet, *benennt es.* / *tut es ab.* / *klammert es aus.* / *redet es klein.*
4 Wer mit Literatur nichts anfangen kann, findet keine/n *Zugang zu ihr.* / *Zutritt zu ihr.* / *Freude an ihr.* / *Gefallen an ihr.*

10

zu Lesen 1, S. 123, Ü3

5 Variationen der Satzstellung ÜBUNG 2, 3

GRAMMATIK ENTDECKEN

a **Ergänzen Sie die Sätze in der Tabelle.**

1 Belegen können die Neurowissenschaftler inzwischen einige ihrer Theorien.
2 Es wird in der heutigen Zeit kaum weniger gelesen oder geschrieben als früher.
3 Intensiv gelesen werden die meisten Texte heutzutage aber eher nicht.
4 Man ist nicht immer einverstanden mit der Meinung des Autors.

Vorfeld	Verb 1	Mittelfeld	Verb 2	Nachfeld
1 Belegen	können	die Neurowissenschaftler inzwischen einige ihrer Theorien.		

b **Was ist richtig? Markieren Sie.**

1 Im Vorfeld stehen können ...
☐ Vergleiche mit *als/wie.* ☐ Partizip II / Infinitiv.

2 Ins Nachfeld ausgeklammert werden können ...
☐ Vergleiche mit *als/wie.* ☐ Partizip II / Infinitiv. ☐ Nachträge / genauere Erklärungen.

zu Lesen 1, S. 123, Ü3

6 Lesen „wirkt“

GRAMMATIK

Schreiben Sie die Sätze mit unterschiedlicher Satzstellung.

1 Vorstellungskraft / durch Versinken / Welt der Fantasie / geschult werden
Die Vorstellungskraft wird durch das Versinken in die Welt der Fantasie geschult.
Geschult wird die Vorstellungskraft durch das Versinken in die Welt der Fantasie.

2 der aktive Wortschatz / bei Lesern / besser / als / bei Nichtlesern / gefestigt sein

3 das Lesen von Romanen / auch beim Schreiben von eigenen Texten / helfen können

4 regelmäßiges Lesen / das Gedächtnis / so effektiv / wie Gehirnjogging / trainieren können

5 Leser von Romanen / besser / als Nichtleser / in die Gefühle anderer / sich einfühlen können

6 sehr oft / man / in Romanen / über die Welt / etwas lernen können

zu Lesen 1, S. 123, Ü4

7 Nachsilben bei Nomen ÜBUNG 4, 5

GRAMMATIK

10

a **Bilden Sie Nomen auf *-tum*, *-ie*, *-(a)tion*, *-ität*, *-ur* und *-ium* und ergänzen Sie den passenden Artikel.**

1 aktiv: ______
2 sich irren: ______
3 informieren: ______
4 konzentrieren: ______
5 Literat: die Literatur
6 naiv: ______
7 Philosoph: ______
8 studieren: ______

b **Setzen Sie die Nomen aus a in der richtigen Form ein.**

LESEN – ABER RICHTIG!

Sowohl beim Lesen von Literatur (1) als auch beim Lesen von Fachtexten für das ______ (2) stellt sich die Frage, wie man so lesen kann, dass man das Gelesene wirklich versteht und auch behält. Wichtig sind Ruhe – für eine gute ______ (3) – und eine gewisse Portion eigene ______ (4). Es wäre ein großer ______ (5) und ein Zeichen von ______ (6) anzunehmen, der Autor des Textes denke für einen, und man müsse sich nicht selber mit dem Thema auseinandersetzen. Als Leser sollte man eine Diskussion mit dem Autor führen: „Das stimmt!“ – „Das sehe ich ganz anders!“ oder „?“ kann man an den Rand des Textes schreiben. Außerdem sollte man vor dem Lesen sein Wissen zu dem Thema nutzen, um die neuen ______ (7) besser einordnen zu können. Im besten Fall sind mit dem wirklichen Verstehen eines Textes neue Erkenntnisse verbunden. Aber das sind dann fast schon Fragen der ______ (8).

zu Wortschatz, S. 124, Ü1

8 Was fällt Ihnen dazu ein?

SCHREIBEN

Ergänzen Sie die Sätze frei.

1 Mein erstes Bilderbuch ...
2 Tagebuch schreiben finde ich ...
3 Hörbücher eignen sich ...
4 In Buchhandlungen gehe ich ...
5 Büchertausch gibt es ...
6 Ein echter Bücherwurm ...
7 Kochbücher sollten immer ...

1 Mein erstes Bilderbuch steht immer noch in meinem Bücherregal, es erinnert mich an viele schöne Stunden mit meiner Großmutter.

zu Wortschatz, S. 124, Ü2

9 Wie sagt man in der Literatur? ÜBUNG 6

WORTSCHATZ

Lesen Sie die Definitionen und bringen Sie die Buchstaben in Klammern in die richtige Reihenfolge.

1 Jede fiktive Geschichte hat natürlich einen real existierenden oder erfundenen Schauplatz (a t z S c h p l a u).
2 Meist hat die Hauptfigur, der sogenannte Protagonist, auch noch einen ______ (l e r G e s p i e g e n).
3 Die Handlung eines Romans nennt man auch ______ (l o P t).
4 Bei einem umfassenderen Roman gibt es oft mehrere ineinandergreifende ______ (n g e l u n g s H a s t r ä n d).
5 Durch einen gelungenen ______ (b o n n u n g s S p a g e n) wird der Autor die Leser bei der Lektüre in seinen Bann ziehen.
6 Wichtig ist auch, dass die Figuren in sich ______ (m i g m s t i) sind.
7 Je nachdem, wann, wo und von wem ein Roman gelesen wird, kann man ihn unterschiedlich interpretieren oder ______ (n a u s g e l e).

zu *Wussten Sie schon?*, S. 125

10 Die Wirkung von „Bestsellerlisten"

HÖREN

CD|AB

Lesen Sie die Sätze 1–9 und hören Sie anschließend ein Gespräch mit einer Buchhändlerin. Ergänzen Sie beim Hören die Sätze mit den passenden Informationen.

Buchhändlerin Lucia Binder

1 Die Buchhändlerin orientiert sich bei der Gestaltung der Büchertische an Bestsellerlisten.
2 Sie informiert sich über ______ auf der Liste.
3 Einige Romanbestseller ______ sie selbst.
4 Die bestverkauften zehn Titel bleiben oft ______ auf der Bestsellerliste.
5 Ein Autor, der einen Bestseller geschrieben hat, hat große ______.
6 Wahrscheinlich werden weitere Titel von ihm bei diesem Verlag ______.
7 Frau Binder findet circa die Hälfte der zehn meistverkauften Bücher ______.
8 Sie nennt verschiedene Möglichkeiten, wie man ______ gute Bücher nahebringen kann.
9 Die effektivste Methode ist ihrer Meinung nach, ______ zu organisieren.

zu Sprechen, S. 125, Ü3

11 Eines meiner Lieblingsbücher ÜBUNG 7, 8

KOMMUNIKATION

Lesen Sie die folgende Kurzpräsentation zu einem Roman und ergänzen Sie in der richtigen Form.

es handelt • das Romangeschehen spielt • erinnert sich an ihre • erschienen • man könnte die Handlung • ~~es handelt sich~~ • außerdem erfährt man • was mich an dem Buch so gefesselt hat, • gegen Ende ihres bewegten Lebens • das Buch gehört • wird das Leben der beiden Protagonisten

In meiner Kurzpräsentation möchte ich Euch einen meiner Lieblingsromane vorstellen. Es handelt sich (1) um den Roman „And the Mountains Echoed", auf Deutsch „Traumsammler", von Khaled Hosseini aus dem Jahr 2013. ______ (2) zu den bewegendsten Geschichten, die ich jemals gelesen habe, und ist auch in meinem Heimatland sehr bekannt.
Khaled Hosseinis Romane „Drachenläufer", „Tausend strahlende Sonnen" und „Traumsammler" ______ (3) in 70 Ländern und wurden zu Weltbestsellern.
______ (4) zwischen der zweiten Hälfte des 20. Jahrhunderts und dem Jahr 2010 in Afghanistan, aber auch in Griechenland und Frankreich.
______ (5) vom Schicksal zweier Geschwister aus einem kleinen afghanischen Dorf, der anfangs dreijährigen Pari und dem 10-jährigen Abdullah.
______ (6) wie folgt zusammenfassen: Die beiden werden schon in früher Kindheit auf herzzerreißende Weise voneinander getrennt. Diese Trennung ______ (7) für immer verändern, denn sie wachsen in ganz unterschiedlichen Welten auf und verlieren jeweils die Spur des anderen. Pari, die von einer reichen Familie „adoptiert" wird und mit ihrer neuen Mutter schließlich nach Frankreich zieht, ______ (8) eigentliche Familie und ihren Bruder bald nicht mehr. Dieser jedoch wird die kleine Schwester nie vergessen. ______ (9) findet Pari jedoch über Zufälle zu ihren Wurzeln zurück und erfährt von ihrem inzwischen verstorbenen Bruder.
______ (10) ist, dass man in so unterschiedliche Welten hineinversetzt wird und die Gefühle und Handlungen der Personen sehr gut nachempfinden kann.
______ (11) eine Menge darüber, wie die Menschen in Afghanistan angesichts der im Lande entstandenen Gewalt und der Kriege zu überleben versuchen.
Alles in allem möchte ich Euch den Roman wärmstens ans Herz legen, Ihr werdet ihn kaum aus der Hand legen. Vielen Dank für Eure Aufmerksamkeit!

zu Lesen 2, S. 126, Ü1

12 Umgangssprache und Idiomatik

WORTSCHATZ

Ordnen Sie die umgangssprachlichen und idiomatischen Wendungen aus dem Text im Kursbuch, S. 126/127, den Umschreibungen zu.

Ausdrücke aus dem Text:
1 Es gelang ihm, das Steuer herumzureissen. (Z. 15/16) — E
2 einen Mitarbeiter zusammenscheissen (Z. 38)
3 „Wie mich das alles ankotzt." (Z. 41)
4 dem Gedächtnis auf die Sprünge helfen (Z. 62/63)
5 „Verpiss dich!" (Z. 77)

Das bedeutet, dass …
A man versucht, sich an etwas genau zu erinnern.
B man gerade sehr unzufrieden mit den Umständen ist.
C man jemanden schnell loswerden möchte.
D man jemandem Vorwürfe und Vorhaltungen macht.
E man in einer schwierigen Situation eine plötzliche Wendung herbeiführen kann.

zu Lesen 2, S. 126, Ü1

13 Definitionen ÜBUNG 9

WORTSCHATZ

Ergänzen Sie jeweils ein passendes Adjektiv oder Adverb. Sie können dazu auch die Lernwortschatzseite heranziehen.

1 Jemand, der alles sehr ordentlich und genau erledigt, arbeitet sorgfältig.
2 Menschen oder Dinge, die auch nach intensiver Suche nicht mehr auftauchen, sind ____________ verschwunden.
3 Wer Probleme hat, anderen seine Empfindungen und Gefühle zu zeigen, ist ____________.
4 Wenn man nicht einschätzen kann, wie jemand reagiert, gilt er als ____________.
5 Eine Bemerkung, die den Kern einer Sache gut wiedergibt, bezeichnet man als ____________.
6 Personen, die am liebsten gut essen und trinken, sind ____________.

WIEDERHOLUNG GRAMMATIK

zu Lesen 2, S. 127, Ü2

14 Das Interpretieren von Texten

a **Was passt nicht? Streichen Sie durch.**

Umgang mit Texten

Seit/~~*Bis zu*~~ (1) der Antike gibt es Textinterpretationen. *Nach*/*Beim* (2) Interpretieren versteht man den Text nicht einfach naiv, sondern man versucht, die Bedeutung des Textes zu erklären. *Seit*/*Vor* (3) dem Lesen sollte man sich etwas über den Autor und die Zeit informieren. Oft ergeben sich schon *während*/*nach* (4) des ersten Lesens bestimmte Fragen, weil fast kein literarischer Text ganz eindeutig ist. *Während*/*Seit* (5) oder *bis*/*gleich nach* (6) der ersten Lektüre schreibt man sich diese Fragen am besten auf, denn so kann man sich zur tieferen Bedeutung des Textes vorarbeiten. Man muss die eigenen Fragen dann *seit*/*nach* (7) dem Lesen sortieren: Was habe ich persönlich nicht verstanden, was ist im Text selbst nicht eindeutig? Wenn man so weit ist, ist der Weg *während*/*bis zu* (8) einer guten Interpretation des Textes nicht mehr weit.

b **Lesen Sie die Sätze und markieren Sie jeweils den Nebensatzkonnektor und das Tempus. Ergänzen Sie dann beides in der Tabelle.**

1 Immer wenn ich in der Schule Texte interpretieren sollte, ist mir nichts Vernünftiges eingefallen.
2 Nachdem ich den Test abgegeben hatte, habe ich mich über mich selbst geärgert.
3 Als wir einmal einen Test geschrieben haben, habe ich von meiner Nachbarin abgeschrieben.
4 Immer wenn ich gute Literatur lese, macht mir das großen Spaß, denn man kann so viel Interessantes erfahren.
5 Nachdem ich ein gutes Buch fertig gelesen habe, bin ich manchmal fast etwas traurig.
6 Wenn du nachher kommst, bring mir bitte die Bücher wieder mit, die ich dir geliehen habe.

Konnektor		Zeit/Tempus
a Als	einmaliges Ereignis in der Vergangenheit	
b	mehrmaliges Ereignis in der Vergangenheit	
c	einmaliges Ereignis in der Gegenwart/Zukunft	
d	mehrmaliges Ereignis in der Gegenwart/Zukunft	
e Nachdem	Wenn im Hauptsatz Präsens steht, steht im Satz mit *nachdem* ...	
f Nachdem	Wenn im Hauptsatz Präteritum oder Perfekt steht, steht im Satz mit *nachdem* in der Regel ...	Plusquamperfekt

zu Lesen 2, S. 127, Ü2

15 Satzstrukturen: Temporale Zusammenhänge ÜBUNG 10, 11 GRAMMATIK ENTDECKEN

a **Lesen Sie die E-Mail und ordnen Sie die Sätze zu.**

- [4] währenddessen sitze ich hier in Köln bei Wasser und Brot. [X] HS [ ] NS
- [ ] seither habe ich nichts von Ihnen gehört! [ ] HS [ ] NS
- [ ] bevor ich mir einen anderen Verleger suche. [ ] HS [ ] NS
- [ ] woraufhin ich bei meiner Bank einen kleinen Kredit aufgenommen habe [ ] HS [ ] NS
- [ ] daraufhin habe ich mich etwas beruhigt. [ ] HS [ ] NS

Sehr geehrter Herr Verleger Ritter,

das Manuskript meines letzten Romans haben Sie vor vier (!!!) Monaten bekommen, (1) Vor drei Wochen habe ich mit Ihrer Assistentin telefoniert, die mir gesagt hat, dass Sie bald aus dem Urlaub zurückkommen, (2) Sie hat mir eine baldige Antwort von Ihnen und eine Anzahlung in Aussicht gestellt, (3) – man muss schließlich leben. Nun ist bis zum heutigen Tag nichts von Ihnen gekommen. Wie soll ich das meiner Bank erklären? Wovon soll ich den Kredit zurückzahlen? Sie machen in Südfrankreich Urlaub und trinken Rotwein, (4) Ich empfehle Ihnen, sich bei mir zu melden, (5)

In Erwartung Ihrer baldigen Antwort

Ihr
Frank Schätz

b **Markieren Sie in a, ob der Temporalsatz ein Hauptsatz (HS) oder ein Nebensatz (NS) ist.**

zu Lesen 2, S. 127, Ü2

16 Toms Kurzgeschichte GRAMMATIK

Schreiben Sie je einen Satz mit den Wörtern in Klammern.

1. Tom bekommt den Auftrag, in fünf Tagen eine Kurzgeschichte abzugeben. Er setzt sich gleich an seinen Computer. (nachdem; woraufhin)
2. Tom hat lange Zeit keine wirklich gute Idee für eine Geschichte. Er gerät in Stress. (woraufhin, daraufhin)
3. Autoren wollen oder sollen Texte schreiben. Es gibt Schreibblockaden. (seitdem, seit)
4. Tom geht spazieren und hört dem Gesang der Vögel zu. Er hofft auf Inspiration. (währenddessen, während)
5. Der Text ist endlich fertig. Tom ist erleichtert. (als, danach)
6. Tom hat die Kurzgeschichte noch einmal durchgelesen. Er schickt den Text an den Verlag. (bevor, nachdem)

1 Nachdem Tom den Auftrag bekommen hat, in fünf Tagen eine Kurzgeschichte abzugeben, setzt er sich gleich an seinen Computer.
Tom bekommt den Auftrag, in fünf Tagen eine Kurzgeschichte abzugeben, woraufhin er sich gleich an seinen Computer setzt.

zu Lesen 2, S. 127, Ü2

17 Autoren, Verleger und Leser

GRAMMATIK

a **Schreiben Sie die kursiven Satzteile im Verbal- oder Nominalstil.**

1 *Beim Lesen literarischer Texte* muss man als Verleger auf Inhalt und Sprache achten.
Wenn man literarische Texte liest, muss man als Verleger auf Inhalt und Sprache achten.

2 *Während sie an ihrem Text arbeiten,* haben Autoren Diskussionsbedarf und brauchen Beratung.
____
_______________ haben Autoren Diskussionsbedarf und brauchen Beratung.

3 Manche Autoren rufen ihren fußballbegeisterten Verleger meist *kurz vor dem Beginn eines spannenden Fußballspiels* an.
Manche Autoren rufen ihren fußballbegeisterten Verleger meist an,
_______________.

4 Die Autoren lesen dann aus ihrem neuesten Werk vor, *bis das Spiel beendet ist.*
Die Autoren lesen dann _______________ aus ihrem neuesten Werk vor.

5 Ob ein Werk gut oder schlecht ist, sagt man dem Autor am besten gleich *nach der Abgabe des Manuskripts.*
Ob ein Werk gut oder schlecht ist, sagt man dem Autor am besten gleich,
_______________.

6 *Nachdem das Werk veröffentlicht worden ist,* wird das Buch oft in Talkshows präsentiert.
_______________ wird das Buch oft in Talkshows präsentiert.

10

b **Ergänzen Sie die Sätze frei.**

1 Als ich das erste Mal einen Roman auf Deutsch gelesen habe, habe ich nur wenig verstanden.
2 Seitdem ich deutsche Texte lese, ...
3 Nachdem ich ein gutes Buch gelesen habe, ...
4 Sobald ich einen Kriminalroman in der Hand habe, ...
5 Solange ich mit einem guten Buch ins Bett gehen kann, ...
6 Während ich meine Lieblingsmusik höre, ...

zu Hören, S. 128, Ü2

18 Die Vermessung der Welt

FILMTIPP / LESEN

Lesen Sie die Internet-Filmkritiken. In welchem Textabsatz A–F finden Sie Antworten auf die Fragen (1–9)? Es gibt jeweils nur eine richtige Lösung. Jeder Absatz kann Antworten auf mehrere Fragen enthalten.

In welchem Text ...

- [A] 1 erläutert der Autor, was den Naturforscher Humboldt und den Mathematiker Gauß grundlegend voneinander unterscheidet?
- [ ] 2 hätte sich der Autor eine differenziertere Darstellung der beiden Hauptfiguren gewünscht?
- [ ] 3 bewundert der Autor die logistische, filmtechnische und zeitliche Leistung der Romanverfilmung?
- [ ] 4 ist der Autor von der visuellen Umsetzung der Romanhandlung begeistert, kritisiert aber die Darstellung der beiden Hauptcharaktere?
- [ ] 5 beschreibt der Autor die Lebensumstände und die familiäre Herkunft der beiden Hauptfiguren?
- [ ] 6 lobt der Autor den seiner Meinung nach rundum gelungenen Film?
- [ ] 7 bemängelt der Autor, dass in dem Film fast nichts wirklich zusammenpasst?
- [ ] 8 legt der Autor dar, welch ähnlicher „Mission" sich die beiden Hauptfiguren verschrieben haben?
- [ ] 9 beschreibt der Autor, wie die literarische Vorlage zum Film beim Publikum ankam?

A Als Kinder begegnen sich der Naturforscher Alexander von Humboldt (1769–1859) und der Mathematiker Carl Friedrich Gauß (1777–1855), die beide später als Genies in die Geschichte eingehen, zum ersten Mal. Von Anfang an hätten sie nicht unterschiedlicher sein können. Von Humboldt ist ein Adliger, verwandt mit dem Herzog (Michael Maertens) und Dauergast am Hofe. Er will hinaus in die Welt, doch seine reiche Mutter (Sunnyi Melles) lässt ihn nicht. Gauß stammt aus ärmsten Verhältnissen, er ist aber ein mathematisches Genie und erhält so ein Stipendium des Herzogs.

B Viele Jahre später machen sich beide auf ihre eigene, wieder ganz konträre Weise auf, die Welt zu entdecken, sie zu vermessen. Von Humboldt (Albrecht A. Schuch) bereist nach dem Tod seiner Mutter fremde Kontinente, schlägt sich durch den dichten Urwald Südamerikas, trifft indigene Völker und erklettert Gletscher. Gauß (Florian D. Fitz) bleibt lieber in heimischen Gefilden – er hat das Königreich Hannover nie freiwillig verlassen – und tüftelt an mathematischen Formeln, die die Wissenschaft verändern sollen. Doch die beiden Charaktere sind durch ihre unbändige Neugier und ihren unstillbaren Forschergeist auf eine gewisse Art und Weise miteinander verbunden. Als sie schon deutlich in die Jahre gekommen sind, treffen sie in Berlin noch einmal aufeinander. *von Andi Staberl*

C Daniel Kehlmanns 2005 erschienener historischer Roman „Die Vermessung der Welt" ist einer der größten Erfolge der deutschen Nachkriegsliteratur. Die fiktive Doppelbiografie über die beiden Wissenschaftskoryphäen Carl Friedrich Gauß und Alexander von Humboldt wurde in über 40 Sprachen übersetzt und war laut New York Times im Jahr 2006 das weltweit am zweithäufigsten verkaufte Buch. Eine Kino-Adaption des zeitlich, räumlich und gedanklich weitgespannten Werkes muss jedem Leser als gewaltige Herausforderung erscheinen und den Gedanken, diesen Stoff in nur 31 Drehtagen, in aufwendiger 3D-Technik und zu großen Teilen im Amazonasgebiet von Ecuador zu verfilmen, mögen manche als – das Wortspiel muss sein – vermessenes Wagnis betrachten.

D Aber die Abenteuerlust und die Risikobereitschaft der Filmemacher erweist sich nicht nur als hübsche Parallele zum Pionier- und Entdeckergeist der beiden Hauptfiguren, sondern sie macht sich auch künstlerisch bezahlt. Gerade die Entscheidung, in 3D zu drehen, ist ein wahrer Glücksfall. Die dritte Dimension führt zu beeindruckend plastischen Bildern von wilder Flora und Fauna, die hinter keiner Hollywood-Produktion zurückstehen, dazu besitzt sie hier aber auch einen erzählerischen Mehrwert, wie er bisher fast noch nie zu sehen war. So wird aus „Die Vermessung der Welt" unter der Regie von Detlev Buck ein faszinierendes Film-Abenteuer und ein lebendiger Abenteuerfilm über zwei ungewöhnliche Männer, über Liebe, Wissenschaft, Geschichte und Natur. *von Lina F. Watt*

E Der Film hat mich besonders in Bezug auf die optischen Effekte und die Schnitttechnik beeindruckt. In den Urwald Südamerikas mittels eines 3D-Films einzutauchen, ist ein Kinoerlebnis und gleichzeitig ein passendes Bild für das Überschreiten von Grenzen. Wenn sich dann plötzlich das ganze Bild auf den Kopf stellt, ist das ein gelungener Kunstgriff, um den Sprung zwischen den gegensätzlichen Leben der beiden „Weltvermesser" am jeweils anderen Ende der Welt zu inszenieren. Hier das innerlich an seinen Heimatort gefesselte Mathegenie Gauß, dort der eifrige Erkunder Humboldt. Dieser Dualismus ist in der filmischen Umsetzung allerdings reichlich übertrieben, sodass die beiden Hauptfiguren fast holzschnittartig gezeichnet hart an der Grenze zur Karikatur sind. Die Zuschauer sollten sich daher eher mit den Augen als mit dem Kopf auf das Kinoerlebnis einlassen. *von Klaus Hummel*

F Dieser Literaturverfilmung kann ich nicht besonders viel abgewinnen. Die beiden Hauptfiguren werden als nicht sonderlich differenzierte, eher simpel gestrickte Charaktere gezeigt. Viel zu ausführlich, ja fast ermüdend wirken dagegen die gänzlich voneinander abgegrenzten Erzählstränge. Dabei hätte ein wesentlich ansprechenderer Film entstehen können, hätte man die Persönlichkeitsmerkmale dieser beiden faszinierenden Menschen feiner herausgearbeitet. Leider bedient man hier – vor allem bei der Darstellung Humboldts – gängige Klischees und billigen Humor. Das soll den Film wohl fürs breite Publikum gefällig machen. Aber selbst durch die im 3D-Format beeindruckenden Naturszenen wird der Film nicht sehenswerter. *von Frederike Hansen*

10

zu Hören, S. 128, Ü2

19 Eine (sehenswerte) Literaturverfilmung

SCHREIBEN

Verfassen Sie nun einen Beitrag zu einer Literaturverfilmung, von der Sie sowohl das Buch gelesen als auch den Film gesehen haben. Schreiben Sie etwas zu den folgenden Punkten und verwenden Sie dabei die folgenden Redemittel.

- Schildern Sie kurz den Inhalt von Buch und Film.
- Gibt es wesentliche Unterschiede zwischen den beiden Werken? Wenn ja, welche?
- Entsprach die Verfilmung Ihren Erwartungen? Warum (nicht)?
- Welche Vor- bzw. Nachteile haben Verfilmungen literarischer Vorlagen allgemein?

eine Literaturverfilmung mit der Buchvorlage vergleichen

„*In dem Film mit dem Titel ... geht es um ... /*
Der Film ... handelt von ...
Er basiert auf einer literarischen Vorlage, die ...
Beim Vergleich zwischen Buch und Film / filmischer Adaption stellt man fest, dass ...
Die Visualisierung der Geschichte trägt dazu bei, dass ...
... unterscheidet sich in folgenden Punkten von ...
Nach der Lektüre von ... habe/hätte ich erwartet, dass ...
... wurden vollständig / im Wesentlichen / teilweise / eher nicht erfüllt, denn ...
Deshalb / Aus diesem Grund empfehle ich, ... zu ...“

In dem Film mit dem Titel „Die Wand“ geht es um eine Frau, die allein auf einer Berghütte in den Alpen plötzlich feststellt, dass es um sie herum eine Art unsichtbare Wand gibt und sie der einzige Mensch auf dieser Seite der Wand ist. Das filmische Drama aus dem Jahr 2012 basiert auf dem gleichnamigen Roman der Österreicherin Marlene Haushofer, der bereits 1963 erschien ...

zu Schreiben, S. 129, Ü1

20 Ein Gedicht

LESEN

a **Lesen Sie nun ein berühmtes Gedicht von Rainer Maria Rilke (1875–1926). Ergänzen Sie die Gedichtteile. Achten Sie dabei auf Logik sowie auf mögliche Reime.**

ist wie ein Tanz von Kraft um eine Mitte, in der betäubt ein großer Wille steht. • geht durch der Glieder angespannte Stille – und hört im Herzen auf zu sein. • Ihm ist, als ob es tausend Stäbe gäbe und hinter tausend Stäben keine Welt.

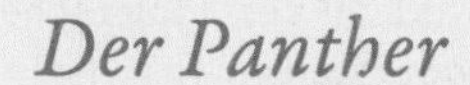

Der Panther

Im Jardin des Plantes, Paris

Sein Blick ist vom Vorübergehn der Stäbe so müd' geworden, dass er nichts mehr hält.

____

Der weiche Gang geschmeidig starker Schritte, der sich im allerkleinsten Kreise dreht,

____

Nur manchmal schiebt der Vorhang der Pupille sich lautlos auf. Dann geht ein Bild hinein,

____

b **Hören Sie nun das Gedicht „Der Panther" und kontrollieren Sie.**

c **Lesen Sie das Gedicht noch einmal laut und versuchen Sie, es richtig zu betonen.**

d Welche Schlagwörter passen zum Gedicht? Markieren Sie und ergänzen Sie gegebenenfalls weitere Begriffe.

☐ Freiheit • ☐ Gefangenschaft • ☐ Erschöpfung • ☐ Lebenskraft • ☐ Verlorensein • ☐ Betäubung • ☐ Freude • ☐ Willenlosigkeit • ☐ geheime Stärke • ☐ Resignation • ☐ Routine • ☐ Abwechslung • ☐ ...

zu Schreiben, S. 129, Ü2

21 Aktion oder Zustand? ÜBUNG 12

GRAMMATIK

a **Bilden Sie Ausdrücke mit nominalisiertem Infinitiv und *im* oder *beim* und ergänzen Sie frei.**

1 Während man schwimmt: Beim Schwimmen kommen mir oft die besten Ideen.
2 Wenn man liegt: ______
3 Wenn man spazieren geht: ______
4 Wenn man liest: ______
5 Wenn man kocht: ______
6 Während man steht: ______

b ***Am* oder *beim* + nominalisierter Infinitiv: Welche Ausdrücke sind eher umgangssprachlich? Markieren Sie.**

☒ 1 Max ist gerade am Aufräumen.
☐ 2 Eva kann sich beim Joggen unterhalten.
☐ 3 Fritz ist gerade am Telefonieren.
☐ 4 Tina war gestern fast am Durchdrehen.
☐ 5 Ulli ärgert sich beim Tennisspielen oft über seine Fehler.
☐ 6 Mario ist zurzeit am Abnehmen.

c **Was bedeuten die Ausdrücke mit *sein + am* + nominalisiertem Infinitiv? Markieren Sie.**

☐ Man tut etwas gerade.
☐ Man tut etwas regelmäßig.

zu Sehen und Hören, S. 131, Ü2

22 Der Klappentext ÜBUNG 13

LESEN

Lesen Sie den Klappentext des Romans von Beatrix Mannel. Was ist richtig? Markieren Sie.

Die Insel des Mondes

Madagaskar im Jahre 1880: Die 20-jährige Paula macht sich nach dem *dramatischen/drastischen* (1) Ende ihrer Ehe auf in die Wildnis dieser fernen, exotischen Insel, um ein Erbe *zu betreten/anzutreten* (2). Sie will
5 die Vanilleplantage ihrer verstorbenen Großmutter finden, um deren Traum von der Erschaffung eines einzigartigen Parfums zu *verspielen/verwirklichen* (3).
Den Weg durch den gefährlichen Dschungel tritt sie gemeinsam mit drei Reisegefährten an, die recht unterschiedliche *Beweggründe/Erklärungen* (4)
10 für diese Unternehmung haben: Der christliche Missionar Morten will auf der Insel eine Missionsstation *errichten/erreichen* (5), der Arzt Henri Villeneuve und sein Assistent Lázló Kalasz sind auf der Suche nach *spannenden/seltenen* (6) Heilpflanzen. Anfangs *ahnt/kennt* (7) Paula noch nicht, wie sehr diese Reise ihr Leben verändern wird: Doch dann beschwört ihre Ankunft auf der
15 *verlassenen/verlorenen* (8) Plantage dunkle Geister der Vergangenheit herauf, die Paula in ein tödliches Spiel verwickeln. Ein Spiel, das sie allein mit einem *magnetischen/magischen* (9) Duft gewinnen kann. Dieser Duft *rettet/verletzt* (10) nicht nur ihre Seele, sondern auch ihr verwundetes Herz.

ORIGINALAUSGABE
Diana Verlag
BEATRIX MANNEL
Die Insel des Mondes
ROMAN

10

WIEDERHOLUNG GRAMMATIK

zu Sehen und Hören, S. 131, Ü3

23 Schnell oder langsam lesen?

Verbinden Sie die Sätze mit *um ... zu* oder *damit*.

1 Oft muss man in einem Buch nur wenige Seiten lesen. Man will herausfinden, was einen interessiert.
Oft muss man in einem Buch nur wenige Seiten lesen, um herauszufinden, was einen interessiert.

2 Sie wollen ein Gefühl für ein Buch bekommen. Überfliegen Sie Titel und Klappentext.

3 Sie möchten das Buch kennenlernen. Blättern Sie es von vorn nach hinten durch.

4 Eigene Notizen im Buch sind sinnvoll. Man will wichtige Punkte schnell wiederfinden.

5 Sie möchten richtig zitieren. Schreiben Sie sich dazu die entsprechenden Seitenzahlen auf.

6 Ihr Professor gibt Ihnen einen langen Text. Sie sollen den Text zum nächsten Seminar vorbereiten.

10

zu Sehen und Hören, S. 131, Ü3

24 Satzstrukturen: Finale Zusammenhänge ÜBUNG 14, 15

GRAMMATIK ENTDECKEN

a **Unterstreichen Sie in beiden Spalten die Elemente, die finale Zusammenhänge ausdrücken.**

Tipps für angehende Autoren	
1 Um in Ruhe an ihrem Roman zu arbeiten, zieht sich Lena auf eine kleine Insel zurück.	Lena will in Ruhe an ihrem Roman arbeiten, wozu sie sich auf eine kleine Insel zurückzieht.
2 Um ein Buch über Fußballspielen zu schreiben, braucht man viele Informationen.	Man will ein Buch über Fußballspielen schreiben. Dazu braucht man viele Informationen.
3 Um den eigenen Wortschatz zu erweitern, schreibt man sich am besten die Wörter auf, die man zwar versteht, aber selbst nicht aktiv verwendet.	Zur Erweiterung des eigenen Wortschatzes schreibt man sich am besten die Wörter auf, die man zwar versteht, aber selbst nicht aktiv verwendet.
4 Um gute Texte zu bekommen, braucht man gute Ideen.	Für gute Texte braucht man gute Ideen.
5 Damit rechtliche Fragen bei zitierten Texten geklärt werden, geht man am besten zu einem Juristen.	Zwecks einer Klärung von rechtlichen Fragen bei zitierten Texten geht man am besten zu einem Juristen.

b **Was ist richtig? Markieren Sie.**

1 *Dazu* leitet einen Nebensatz ein.
2 *Wozu* leitet einen Nebensatz ein.
3 *Zu* + Dativ / *Für* + Akkusativ können finale Zusammenhänge ausdrücken. Sie stehen häufig im Vorfeld.
4 *Zwecks* + Genitiv / *Zum Zweck* + Genitiv ist eher umgangssprachlich.

zu Sehen und Hören, S. 131, Ü3

25 Schreibwerkstatt

GRAMMATIK

a **Warum schreiben Schriftsteller? Bilden Sie Sätze mit *für* oder *zum/zur*.**

1 Ein Schriftsteller braucht meistens mehrere gute Bücher, um berühmt zu werden.
2 Die wenigsten schreiben, damit sie Geld verdienen.
3 Einige schreiben Bücher, um die Welt zu verändern.
4 Viele schreiben, um neue Ideen zu verbreiten.
5 Die wenigsten dichten, um unsterblich zu werden.

1 Zum Berühmtwerden braucht ein Schriftsteller meistens mehrere gute Bücher.

b **Bilden Sie Sätze mit *um ... zu* oder *damit*.**

1 Man will gute Kurzgeschichten schreiben können, dafür braucht man eine Ausbildung.
Um gute Kurzgeschichten schreiben zu können, braucht man eine Ausbildung.

2 Junge Autoren wollen ihr Handwerk erlernen, dazu besuchen sie Kurse wie „Kreatives Schreiben".

3 Für die Teilnahme am nächsten Kurs „Autor werden" muss man sich jetzt schon anmelden.

4 Ein Autor will gute Texte über Musik schreiben können, wozu er nicht unbedingt selbst ein Instrument spielen muss.

5 Autoren arbeiten an ruhigen Orten, wozu sie gern aufs Land fahren.

6 Junge Autoren wollen eine qualifizierte Rückmeldung zu ihren Texten bekommen. Dafür gibt es Ansprechpartner in verschiedenen Foren im Internet.

7 Zur Organisation des Wettbewerbs „Der spannendste Krimi" brauchen wir noch freiwillige Helfer.

c **Ergänzen Sie die Sätze mit anderen finalen Strukturen.**

1 Um einen guten Kriminalroman zu schreiben, muss man nicht unbedingt mit einem Mord beginnen.
Zum Schreiben eines guten Kriminalromans muss man nicht unbedingt mit einem Mord beginnen.

2 Die schöne Vivian engagiert den Detektiv Philip M., damit er ihre kleine Schwester findet.
Der Detektiv Philip M. soll ______,
dafür ______

3 Um den Mordfall aufzuklären, reist der Kommissar nach Mexiko.
______ reist der Kommissar nach Mexiko.

4 Viele junge Autoren suchen einen Verlag, damit sie ihre Geschichte veröffentlichen können.
Viele junge Autoren wollen ihre Geschichte veröffentlichen,
______ suchen.

5 Um einen Termin zu vereinbaren, wendet man sich am besten an das Sekretariat.
Zwecks ______ wendet man sich am besten an das Sekretariat.

10

AUSSPRACHE: Pausierungen und ihre Funktionen

1 Der gleiche Satz, ein anderer Sinn

a **Erstellen Sie aus den folgenden Äußerungen durch Satzzeichen verschiedene Varianten mit unterschiedlichem Sinn.**

1 Lisa kann Andreas hören — Lisa kann Andreas hören. Lisa, kann Andreas hören?

2 Das ist meine Freundin Barbara

3 Im Haus nicht im Garten

4 Henry sagt Markus ist ein guter Lehrer

48 CD AB

b **Hören Sie und vergleichen Sie.**

2 Ein Gedicht hören und Sinnzusammenhänge erfassen

49–50 CD AB

a **Hören Sie das Gedicht „Schreiben" in zwei Varianten. Ergänzen Sie jeweils die fehlenden Satzzeichen an den Stellen, an denen Sie Pausen hören.**

Variante 1

Schreiben

Weiß und leer ist das Papier
schon seit Stunden sitz ich hier
auf dem Stuhl in meiner Hand
einen Bleistift an der Wand (5)
hundert Bilder in meinem Geist
bin ich durch die Zeit gereist
doch das Papier bleibt weiß und leer.
Ach, das Schreiben ist so schwer!

Variante 2

Schreiben

Weiß und leer ist das Papier
schon seit Stunden sitz ich hier
auf dem Stuhl in meiner Hand
einen Bleistift an der Wand (5)
hundert Bilder in meinem Geist
bin ich durch die Zeit gereist
doch das Papier bleibt weiß und leer.
Ach, das Schreiben ist so schwer!

49–50 CD AB

b **Hören Sie beide Varianten noch einmal. Welche ist inhaltlich sinnvoller? Warum?**

3 Ein Gedicht vortragen

a **Lesen Sie das Gedicht „Lesen" in zwei Varianten. In welcher stehen die Satzzeichen an inhaltlich passender Stelle? Tragen Sie diese Variante laut vor.**

Variante 1

Lesen

Lesen macht Freude und lässt mich träumen,
von Abenteuern in anderen Zeiten und Räumen.
Zu leben mit unbekannten Figuren,
zu fühlen ganz andere Kulturen, (5)
zu verstehen völlig neue Speisen,
zu probieren, durch die Fantasie zu reisen!
Habe nie das Gefühl, dass ich Zeit vergeude.
Ach, das Lesen ist reinste Freude!

Variante 2

Lesen

Lesen macht Freude und lässt mich träumen
von Abenteuern. In anderen Zeiten und Räumen
zu leben, mit unbekannten Figuren
zu fühlen, ganz andere Kulturen (5)
zu verstehen, völlig neue Speisen
zu probieren, durch die Fantasie zu reisen!
Habe nie das Gefühl, dass ich Zeit vergeude.
Ach, das Lesen ist reinste Freude!

51–52 CD AB

b **Hören Sie die beiden Varianten aus a und vergleichen Sie die inhaltlich sinnvollere mit Ihrem eigenen Vortrag.**

10

EINSTIEGSSEITE, S. 121

der Ausspruch, ¨-e
der Schmetterling, -e

ahnen

LESEN 1, S. 122–123

die Erkenntnis, -se
die Fantasie, -n
die Frustration, -en
die Intensität, -en
der Irrtum, ¨-er
die Kreativität (Sg.)
der Literat, -en
die Manipulation, -en
die Naivität (Sg.)
der Philosoph, -en
die Philosophie, -n
der Reichtum, ¨-er
der Ruhm (Sg.)
die Spekulation, -en
der Untergang, ¨-e
der Verrat (Sg.)
der Zugang, ¨-e

beiwohnen (*hier:* dabei sein)
eintauchen
empfinden, empfand,
hat empfunden
versinken, versank,
ist versunken

etwas abtun als, tat ab,
hat abgetan
die Rede sein von
auf Anhieb verstehen,
verstand, hat verstanden

präzise
pur
restlos
süchtig
winzig

zugleich

WORTSCHATZ, S. 124

die Auslegung, -en
der Gegenspieler, -
der Handlungsstrang, ¨-e
die Identität, -en
die Lektüre, -n
die Lesart, -en
der Plot, -s
der Protagonist, -en
der Schauplatz, ¨-e
der Spannungsbogen, ¨-

agieren
etwas ansiedeln (*hier:* platzieren)
etwas auslegen
(*hier:* interpretieren)

jemanden in den Bann ziehen,
zog, hat gezogen

identitätsstiftend
stimmig

SPRECHEN, S. 125

die Belletristik (Sg.)
der Bestseller, -

sich durch etwas auszeichnen
erscheinen, erschien,
ist erschienen

es handelt sich bei ... um (+ Akk.)
jemandem etwas ans Herz legen

LESEN 2, S. 126–127

die Effizienz, -en
die Panik, -en

bedauern
schildern

jemandem Vorhaltungen
machen

gehemmt
genussorientiert
hemmungslos
hinterhältig
schüchtern
sorgfältig
spurlos
treffend
unberechenbar
verkrampft
verunsichert

währenddessen
woraufhin

HÖREN, S. 128

die Adaption, -en
die Bebilderung, -en
die Dramaturgie, -n
die Einmischung, -en

sich einmischen in (+ Akk.)

dramaturgisch

SCHREIBEN, S. 129–130

der Einfall, ¨-e
das Gedicht, -e
der Klang, ¨-e
die Silbe, -n
der Vers, -e

abschließen (*hier:* beenden),
schloss ab, hat abgeschlossen
knien
(sich) reimen
wiederkehren

jemandem ist um etwas bange
sich gut halten, hielt,
hat gehalten

kompatibel

SEHEN UND HÖREN, S. 131

die Inspiration, -en
die Phase, -n
der Verlag, -e
der Vorzug, ¨-e

zwecks (+ Gen.)

LEKTIONSTEST 10

1 Wortschatz

Ergänzen Sie die Begriffe.

1 Ein Buch, das sich sehr gut verkauft, ist ein B_______________.
2 An so einem Buch verdient auch der V________, der das Buch produziert.
3 Ein Schriftsteller muss sich für seinen Roman einen guten P_____ überlegen.
4 Der Protagonist hat meist einen oder mehrere G_______________.
5 Der Ort, an dem ein Roman oder ein Film spielt, heißt auch S____________.
6 Hat eine Geschichte einen richtigen S__________b________, wird sie nicht langweilig.

Je 1,5 Punkte **Ich habe ______ von 9 möglichen Punkten erreicht.**

2 Grammatik

a **Variieren Sie die Satzstellung der unterstrichenen Wörter auf einem separaten Blatt.**

1 Ich habe den Roman nicht auf Anhieb verstanden, aber ich habe ihn zu Ende gelesen.
2 Es ist besser einen Roman in einem Rutsch als in mehreren Etappen zu schreiben.
3 Man muss den Drehbuchautor nicht bedauern.
4 Den Film haben fast dreimal so viele Zuschauer wie ursprünglich erwartet gesehen.

Je 1 Punkt **Ich habe ______ von 4 möglichen Punkten erreicht.**

b **Ergänzen Sie *währenddessen, seither, daraufhin, woraufhin, wofür, zwecks* und *zum*.**

Die Autorin hatte mit ihrem mehrbändigen Fantasy-Roman „Barry Hotter“ einen Bestseller gelandet, ______________ (1) sie sich ein Landhaus kaufen konnte. ______________ (2) trifft man sie kaum noch in ihrem Stammcafé, in dem sie früher ______________ (3) Sammeln von Ideen so oft saß. ______________ (4) Überarbeitung ihres Manuskripts machte sie handschriftliche Notizen. ______________ (5) trank sie meist fünf Tassen schwarzen Tee, ______________ (6) sie im Café den Spitznamen „Teetante“ bekommen hatte. Erst vor Kurzem erfuhren die Cafébetreiber, dass die Tea-Time zur Inspiration der Autorin beigetragen hat. ______________ (7) nannten sie die Lieblingsteesorte der Autorin „Zauberhand“.

Je 1 Punkt **Ich habe ______ von 7 möglichen Punkten erreicht.**

c **Bilden Sie aus den unterstrichenen Wörtern Nomen mit *beim, im* oder *am*.**

1 Der Verleger steht an der Bar und trinkt einen Aperitiv. Er trinkt den Aperitiv ______________.
2 Die Autorin telefoniert und macht sich Notizen. Sie macht ______________ Notizen.
3 Sie diskutiert gerade mit ihrer Lektorin. Sie ist gerade ______________.
4 E-Books lesen viele Leute, wenn sie liegen. Sie lassen sich ______________ gut halten.

Je 1,5 Punkte **Ich habe ______ von 6 möglichen Punkten erreicht.**

3 Kommunikation

Ordnen Sie zu.

A Daten zum Roman nennen B den Romaninhalt wiedergeben C die Auswahl begründen

1 ☐ Der Roman „Ehre“ erschien im Jahr 2014 und wurde von Elif Shafak verfasst.
2 ☐ Was mich an dem Buch so gefesselt hat, ist die spannende Art der Schilderung.
3 ☐ Das Romangeschehen spielt in einem kurdischen Dorf und in London.
4 ☐ Außerdem erfährt man eine Menge über das uralte, immer noch gültige Wertesystem.

Je 1 Punkt **Ich habe ______ von 4 möglichen Punkten erreicht.**

Auswertung: Vergleichen Sie Ihre Lösungen mit S. AB 204. Ihre Erfolgspunkte tragen Sie unter jeder Aufgabe ein.

Ich habe ______ von 30 möglichen Punkten erreicht.

☺	☺	☹
30–26	25–15	14–0

WIEDERHOLUNG WORTSCHATZ

1 Job im Ausland

a Ergänzen Sie die Nomen.

1 Bei der Bewerbung (BEWREBNGU) für eine Stelle im Ausland ist einer der wichtigsten Bestandteile der ________ (LBENESAULF).
2 Es kann ziemlich lange dauern, bis man alle ________ (UTNRELGEAN) für seine Bewerbungsmappe zusammenhat.
3 Anna arbeitet seit zwei Jahren in einem Londoner Start-up-________ (URNTENHEMNE). Die Firma hat im letzten Jahr 3,2 Millionen £ ________ (USTZAM) gemacht.
4 Die ________ (SZIOALABGBANE) sind in England geringer als in Deutschland, es bleibt einem also netto mehr Geld von seinem ________ (GAHLET).
5 In England ist die ________ (HEIARCHREI) flacher als in Deutschland, deshalb müssen die Mitarbeiter selbst mehr ________ (VREATNWROTNUG) übernehmen.
6 Dadurch steigt die ________ (MTIOVTAOIN), sich bei einem ________ (PORJKTE) auch einmal mehr als sonst zu engagieren.

b Was ist richtig? Markieren Sie.

1 Kontakte	☐ *ziehen*	☒ *knüpfen*	☐ *bleiben*
2 die Initiative	☐ *ergreifen*	☐ *führen*	☐ *nehmen*
3 eine Auswahl	☐ *stellen*	☐ *bringen*	☐ *treffen*
4 über Kenntnisse	☐ *haben*	☐ *verfügen*	☐ *stehen*
5 in Erfahrung	☐ *bringen*	☐ *ziehen*	☐ *kommen*
6 etwas zur Sprache	☐ *stellen*	☐ *führen*	☐ *bringen*
7 zur Verfügung	☐ *machen*	☐ *stehen*	☐ *nehmen*
8 ein Gespräch	☐ *geben*	☐ *nehmen*	☐ *führen*
9 etwas in Kauf	☐ *nehmen*	☐ *liegen*	☐ *finden*
10 eine Entscheidung	☐ *gelangen*	☐ *treffen*	☐ *fallen*

zu Lesen 1, S. 134, Ü1

WORTSCHATZ

2 Internationale Karriere ÜBUNG 1

Lesen Sie einen Zeitungsausschnitt über eine internationale Karriere. Was passt? Ergänzen Sie die fehlenden Wortteile. Sie können dazu auch die Lernwortschatzseite heranziehen.

Verschiedene Mentalitäten arbeiten zusammen

Im Zuge der Globalisierung werden immer mehr interkulturell (1) zusammengesetzte Arbeitsgruppen mit Partnern aus den verschiedensten Nationen gegründet. Bei internationalen Projekten wird oft die Macht der kulturellen Unterschiede ______sichtlich (2). Deutsche sind dafür bekannt, dass sie sich ganz genau, d.h. ______tiös (3) vorbereiten. Wenn sie dann in einer Sitzung ihre Argumente vorbringen, wirken sie auf die Gesprächsteilnehmer aus anderen Ländern oft ______gant (4) und überheblich. Oft ______gehen (5) Deutsche den Fehler, dass sie sich zu sehr auf die Sache konzentrieren und dabei die Beziehungsebene nicht mit bedenken. Wenn Verhandlungspartner zu wenig Wert auf Höflichkeit legen, werden sie rasch als ______pig (6) empfunden. Dabei verderben sie sich leider häufig einen möglichen Verhandlungserfolg, weil sie nicht ______scheiden (7) genug auftreten. In der wirtschaftlichen Zusammenarbeit sollte man auch darauf achten, keine langen, allgemeinen Diskussionen zu führen, stattdessen ist ein ______matisches (8) und lösungsorientiertes Vorgehen unbedingt vorzuziehen.

WIEDERHOLUNG GRAMMATIK

zu Lesen 1, S. 135, Ü2

3 Verhandeln international

Ergänzen Sie.

infolge • so ... dass • derartig ... dass • folglich • ~~infolgedessen~~ • sodass

Was Sie bei internationalen Verhandlungen beachten sollten.

In vielen Ländern kann man bei Verhandlungen feststellen, dass die Verhandlungspartner zwar eine klare Position haben, die sie aber zunächst nicht offen vertreten. In einigen Ländern werden Wünsche nie direkt formuliert, ____________ (1) der Gesprächspartner kein als unhöflich geltendes „Nein" äußern muss. Es muss ________ verhandelt werden, ____________ (2) keiner der Beteiligten sein „Gesicht verliert", infolgedessen (3) wird miteinander gesprochen, bis es zu einer für alle Seiten akzeptablen Vereinbarung kommt. Dieser Aspekt ist in einigen Kulturen ____________ wichtig, ____________ (4) eine Besprechung ziemlich viel Zeit beanspruchen kann. Es gilt in diesen Kulturkreisen auch als äußerst unzivilisiert, seinen Ärger deutlich zu formulieren, ____________ (5) wird es bei Verhandlungen nie zu lautem Streit kommen. ____________ (6) dieser Verhandlungskultur fühlt man sich bei solchen Meetings meistens sehr wohl.

11

zu Lesen 1, S. 135, Ü2

4 Satzstrukturen: Konsekutive Zusammenhänge ÜBUNG 2, 3

GRAMMATIK ENTDECKEN

a **Lesen Sie die Sätze und markieren Sie die neuen konsekutiven Elemente. Schreiben Sie die Sätze mit den bekannten Konnektoren in Klammern neu.**

1 Der Name eines Geschäftspartners ist wichtig, weswegen Sie ihn unbedingt richtig aussprechen sollten. (derartig, dass)
Der Name eines Geschäftspartners ist derartig wichtig, dass Sie ihn unbedingt richtig aussprechen sollten.

2 Mit landestypischem Verhalten signalisiert man dem Verhandlungspartner seine Wertschätzung, demzufolge verbessert sich das Klima bei Besprechungen. (sodass)

3 Infolge von Unwettern hatte das Flugzeug mit den Geschäftspartnern Verspätung. (infolgedessen)

4 Die Verhandlungen führten zu einem derartigen Erfolg, dass die Firma davon noch Jahre später profitierte. (so groß, dass)

b **Was ist richtig? Markieren Sie.**

1 *weswegen*	☐ Hauptsatzkonnektor	☒ Nebensatzkonnektor	☐ Präposition
2 *demzufolge/demnach*	☐ Hauptsatzkonnektor	☐ Nebensatzkonnektor	☐ Präposition
3 *infolge* + Genitiv / *infolge von* + Dativ	☐ Hauptsatzkonnektor	☐ Nebensatzkonnektor	☐ Präposition
4 *ein derartig / solch ein, dass*	☐ Hauptsatzkonnektor	☐ Nebensatzkonnektor	☐ Präposition

zu Lesen 1, S. 135, Ü2

5 Schwierige Gespräche

GRAMMATIK

a Was passt? Ordnen Sie zu.

1 Ute Mair ist die Leiterin der Abteilung „Verkauf",
2 Als Frau Mair ihrer Verhandlungspartnerin Frau Rossi vorgestellt wurde, war diese über eine so junge Person als Gesprächspartnerin so überrascht,
3 In den folgenden Gesprächen zeigte Frau Mair den zu erwartenden Gewinn auf,
4 Frau Rossi erfasste während der Verhandlungen eine große Unruhe,
5 Frau Rossi lobte die gute Vorarbeit von Frau Mair, wollte aber keinen Vertrag mit ihr abschließen.
6 Frau Mair war derartig verärgert,

A dass sie ihren Assistenten leise nach der „Hauptverantwortlichen" der deutschen Firma fragte. (infolgedessen)
B sodass Frau Mair sie schließlich fragte, ob etwas nicht in Ordnung sei. (ein derartig, dass)
C folglich wurde sie von ihrer Firma zu Vertragsverhandlungen nach Sizilien geschickt. (weshalb)
D weswegen sie sich gute Chancen auf einen Vertragsabschluss ausrechnete. (demzufolge)
E dass sie fast ohne Verabschiedung abgereist wäre. (infolge)
F Infolgedessen vereinbarte Frau Rossi einen Termin mit einer erfahreneren Kollegin. (weswegen)

b Schreiben Sie die Sätze mit dem Ausdruck in Klammern neu.

1 Ute Mair ist die Leiterin der Abteilung „Verkauf", weshalb sie von ihrer Firma zu Vertragsverhandlungen nach Sizilien geschickt wurde.

11

zu Lesen 1, S. 135, Ü2

6 Interkulturelle Missverständnisse

GRAMMATIK

Was passt nicht? Streichen Sie durch.

Die zukünftigen Kollegen Rolf Jensen aus Deutschland und John Tailor aus England hatten beide keine interkulturellen Erfahrungen, *sodass / ~~folglich~~ / weshalb* (1) es schon bei ihrer ersten Begegnung zu Missverständnissen kam. Rolf hatte großes Interesse an seinem neuen Kollegen, *weswegen / infolgedessen / demzufolge* (2) ging er offen auf John zu und fragte ihn zuerst, warum er nach Deutschland gekommen sei und wo er vorher gearbeitet habe. John dagegen war *so / derartig / infolge* (3) irritiert über diese direkten Fragen, dass er annahm, sein Kollege würde ihn hier nicht willkommen heißen und ihn als Konkurrenten ansehen. In England beginnt man ein berufliches Gespräch normalerweise mit „Small Talk", *sodass / infolge / weswegen* (4) solche direkten Fragen schnell als unhöflich gelten können. In Deutschland dagegen sind sie meistens ein Ausdruck von Interesse, *infolgedessen / folglich / weshalb* (5) fragte sich Rolf, warum sein englischer Kollege so zurückhaltend reagierte. Zwischen den beiden Kollegen herrschte einige Zeit *ein derartiges / ein solches / ein so* (6) Misstrauen, dass sie nur das Nötigste miteinander besprachen. Erst *nach / infolge / folglich* (7) der Vermittlung einer Kollegin verbesserte sich das Arbeitsklima.

zu Lesen 1, S. 135, Ü2

7 Meine Erfahrungen in Deutschland

GRAMMATIK

Ergänzen Sie die Sätze frei.

1 Als ich das erste Mal in Deutschland war, hatte ich solche Sprachprobleme, dass ich die Antworten auf meine Fragen fast nie verstanden habe.
2 Ich hatte oft Angst, etwas falsch zu machen, weshalb __________
3 Ich hatte mit Freunden über Deutschland gesprochen, demnach __________
4 Ich entschloss mich dazu, Deutsch zu lernen, infolgedessen __________

zu Hören, S. 136, Ü1

8 Richtiges Auftreten im internationalen Geschäftsleben

SCHREIBEN

a **Lesen Sie einen Beitrag zu der Frage: Darf man bei einem Geschäftsessen ehrlich sagen, dass es einem nicht geschmeckt hat? Bringen Sie die Abschnitte in die richtige Reihenfolge.**

Hat's geschmeckt?

☐ Dennoch muss man keineswegs aus lauter Höflichkeit alles aufessen, was auf den Tisch kommt. Wenn z. B. in einem Land ein Tier gegessen wird, das im eigenen Land als Haustier oder als Ungeziefer gilt, muss man sich keineswegs zum Essen zwingen. Wenn möglich, kann man ein Stück probieren und sich ansonsten auf das konzentrieren und das essen, was einem appetitlich erscheint. (5)

☐ Diese können unter Umständen sowohl optisch als auch kulinarisch für die Personen aus einer anderen Esskultur sehr fremdartig wirken. Man sollte sich aber immer bewusst sein, dass eine Einladung zum Essen große Wertschätzung signalisiert.

☐ Ganz wichtig ist es aber, sich am Ende bei den Gastgebern für das Essen zu bedanken und den Aspekt hervorzuheben, den man besonders gut fand. Wenn man sich nicht positiv über das Essen äußern kann, sollte man die schöne Atmosphäre und das Ambiente loben. So stößt man niemanden vor den Kopf. (10)

1 Wenn man in einem anderen Land zu einem Geschäftsessen eingeladen ist, können sich gewisse Probleme ergeben. Häufig bemühen sich die Geschäftspartner, ihren Gästen die landestypischen Speisen näherzubringen. (15)

b **Verfassen Sie einen Blogbeitrag. Nehmen Sie darin Stellung zu der Frage, ob man eine Geschäftsreise im Gespräch mit dem Verhandlungspartner positiv bewerten sollte, auch wenn das Ergebnis der Reise für einen selbst nicht positiv war. Achten Sie beim Schreiben auf die logische Verbindung der Sätze. Verwenden Sie Wörter wie *aber, dennoch, obgleich* usw.**

zu Hören, S. 136, Ü2

9 Individualismus und Kollektivismus

ÜBUNG 4

LESEN

Lesen Sie den Artikel auf der Internetseite eines interkulturellen Netzwerks. Ergänzen Sie dann die Textzusammenfassung.

Individualismus und Kollektivismus

In einer individualistisch geprägten Gesellschaft steht das Individuum im Vordergrund: Es ist wichtig, „seinen Weg zu gehen" oder sogar „gegen den Strom zu schwimmen". Nicht umsonst proklamierte der Amerikaner Frank Sinatra „I did it my way". Chinesen (5) kontern mit dem Sprichwort „Der Nagel, der herausragt, wird in das Brett gehämmert". In dieser kollektivistischen Gesellschaft steht die Gruppe als Gesamtheit im Vordergrund und ist wichtiger als die Selbstverwirklichung der Gruppenmitglieder.

(10) Im Alltag beobachtet man die Folgen: Bonusprogramme wie ein Treuerabatt beim Einkauf oder Flugmeilen erfreuen sich in asiatischen Ländern nur geringer Beliebtheit. Da sie ein Individuum belohnen, können solche Programme sogar kontraproduktiv wirken. Die Erklärung dafür: In einer kollektivistischen Gesellschaft will kein Gruppenmitglied als besonders herausgestellt werden, da die Gruppe Vorrang hat. Amerikanische Unternehmen fanden heraus, dass sich die Produkti- (15) vität in Betrieben in Asien verringerte, wenn man ein individuell ausgerichtetes Bonusprogramm einführte.

Die Gruppenmitglieder orientierten sich an dem schwächsten Glied ihrer Gruppe und versuchten, dieses nicht zu übertreffen. Erst als man das Bonusprogramm so umstellte, dass es die gesamte Gruppe belohnte, wurde die Produktivität gesteigert.
20 Aber auch in der Familie zeigt sich Individualismus bzw. Kollektivismus. So erziehen Eltern in individualistischen Ländern ihre Kinder überwiegend zur Selbstständigkeit. In Großbritannien und den USA beispielsweise ist es üblich, dass die Kinder spätestens bei Studienbeginn von zuhause ausziehen. In Spanien oder Italien ist dies dagegen nicht die Regel, viele junge Erwachsene leben auch weiterhin bei ihren Eltern, oft bis zur Heirat. Überhaupt spielt die „erweiterte" Familie in
25 kollektivistisch geprägten Gesellschaften eine sehr viel wichtigere Rolle als in individualistischen.

Man geht von zwei entgegengesetzten (0) kulturellen Prägungen aus. In den Ländern Mittel- und Nordeuropas, Nordamerikas und Australiens herrscht die ______ (1) Prägung vor. Der ______ (2) und seine Bedürfnisse sind das Maß aller Dinge. In Asien ist der ______ (3) vorherrschend. Hier steht das Wohl der Gemeinschaft im ______ (4). Die Folgen der kulturellen Prägung im Alltag kann man am Beispiel von ______ (5) aufzeigen. In kollektivistischen Gesellschaften sind diese nicht ______ (6). Die Mitglieder eines Betriebs richten sich nach dem ______ (7) in der Gruppe. Die ______ (8) zwischen den verschiedenen Prägungen zeigen sich auch im Familienleben. Individualistisch geprägte ______ (9) entlassen die jüngere Generation im ______ (10) zu kollektivistischen gleich nach dem Schulabschluss aus dem Familienverband.

zu Wortschatz 1, S. 137, Ü2

10 Was wirklich wichtig ist ÜBUNG 5

WORTSCHATZ

Was passt? Ordnen Sie zu.

[3] Muss • [ ] leger • [ ] begehen • [ ] Mobilität • [ ] ablenken • [ ] Zweifel • [ ] gilt • [ ] Outfit

Sensibilität für andere Kulturen

In einer Zeit ständig zunehmender (1) müssen wir uns über das richtige Verhalten in anderen Kulturkreisen informieren. So weit, so gut. Ich finde allerdings, die ständigen Tipps zum Dress-Code oder zu Essmanieren sollten nicht von dem wichtigen Thema der interkulturellen Sensibilität (2) .

Renate Schürer, Köln

Bei Geschäftskontakten ist der gekonnte Small Talk ein (3) . Damit sollte jedes geschäftliche Gespräch beginnen. Ebenso wichtig scheint mir eine angemessene Gestik. Wer nicht weiß, wie man interkulturell unverfänglich gestikuliert, kann schnell einen peinlichen Fehler (4) .

Manfred Rienhoff, Düsseldorf

Die meisten Regeln zum (5) sind meiner Meinung nach total veraltet. Anzug mit Krawatte (6) zu Unrecht als universell akzeptierte Kleidungsnorm. Wir sollten lernen, uns (7) und trotzdem der Situation angemessen zu kleiden. Im (8) sollte man sich an Einheimischen orientieren.

Jürgen Heise, Wien

11

WIEDERHOLUNG GRAMMATIK

zu Wortschatz 1, S. 137, Ü3

11 Wenn einer eine Reise tut ...

Ergänzen Sie in der richtigen Form.

Weil es (schnell, Superlativ) am schnellsten (1) geht, benutze ich auf Geschäftsreisen (gern, Superlativ) ______ (2) das Flugzeug. Die Reisezeit ist meistens (kurz, Komparativ) ______ (3) als mit dem Auto oder der Bahn. So ist der Termindruck, den ich immer habe, (gut, Komparativ) ______ (4) zu bewältigen. Außerdem kann ich mich während eines Fluges auch (bequem, Komparativ) ______ (5) auf den kommenden Termin vorbereiten, als wenn ich mit einem anderen Verkehrsmittel reisen würde. Im Auto kann man gar nicht arbeiten, in der Bahn ist es oft (laut, Komparativ) ______ (6) als im Flugzeug, auch wenn man in einem Zug im Prinzip (viel, Komparativ) ______ (7) Platz hat. Allerdings würden sich meine Beine freuen, wenn ich auf die Bahn umsteigen würde, denn für die ist es im Flugzeug eindeutig (unangenehm, Superlativ) ______ ______ (8).

zu Wortschatz 1, S. 137, Ü3

12 Vergleiche ÜBUNG 6, 7, 8

GRAMMATIK ENTDECKEN

a **Ergänzen Sie den Komparativ in der richtigen Form.**

1 Marko macht eine Geschäftsreise, die länger dauert, als seine Reisen normalerweise dauern. Marko macht eine längere Geschäftsreise.
2 Er soll dort ein Problem lösen, das größer ist als die Probleme, mit denen er normalerweise zu tun hat. Er soll dort ein ______ Problem lösen.
3 Er wohnt in einem Hotel, das besser ist als ein Standardhotel. Er wohnt in einem ______ Hotel.
4 Er bezahlt für das Zimmer einen Betrag, der höher ist als üblich. Er bezahlt einen ______ Betrag.

b **Markieren Sie in den Superlativformen den unbestimmten Artikel blau, den Ausdruck im Genitiv Plural rot.**

1 Das sind die schönsten Krawatten von Tobias. Er packt eine davon für die Reise ein. Tobias packt eine seiner schönsten Krawatten für die Reise ein.
2 Das sind Tanjas bequemste Kleider. Auf Geschäftsreisen trägt sie immer eines davon. Tanja trägt bei Geschäftsreisen immer eines ihrer bequemsten Kleider.
3 ■ Karl ist der klügste Mann der Welt!
◆ Da übertreibst Du jetzt ein bisschen, aber er ist sicher einer der klügsten Männer, das stimmt.

c **Was ist richtig? Markieren Sie.**

1 Manchmal bedeutet der Komparativ: mehr oder weniger als normalerweise üblich.
2 Manchmal bedeutet der Komparativ: so viel wie normalerweise üblich.
3 *eines/einen/einer/eine/einem* und der Superlativ bedeuten, dass alle Exemplare aus einer Menge gemeint sind.
4 *eines/einen/einer/eine/einem* und der Superlativ bedeuten, dass nur ein Exemplar aus einer Menge gemeint ist.
5 Das Genus von *eines/einen/einer/eine/einem* hängt vom Nomen ab.
6 Das Genus von *eines/einen/einer/eine/einem* hängt nicht vom Nomen ab.

zu Wortschatz 1, S. 137, Ü3

13 Tipps für die Geschäftsreise

GRAMMATIK

a **Ersetzen Sie die unterstrichenen Satzteile durch einen Komparativ in der richtigen Form.**

1 Auf nicht so langen Strecken ist die Bahn eine Alternative zum Flugzeug.
2 Dass Geschäftsreisen generell positiv für Neu- oder Folgeaufträge sind, bestätigen nicht so alte Führungskräfte eher als nicht so junge.
3 Machen Sie sich zum Packen eine nicht zu kurze Checkliste der Sachen, die Sie mitnehmen wollen.
4 Denken Sie bei Reisen in Länder mit nicht so niedrigen Temperaturen an leichte Kleidung.
5 Wenn Sie nach einem Langstreckenflug an Ihrem Zielort ankommen, vereinbaren Sie einen nicht so frühen Termin mit Ihrem Geschäftspartner.

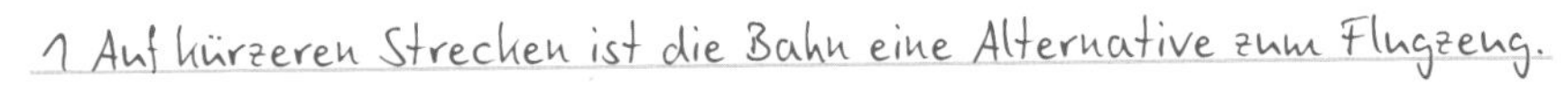
1 Auf kürzeren Strecken ist die Bahn eine Alternative zum Flugzeug.

b **Ergänzen Sie die Sätze wie im Beispiel.**

1 Einer der informativsten Filme zum Kofferpacken ist der vom Londoner Flughafen Heathrow. (informativ / Filme)
2 ______ auf Geschäftsreisen besteht darin, dass sensible Daten von Fremden gelesen werden. Nehmen Sie deshalb nur die wichtigsten Dateien mit. (groß / Risiken)
3 ______ im Flugzeug ist der Gangplatz, hier können Sie auch mal Ihre Beine ausstrecken. (bequem / Plätze)
4 ______: Zerknitterte Kleidung auf einem Bügel im Bad aufhängen, durch den beim Duschen entstehenden Wasserdampf verschwinden die Falten. (unser / gut / Tipps)
5 ______, um nach einem Langstreckenflug wieder fit zu werden: Schlafen und viel Tageslicht, die Sonnenstrahlen aktivieren Wachhormone. (effektiv / Methoden)
6 ______ in der Nähe Ihres Hotels finden Sie mithilfe von Lauf-Apps, oder Sie fragen den Portier. (schön / Jogging-Strecken)

zu Schreiben, S. 138, Ü2

14 Pünktlichkeit

WORTSCHATZ

Ergänzen Sie jeweils das passende Wort in der richtigen Form.

Lieber Louis,

toll, dass Dich Deine Firma nach Frankfurt schickt. Dann können wir uns bald öfter sehen. Am Anfang Deines Auslandsaufenthalts (1) ist hier sicher vieles neu für Dich. Besonders bei der Business-Et______ (2). Soweit ich weiß, darf man bei Euch schon mal ein paar Minuten nach dem eigentlichen Termin erscheinen. Darum wird wenig Auf______ (3) gemacht. Bei uns dagegen ist Pünktlichkeit im Geschäftsleben absolut er______ (4). Verhandlungspartner werden wie Rang______ (5) äußerst respektvoll behandelt. Eine Viertelstunde zu spät zu kommen, gilt bei uns schon als ______schämt (6). Wer einen positiven Eindruck ______lassen (7) möchte, kommt etwas zu früh. ______hin (8) nehmen wir es relativ genau mit der Freizeit. Geschäftliche Treffen am Wochenende sind tabu. Im Gegensatz dazu wird die Mittagspause gern mal für ein Geschäftsessen genutzt. Da or______ (9) wir uns an internationalen Standards. Aber darüber können wir uns ja genauer unterhalten, wenn Du hier bist.

Bis dahin herzliche Grüße
Axel

zu *Wussten Sie schon?*, S. 138

15 Benimmregeln ÜBUNG 9, 10

LESEN

Lesen Sie die folgenden Regeln und ergänzen Sie zu jeder Regel das passende Stichwort.

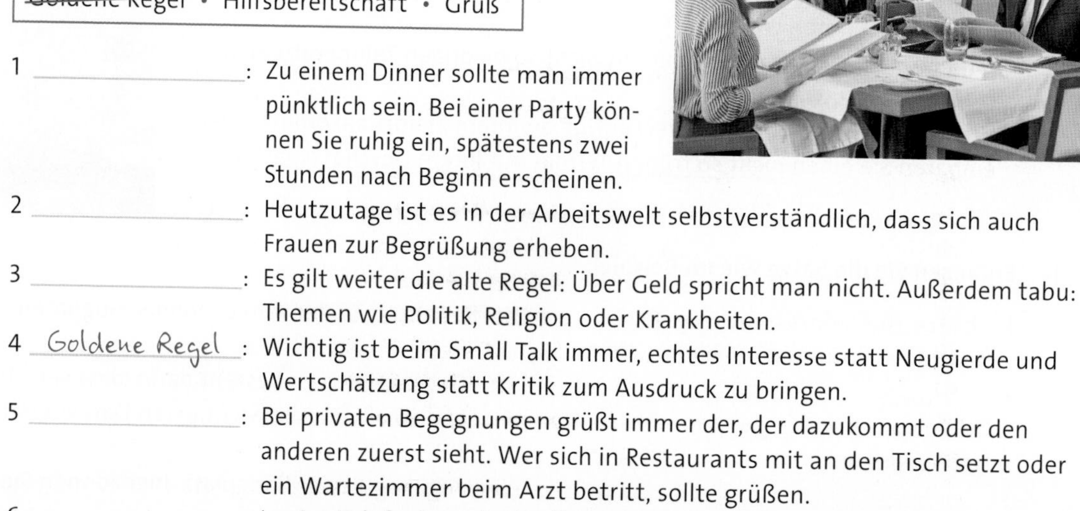

Handy • Büfett • Niesen • Diskretion • Aufstehen • Abendessen • Vorstellen • ~~Goldene Regel~~ • Hilfsbereitschaft • Gruß

1 ______: Zu einem Dinner sollte man immer pünktlich sein. Bei einer Party können Sie ruhig ein, spätestens zwei Stunden nach Beginn erscheinen.
2 ______: Heutzutage ist es in der Arbeitswelt selbstverständlich, dass sich auch Frauen zur Begrüßung erheben.
3 ______: Es gilt weiter die alte Regel: Über Geld spricht man nicht. Außerdem tabu: Themen wie Politik, Religion oder Krankheiten.
4 Goldene Regel: Wichtig ist beim Small Talk immer, echtes Interesse statt Neugierde und Wertschätzung statt Kritik zum Ausdruck zu bringen.
5 ______: Bei privaten Begegnungen grüßt immer der, der dazukommt oder den anderen zuerst sieht. Wer sich in Restaurants mit an den Tisch setzt oder ein Wartezimmer beim Arzt betritt, sollte grüßen.
6 ______: Lautes Telefonieren in der Öffentlichkeit ist mehr als unhöflich.
7 ______: Generell gilt: Der Mann hilft der Frau, die jüngere Person hilft der älteren.
8 ______: Die Augen sind oft größer als der Magen. Daher niemals den Teller überladen – lieber noch ein zweites oder auch drittes Mal nachnehmen.
9 ______: Benutzen Sie entweder ein Taschentuch oder die linke Hand. „Gesundheit" zu wünschen ist heute passé. Der Niesende entschuldigt sich.
10 ______: Die Dame lernt zuerst den Herrn mit Namen kennen, die ältere Person die jüngere, die ranghöhere die randniedrigere.

zu Wortschatz 2, S. 139, Ü2

16 Die Vorsilbe *er-*

GRAMMATIK

Schreiben Sie eine E-Mail. Formulieren Sie dabei die Sätze mithilfe eines Verbs mit der Vorsilbe *er-* um.

erarbeiten • sich erholen • erläutern/erklären • erledigen • ~~sich erkundigen nach~~ • ernüchtert sein • erzählen

1 Gestern traf ich unsere ehemalige Kollegin Erika. Sie hat gefragt, wie es Dir geht.
2 Sie hat mir auch noch einmal die Gründe gesagt, warum sie gekündigt hat.
3 Sehr interessant fand ich, was sie über ihre neue Stelle berichtet hat.
4 Offensichtlich ist die doch nicht so toll, wie sie dachte. Sie wirkte jedenfalls weniger positiv.
5 Sie kümmert sich jetzt um alles, was mit Kontakten zu Kunden im Ausland zu tun hat.
6 Ich muss jetzt los! In der Sitzung gleich wird über das Verfahren entschieden, das wir entwickelt haben.
7 Das wird anstrengend. Ich bin froh, wenn ich mich in der Mittagspause etwas ausruhen kann.

> Liebe/r ….
>
> Gestern traf ich unsere ehemalige Kollegin Erika, die sich nach Dir erkundigt hat.
> Sie hat mir auch noch einmal die Gründe …

zu Wortschatz 2, S. 139, Ü3

17 Erfahrungsberichte ÜBUNG 11, 12

GRAMMATIK

Ergänzen Sie in der richtigen Form.

~~Berufserfahrung~~ • Erfahrung • erhöhen • Erkenntnis • Ernüchterung • erstellen • erreichen • reagieren • reformieren • revidieren

Monika: Ich habe vier Jahre Berufserfahrung (1) in Deutschland gesammelt, sieben in Spanien. Während meiner Berufstätigkeit in Spanien habe ich viel Positives erlebt.

Franz: Ich war 13 Jahre im Ausland (USA, England, Norwegen) und bin ehrlich gesagt überrascht, wie sehr sich hier in der Zwischenzeit alles verbessert hat. Bei vielen Firmenleitungen setzt sich die ____________ (2) durch, dass Mitarbeiterzufriedenheit und Firmengewinn direkt zusammenhängen.

Elena: Meine ____________ (3) in den Niederlanden: Das Arbeitsklima ist sehr gut. Der Chef bringt jedem einzelnen Mitarbeiter Respekt entgegen, wie auch umgekehrt. Leider hatte ich nach meiner Rückkehr in die Heimat ein Gefühl der ____________ (4).

Johannes: In meinem ersten Auslandsjahr habe ich meine Ziele leider nicht ganz ____________ (5). Im zweiten Jahr habe ich mit meinen Kollegen eine schriftliche Aufstellung der Ziele ____________ (6). Durch die bessere Kooperation konnten wir die Motivation aller Mitarbeiter ____________ (7).

Linda: Als ich aus dem Ausland zurückkam, musste ich einige Vorstellungen über mein Heimatland ____________ (8). Besonders an den Unis war in der Zwischenzeit einiges ____________ (9) worden. Anfangs wusste ich nicht, wie ich auf diese Veränderung ____________ (10) sollte.

zu Lesen 2, S. 140, Ü2

18 Ins Ausland gehen

WORTSCHATZ

Was ist richtig? Markieren Sie.

Ich habe mich schon auf mehrere Stellen im Ausland beworben, und vor ein paar Monaten hat es nun endlich geklappt. Ich wurde von meinem Arbeitgeber für vier bis fünf Jahre nach Marokko *besetzt / entsetzt / versetzt* (1). Bei dem Personalgespräch konnte ich unter anderem mit meinen guten Französischkenntnissen *auskommen / punkten / verstehen* (2). Ich freue mich total auf die neuen Erfahrungen, die das Leben im Ausland mit sich *bringt / führt / trägt* (3).

Ich werde in einem Monat meine Frau nach Marokko begleiten. Manche unserer Freunde waren ziemlich *entsetzt / ersetzt / versetzt* (4), als sie von meinen Plänen erfuhren. Ich glaube, sie *denken / halten / nehmen* (5) mich für verrückt, weil ich alles aufgebe, was ich mir hier aufgebaut habe. Spätestens auf unserer Reise zur Wohnungssuche nach Rabat wurde mir klar, dass ich meine gewohnte Lebensweise nicht *aushalten / beibehalten / erhalten* (6) kann. Ich habe ein wenig Angst davor, dass der Kontakt zu meiner Familie durch den Auslandsaufenthalt *ersetzt / erleichtert / erschwert* (7) wird.

zu Lesen 2, S. 140, Ü2

19 Berufsbedingte Mobilität

HÖREN

a **Sie hören Aussagen von acht Personen. Entscheiden Sie, welches der drei Statements (1, 2 oder 3) zu welchen Personen passt. Sie haben jetzt eine halbe Minute Zeit, um die Aussagen zu lesen.**

Die Person ...

1 ist eigentlich zufrieden mit der momentanen Situation: Person 3, 5 und ______
2 findet es manchmal anstrengend, so zu leben, hat aber nicht vor, etwas zu ändern: Person ______
3 plant für die Zukunft eine Veränderung der derzeitigen Lebens- und Arbeitsumstände: Person ______

b **Hören Sie die acht Aussagen ein zweites Mal. Entscheiden Sie beim Hören, welche der Aussagen A–J zu welcher Person passt. Zwei Aussagen bleiben übrig.**

		Person
A	Ich freue mich schon auf meinen neuen Job, muss aber noch einiges klären.	☐
B	Ich kann immerhin drei Tage pro Woche bei meiner Familie verbringen.	☐
C	Wir wollen in unserem jetzigen Zuhause bleiben, obwohl ich es jede Woche sehr weit zur Arbeit habe.	☐
D	Wenn meine Frau wieder arbeiten geht, suche ich mir eine Stelle, die näher an zu Hause ist.	☐
E	Nach mehreren Auslandsaufenthalten habe ich Sehnsucht nach der Region, aus der ich stamme.	☐
F	Zurzeit lebe ich mit meiner Partnerin in einer Wochenendbeziehung.	3
G	Dass ich oft auswärts übernachten muss, stört mich schon.	☐
H	Wenn man beruflich viel unterwegs ist, leiden Partnerschaften natürlich darunter.	☐
I	Später suche ich mir ein festes Engagement an einem Theater, um nicht immer unterwegs sein zu müssen.	☐
J	Bei mir lassen sich Beruf und Familienplanung nur sehr schwer vereinbaren.	☐

WIEDERHOLUNG GRAMMATIK

zu Lesen 2, S. 141, Ü5

20 E-Mail von Hamburg nach Madrid

Was ist richtig? Markieren Sie.

Lieber José,

diese E-Mail ist auf Deutsch, weil Du mich ja bald hier in Hamburg besuchst! Und ☐ *ohne dass* ☒ *indem* (1) ich sie auf Deutsch schreibe und Du sie auf Deutsch liest, üben wir beide. Die deutsche Sprache zu beherrschen, ist hier sehr wichtig, denn ☐ *ohne* ☐ *durch* (2) die Sprache bekommt man fast keinen Kontakt zu Deutschen. Meine Firma hat mich ja nach Hamburg versetzt und die Arbeit im Tourismus-Büro hier macht mir auch Spaß, aber ☐ *anstatt* ☐ *ohne* (3) Deutsch zu sprechen, rede ich die meiste Zeit Spanisch oder Englisch, denn ich stelle Kontakte zu Hotels in Südeuropa und Lateinamerika her. Ich bin jetzt schon drei Monate hier und fühle mich meistens wirklich wohl. ☐ *Anstatt dass* ☐ *Dadurch, dass* (4) Hamburg in der Nähe des Meeres liegt, ist die Luft hier frisch und sauber, allerdings ist das Wetter oft schlecht. Die spanische Sonne und die Wärme vermisse ich schon sehr!

Ein anderes Problem hier ist das Essen. Es ist nicht so gut wie in Spanien und es ist – ☐ *anstatt zu* ☐ *ohne zu* (5) übertreiben – im Restaurant wirklich sehr teuer. ☐ *Ohne* ☐ *Statt* (6) Wein trinkt man zum Essen besser Bier, denn guter Wein kostet im Restaurant richtig viel. Jetzt wieder zu den schönen Dingen: In den öffentlichen Parks, an der Alster und an der Elbe ist es sehr schön – auch ☐ *durch* ☐ *ohne* (7) die Sauberkeit der Deutschen. Ich freue mich schon sehr darauf, dort mit Dir spazierenzugehen. Und ☐ *anstatt dass* ☐ *ohne dass* (8) wir danach in ein teures Restaurant gehen, probieren wir die Tapas in meiner spanischen Stammkneipe, was meinst Du? Ich freue mich schon sehr auf Deinen Besuch hier!

Alles Liebe und bis bald!
Deine Carla

---

zu Lesen 2, S. 141, Ü5

21 Satzstrukturen: Modale Zusammenhänge ÜBUNG 13, 14 GRAMMATIK ENTDECKEN

a **Lesen Sie den Beitrag in einem Job-Forum. Formulieren Sie die Sätze mit den bekannten modalen Elementen in der rechten Spalte neu.**

Summer 09

Hallo,
ich arbeite befristet für ein Jahr in New York, dadurch will ich eigentlich meine Englischkenntnisse verbessern und Erfahrungen im Ausland sammeln (1). — indem
Mithilfe meines Chefs habe ich die Stelle hier gefunden (2). — durch
Mein Job ist leider langweilig und schlecht bezahlt, wodurch ich sehr demotiviert bin und starkes Heimweh habe (3). — dadurch, dass
Ich überlege schon, mittels einer Bewerbung auf eine firmeninterne Stelle in Deutschland wieder nach Hause zurückzugehen (4). — indem
Andererseits denke ich, dass das natürlich nicht gut aussieht: Ich gebe nach kurzer Zeit auf, womit auch mein Lebenslauf sicher nicht attraktiver für einen zukünftigen Arbeitgeber wird (5). — dadurch, dass
Mein Freund meint, ich soll mit meinem Chef hier sprechen, auf diese Weise könnte ich meine Situation vielleicht verbessern (6). — indem
Aber das glaube ich nicht ... Kennt jemand von Euch eine solche Situation und kann mir einen Rat geben?
Danke schon mal.

Hallo,
indem ich befristet für ein Jahr in New York arbeite, will ich eigentlich meine Englischkenntnisse verbessern und Erfahrungen im Ausland sammeln.

b **Markieren Sie in a die Nebensatzkonnektoren** blau, **die Hauptsatzkonnektoren** rot **und die Präpositionen mit Genitiv** grün.

zu Lesen 2, S. 141, Ü5

22 Zuhause in der Fremde?

GRAMMATIK

Ergänzen Sie. Manchmal gibt es mehrere Möglichkeiten.

wodurch • ~~mithilfe~~ • so • mittels • dadurch, dass • auf diese Weise • durch

Streifenhörnchen 25

Hallo Summer 09,

ich war auch eine Zeit lang im Ausland und habe mich dort erst einmal fremd gefühlt, deshalb kann ich gut nachvollziehen, wie es Dir geht. Aber ______ (1) ich bei einer sehr netten Familie gewohnt habe, hat sich die Situation schnell gebessert. An Deiner Stelle würde ich versuchen, die Zeit in New York ______ (2) Kontakte zu Leuten, die in einer ähnlichen Situation sind, so angenehm wie möglich zu gestalten. Mithilfe (3) eines Sprachkurses dürfte das in einer Stadt wie New York ja kein Problem sein. Und dann könntest Du auch Dein Zimmer gemütlich einrichten, ______ (4) fühlst Du Dich vielleicht wenigstens dort ein bisschen geborgen. Wichtig ist, dass Du Dir ein schönes Umfeld schaffst und Dich ______ (5) allmählich besser einleben kannst. Ich wünsche Dir sehr, dass Dein Leben in New York ______ (6) solcher Aktivitäten etwas erträglicher und vergnüglicher wird. Und denke daran, es ist „nur" ein Jahr, und in diesem Jahr erwirbst Du Arbeits- und Auslandserfahrung sowie Englischkenntnisse, ______ (7) Du bei der zukünftigen Stellensuche sicher einen Vorteil hast. Also alles Gute!

zu Lesen 2, S. 141, Ü5

23 In der großen weiten Welt

GRAMMATIK

a **Ergänzen Sie die Sätze.**

1 Durch das Leben und die Arbeit im Ausland kommuniziert man mit Menschen, die sich für einen ungewohnt verhalten und die anders denken.
Man lebt und arbeitet im Ausland, wodurch man mit Menschen kommuniziert, die sich für einen ungewohnt verhalten und die anders denken.

2 Im besten Fall hat man sich durch die Teilnahme an einem interkulturellen Seminar mit den Unterschieden beschäftigt.
Im besten Fall hat man ______, auf diese Weise hat man sich mit den Unterschieden beschäftigt.

3 Man recherchiert im Internet über Besonderheiten des Landes, dadurch kann man sich gut informieren.
Mittels ______ kann man sich gut informieren.

4 Mithilfe einer guten Vorbereitung kann man sich auch im Ausland bald wohlfühlen.
Indem ______, kann man sich auch im Ausland bald wohlfühlen.

5 Durch den Besuch von Veranstaltungen kann man leicht Kontakte knüpfen.
Man ______, wodurch man leicht Kontakte knüpfen kann.

b **Ergänzen Sie die Sätze frei.**

1 In einem fremden Land versuche ich, Leute kennenzulernen, indem ich einen Kurs besuche, der mit meinem Hobby zu tun hat.
2 Interkulturelle Missverständnisse vermeide ich dadurch, dass ...
3 Vor Kurzem war ich zu meinem neuen Kollegen aus Versehen wirklich unhöflich, wodurch ...
4 Ich habe mir einen neuen Wecker gekauft, dadurch ...
5 Morgen koche ich ein Gericht aus meiner Heimat für zwei Kollegen, auf diese Weise ...

zu Sprechen, S. 142, Ü2

24 Nora und Paul verhandeln

KOMMUNIKATION

Ordnen Sie die passenden Redemittel zu.

☐ Alles, was wir wollen, ist ein Preis, mit dem beide Seiten leben können. • ☐ Da könnten wir uns sicher einigen. • ☐ Eine faire Lösung wäre aus unserer Sicht, wenn • 1 Es freut mich, dass Sie sich für diese Wohnung entschieden haben. • ☐ Ich richte mich ganz nach Ihnen. • ☐ Was hatten Sie sich denn als Preis vorgestellt? • ☐ Ihren Vorschlag anzunehmen, ist für uns schwierig, weil unser Budget sehr begrenzt ist. • ☐ Uns ist völlig klar, dass Sie eine Menge Geld und Arbeit in diese Küche investiert haben. • ☐ Wir müssten uns morgen oder übermorgen noch einmal treffen, um das Geld zu übergeben. • ☐ Wie kommen Sie denn auf diesen Preis?

Vormieter: Schön, dass Sie es geschafft haben. Sicher haben Sie jetzt sehr viele Termine.
Paul: Ja, das stimmt, wir waren heute den ganzen Tag unterwegs. Shanghai ist eine aufregende Stadt.
Vormieter: (1) Ich habe mich hier sehr wohl gefühlt und bedauere sehr, dass ich ausziehen muss. Besonders, weil ich die Küche erst vor kurzer Zeit angeschafft habe, aber es macht einfach keinen Sinn, sie auszubauen und mitzunehmen.
Nora: Natürlich. Nur fürchten wir, dass die Küche zu teuer für uns ist.
Vormieter: Wenn man sich eine Wohnung in so toller Lage leistet, muss auch die Küche dazu passen.
Paul: Schon, aber wir werden ja auch nicht ewig hier wohnen.
Vormieter: Beim Auszug können Sie auch wieder eine Ablöse verlangen.
Nora: (2) Der Makler sagte 7000 Euro. Stimmt das?
Vormieter: Exakt.
Paul: (3) Er erscheint uns recht hoch.
Vormieter: Sehen Sie mal: Es handelt sich um eine Markenküche. Ich selbst habe beinahe das Doppelte ausgegeben. Dazu kamen die Kosten für die Montage.
Nora: Ja, aber Sie müssen auch uns verstehen. (4)
Vormieter: Es ist wirklich eine Küche von hoher Qualität.
Paul: (5)
Vormieter: Das ist auch in meinem Interesse.
Nora: (6) Aber wir hätten uns unter normalen Umständen nie eine so teure Einrichtung geleistet.
Vormieter: Die Küche passt doch sehr gut zum Wert und zum Stil der Wohnung.
Paul: Ja, aber wir haben noch ein Problem. Vielleicht könnten Sie uns da etwas entgegenkommen.
Vormieter: Ja, und das wäre?
Nora: Wir würden gern unseren eigenen Kühlschrank mitbringen. Der ist erst ein halbes Jahr alt.
Vormieter: (7)
Paul: (8) wir unseren Kühlschrank mitbringen und Sie den Preis dafür auf 6000 Euro reduzieren.
Vormieter: Gut, das können wir so machen. Könnten Sie dann bar bezahlen?
Paul: Ja, das ginge. (9) Wann ginge es denn bei Ihnen?
Vormieter: (10)

zu Sehen und Hören, S. 143, Ü3

25 Small Talk ÜBUNG 15 LESEN

a **Lesen Sie den Text und ergänzen Sie die beiden Überschriften. Eine passt nicht.**

In welchen Situationen Small Talk angemessen ist • Bei welchen Themen man vorsichtig sein soll • Worüber man sprechen kann

Tipps für Small Talk

Sarah Kerner konzipiert Kongresse, Seminare und Weiterbildungen für Assistentinnen und Sekretärinnen. Auf ihrer Website gibt die erfolgreiche Autorin Anregungen für die Praxis und viele nützliche Ratschläge.

5 1 ______________________

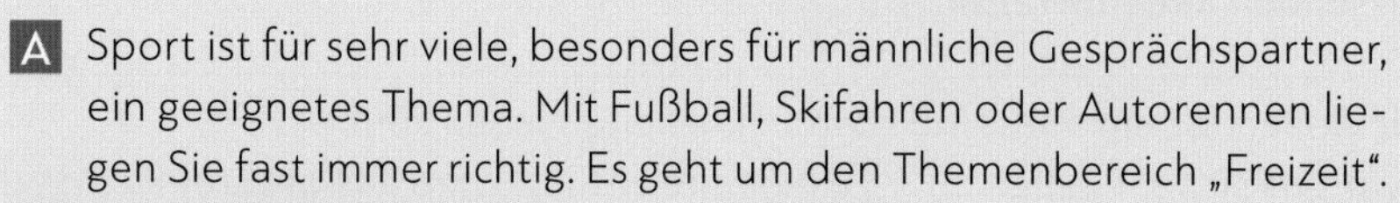

A Sport ist für sehr viele, besonders für männliche Gesprächspartner, ein geeignetes Thema. Mit Fußball, Skifahren oder Autorennen liegen Sie fast immer richtig. Es geht um den Themenbereich „Freizeit".

B Mit der Frage nach dem Heimatland erfreuen Sie Ihre Gesprächspartner in aller Regel.

10 **C** Nichts falsch machen können Sie ebenfalls mit dem Thema „kulinarische Spezialitäten".

2 ______________________

D Werfen Sie die deutschsprachigen Länder in Gegenwart von Schweizern und Österreichern möglichst nicht in einen Topf – das ist für die kleineren Nachbarn Deutschlands trotz gemeinsamer Sprache ein „No-Go" und wird als unverschämt betrachtet.

15 **E** Wenn Sie sich in Geschichte auskennen, bewahren Sie sich das Gespräch darüber auf für die Phase, in der Sie den Gesprächspartner bereits besser kennengelernt haben.

b **Ordnen Sie den jeweiligen Begründungen 1–5 die passenden Tipps (A–E) im Text in a zu.**

- ☐ 1 Außerdem kann ein gemeinsames Vorwissen wegen der Medienberichterstattung über weltweit ausgetragene Wettbewerbe vorausgesetzt werden.
- [D] 2 Die verschiedenen Nationen legen Wert auf feine kulturelle Unterschiede.
- ☐ 3 Es gibt Gelegenheit, etwas mehr über die Biografie des anderen zu erfahren.
- ☐ 4 Manchen Gesprächspartnern fehlt es an Wissen, um auf angemessenem Niveau mitzuhalten.
- ☐ 5 Sitzt man beim Essen zusammen, ist es einfach, thematisch anzuknüpfen.

zu Sehen und Hören, S. 143, Ü3

26 „Global Player – Wo wir sind isch vorne" FILMTIPP / WORTSCHATZ

Lesen Sie die Informationen zu dem Film und ordnen Sie zu.

☐ in Verhandlung • ☐ geht es um • ☐ neue Aufträge • ☐ arbeitet in Kurzarbeit • [1] Besitzer der Firma • ☐ drohenden Insolvenz • ☐ von großen Konzernen

Auf Hochdeutsch heißt der zweite Teil des Titels: Wo wir sind, ist vorne. Die (1) Bogenschütz und Söhne sind nämlich Schwaben. In dem Film (2) ein schwäbisches Familienunternehmen, das Strickmaschinen herstellt. Doch die Aufträge bleiben aus, die Belegschaft (3). Der Seniorchef Paul Bogenschütz hält an alten Traditionen fest, währenddessen versucht Juniorchef Michael Bogenschütz alles, um (4) zu gewinnen und die Firma vor der (5) zu schützen. Dafür tritt er heimlich mit chinesischen Geschäftspartnern (6). Der Film ist trotz einiger Klischees sehenswert, denn die Story ist unterhaltsam und das Thema ist sehr aktuell: Kleine Firmen werden (7) geschluckt und alte Unternehmensphilosophien müssen neuen weichen.

LESEN 1, S. 134–135

die Entscheidungsfindung, -en
die Intention, -en
das Regelwerk, -e
der Schock, -s
das Statussymbol, -e
die Tagesordnung, -en

etwas ausmerzen
grenzen an (+ Akk.)
sich etwas verderben, verdarb, hat verdorben

klarmachen
einen Fehler begehen, beging, hat begangen
viel/wenig Wert legen auf (+ Akk.)

arrogant
bescheiden
ersichtlich
gründlich
minutiös
pragmatisch
ruppig
wesentlich

demnach
demzufolge
derartig, dass
ein derartig, dass
infolge (+ Gen.)
infolge von
infolgedessen
solch ein
ein solch

weshalb
weswegen

HÖREN, S. 136

individualistisch
kollektivistisch

sogenannt

im Nachhinein

WORTSCHATZ 1, S. 137

das Outfit, -s

ablenken von
gelten als, galt, hat gegolten

gedeckt (*hier:* gedeckte Farben)
leger

das ist ein Muss
im Zweifel

SCHREIBEN, S. 138

die Etikette (Sg.)
die Hilfsbereitschaft (Sg.)
der Ranghöhere, -n
der Rangniedere, -n

sich einer Sache (+ Gen.) erfreuen
niesen
sich orientieren an (+ Dat.)
repräsentieren
etwas strapazieren

Rücksprache halten mit (+ Dat.), hielt, hat gehalten
einen positiven/negativen Eindruck hinterlassen, hinterließ, hat hinterlassen
richtig liegen mit, lag, hat/ist gelegen
viel/wenig Aufheben(s) machen von (+ Dat.) / um (+ Akk.)
erwünscht sein

unverschämt
zaghaft

in Maßen

immerhin

WORTSCHATZ 2, S. 139

die Hypothese, -n

erarbeiten
eröffnen
reformieren
reintegrieren
revidieren

ernüchtert sein

LESEN 2, S. 140–141

das Forum, die Foren
der Intellekt (Sg.)
die Irritation, -en
der Reibungspunkt, -e

etwas beibehalten, behielt bei, hat beibehalten
etwas erschweren
punkten mit
jemanden versetzen (*hier:* jemanden ins Ausland versetzen)
widerspiegeln

etwas mit sich bringen, brachte, hat gebracht
entsetzt sein

mittels (+ Gen.)

SPRECHEN, S. 142

die Ablöse, -n

anerkennen, erkannte an, hat anerkannt
etwas einbauen
pokern um (+ Akk.)
sich richten nach

notfalls

SEHEN UND HÖREN, S. 143

die Rezension, -en
der Small Talk, -s
der Trainer, - (*hier:* Buch, Ratgeber)

durch die Hintertür kommen, kam, ist gekommen

konsequent

quasi

LEKTIONSTEST 11

1 Wortschatz

Was ist richtig? Markieren Sie.

1 Wenn man eine bestimmte Absicht verfolgt, verfolgt man eine gewisse *Einbildung / Intention*.
2 Eine wissenschaftliche Annahme oder Vermutung bezeichnet man als *Variante / Hypothese*.
3 Die menschliche Fähigkeit, zu denken und zu urteilen, bezeichnet man als *Intellekt / Empathie*.
4 Wem eine Sache wirklich wichtig ist, der legt *Wert / Gewicht* auf sie.
5 Wer unsicher ist, ob er mit seiner Einschätzung richtig liegt, kann *Ausschau / Rücksprache* halten.
6 Ein unvorhergesehenes Ereignis kann für *Identitäten / Irritationen* sorgen.

Je 0,5 Punkte **Ich habe ______ von 3 möglichen Punkten erreicht.**

2 Grammatik

a **Verbinden Sie die Sätze mit *dadurch, dass, ein derartig, dass, durch, infolge* und *weswegen*. Verwenden Sie jedes Wort ein Mal. Schreiben Sie die Lösungen auf ein separates Blatt.**

1 Ein Mann trägt Socken in Sandalen. So gilt er in vielen Ländern als unelegant.
2 Indem man ständig lächelt, kann man seine wahren Absichten verbergen.
3 Tom hat nach dem Jahreseinkommen eines Kollegen gefragt. Infolgedessen gilt er als zu direkt, weil das in vielen Ländern ein Tabuthema ist.
4 Manche Deutschen haben ein ausgeprägtes Gefühl für Pünktlichkeit. Folglich finden sie es schon seltsam, wenn jemand nur fünf Minuten zu spät kommt.
5 In einigen Ländern wird großer Wert auf akademische Titel gelegt. Deshalb sollten Sie Ihren Geschäftspartner zunächst mit dem Titel anreden, wenn er einen hat.

Je 2 Punkte **Ich habe ______ von 10 möglichen Punkten erreicht.**

11

b **Ergänzen Sie den Komparativ, den Superlativ und die Verben auf *er-* und *re-* in der richtigen Form.**

______ ______ ______ (groß) (1) Probleme war am Anfang die Sprache. Plötzlich musste ich bei Terminen komplizierte Dinge auf Deutsch ______ (klar) (2), in Gesprächen schnell auf Deutsch ______ (agieren) (3) – alles war auf Deutsch. Meine ersten Wochen wurden noch dadurch ______ (schwer) (4), dass ich eine ______ (nicht so neue) (5) technische Ausstattung hatte, darunter ______ ______ ______ (langsam) (6) Computer in der ganzen Firma. Außerdem habe ich mich gleich ______ (kalt) (7), obwohl hier der Juni eigentlich zu den ______ (nicht so kalten) (8) Monaten gehört.

Je 1,5 Punkte **Ich habe ______ von 12 möglichen Punkten erreicht.**

3 Kommunikation

Ordnen Sie die passenden Redemittel zu. Ein Redemittel passt nicht.

☐ ist es tabu • ☐ betrifft meiner Einschätzung • ☐ nur in Maßen gern • ☐ darauf achten • ☐ ist es üblich • ☐ liegt man immer richtig

Wenn Sie mit asiatischen Geschäftspartnern verhandeln, sollten Sie __(1)__, ihnen nicht ständig direkt in die Augen zu schauen. Das gilt als unhöflich. In Japan __(2)__, eine Wohnung oder ein Restaurant mit den Straßenschuhen zu betreten. Eine wichtige Regel in Russland __(3)__ nach die Kleidung, die bei geschäftlichen Anlässen eher konservativ gewählt werden sollte. Wenn man eingeladen wird, bringt man ein kleines Geschenk mit, damit __(4)__. In England __(5)__, auch bei Geschäftskontakten schnell zum Vornamen überzugehen.

Je 1 Punkt **Ich habe ______ von 5 möglichen Punkten erreicht.**

Auswertung: Vergleichen Sie Ihre Lösungen mit S. AB 204.
Ihre Erfolgspunkte tragen Sie unter jeder Aufgabe ein.

Ich habe ______ von 30 möglichen Punkten erreicht.

☺	😐	☹
30–26	25–15	14–0

WIEDERHOLUNG WORTSCHATZ

1 Technik für eine bessere Welt

Bilden Sie aus den Verben die entsprechenden Nomen mit Artikel.

1 Jemand erfindet neue Geräte. – die Erfindung
2 Die Maßnahmen werden beschleunigt. – ____________
3 Die Energiegewinnung läuft reibungslos ab. – ____________
4 Man erzeugt Strom durch erneuerbare Energien. – ____________
5 Man steigt aus der atomaren Energiegewinnung aus. – ____________
6 Die neuen Techniken wirken sich positiv auf die Natur aus. – ____________
7 Viele Menschen setzen sich für neue, „sanfte" Technologien ein. – ____________
8 Man entwirft Pläne für eine umweltfreundlichere Technik. – ____________

zur Einstiegsseite, S. 145, Ü1

2 Regeln für Hobby-Drohnenpiloten

LESEN

Welche acht der folgenden Regeln gelten im Jahr 2015 wohl für Privatpersonen beim Fliegen von Drohnen? Markieren Sie und vergleichen Sie anschließend mit den Lösungen auf S. AB 206.

12

> **Freiheit ohne Grenzen?**
> Jedermann kann sich inzwischen eine „Hobbydrohne" mit eingebauter Kamera für wenig Geld kaufen – das Fliegen solcher Geräte stößt bei Technikfans auf wachsende Begeisterung. Man sollte allerdings vor dem Abheben wissen, was erlaubt ist und was nicht. Machen Sie sich schlau!

1 Man muss sich vorher informieren, wo und wie hoch an einem Ort geflogen werden darf. ☒
2 Jeder darf bis zu fünf Kilogramm schwere elektrische Drohnen fliegen, solange er sie von seinem Standort aus noch sehen kann. ☐
3 Für das Fliegen von elektrischen Drohnen muss man mindestens 16 Jahre alt sein. ☐
4 Urheberrechtlich geschützte Gebäude darf man nicht ohne Erlaubnis filmen. ☐
5 Man darf prinzipiell alle Gebäude filmen. ☐
6 Für das Filmen von öffentlichen Veranstaltungen braucht man eine Genehmigung. ☐
7 Will man Bilder oder Filme von Veranstaltungen veröffentlichen, dürfen die Gesichter der aufgenommenen Personen nur aus weiter Entfernung aufgenommen und nicht erkennbar sein. ☐
8 Filme oder Bilder von Menschen, die man auf Veranstaltungen aufnimmt, darf man grundsätzlich nur mit deren Einverständnis veröffentlichen. ☐
9 Will man Bilder kommerziell nutzen, muss man die Gefilmten immer um Genehmigung fragen. ☐
10 Solange man niemanden wirklich stört, darf man eine Drohne auch durch die eigene Nachbarschaft fliegen lassen. ☐
11 Man darf eine Drohne nur dann in der Nachbarschaft fliegen lassen, wenn man die Nachbarn vorher nach ihrem Einverständnis fragt. ☐
12 Man darf in der Nachbarschaft auch ohne Einverständnis der Nachbarn filmen, wenn man keine Personen aufnimmt. ☐
13 Die Kamera einschalten und filmen darf man in der Nachbarschaft nur, wenn man die Nachbarn vorher nach ihrem Einverständnis gefragt hat. ☐
14 Entsteht durch den Absturz einer Drohne ein Schaden, so muss erst ermittelt werden, warum die Drohne abgestürzt ist. Nicht in jedem Fall haftet der Pilot. ☐

zu Lesen 1, S. 146, Ü1

3 Beim Erfinder-Wettbewerb

WORTSCHATZ

a Ergänzen Sie in der richtigen Form.

fieberhaft • ~~Finalist~~ • erfinderisch • sich herausstellen • anschmiegsam • unvergleichlich • Prothese • sich lohnen • beträchtlich • beruhigen

In der Endausscheidung beim Wettbewerb für „tragbare Erfindungen" stehen mehrere Finalisten (1) mit beeindruckenden Neuheiten. Es ______ (2), dass es nicht einfach sein wird, den Sieger zu ermitteln. Ein Forscherteam suchte beispielsweise ______ (3) nach Lösungen, um Menschen mit Behinderungen den Alltag zu erleichtern, indem es brauchbare, kostengünstige ______ (4) für fehlende Körperteile entwickelte. Ein anderes Team war auch auf medizinischem Gebiet ______ (5). Es konstruierte eine ______ (6) Matratze für frühgeborene Babys, auf der sie den Herzschlag der Mutter spüren und sich so schnell ______ (7), auch wenn sie nicht auf dem Arm ihrer Mutter sind. Das Gefühl, anderen Menschen mit seiner Erfindung zu helfen, muss eine ______ (8) Erfahrung sein.
Die ersten drei Gewinner werden nicht nur durch ihre Erfindung bekannt, sondern gewinnen außerdem ein ______ (9) Preisgeld. Es ______ (10) also auf jeden Fall, mitzumachen.

b Wie muss ein Erfinder sein? Ergänzen Sie zu jedem Buchstaben des Wortes ein passendes Adjektiv.

E R F I Neugierig D E R

12

zu Lesen 1, S. 147, Ü2

4 Mein Favorit ÜBUNG 1

SCHREIBEN

Sehen Sie sich im Kursbuch, S. 147, Ü2b, noch einmal Ihre Kriterien für die Bewertung der drei Erfindungen an. Verfassen Sie nun ein „Plädoyer" für Ihren Favoriten und erläutern Sie, warum diese Erfindung Ihrer Meinung nach die Kriterien am ehesten erfüllt. Verwenden Sie einige der folgenden Redemittel.

Erfindungen beurteilen

„Den Hauptpreis gewinnen sollte meines Erachtens eine Erfindung, die ...
Das Kriterium ... scheint mir dabei besonders wichtig, denn ...
Außerdem müsste ..., in deren/dessen Entwicklung viel investiert wird, ...
... trifft bei den drei beschriebenen Erfindungen auf ... zu.
Auch sehr ... ist zwar ..., aber ...
Am wenigsten überzeugt hat mich ...
Alles in allem finde ich solche Wettbewerbe ..."

Im Grunde finde ich alle drei Neuheiten spannend, aber den Hauptpreis gewinnen sollte meines Erachtens eine Erfindung, die den Menschen wirklich dienen oder helfen kann. Das Kriterium „Nützlichkeit für schwierige Lagen" oder auch „einen sozialen Zweck erfüllen" scheint mir dabei besonders wichtig. Diese beiden Kriterien treffen bei den drei beschriebenen Erfindungen sowohl auf die Matratze für „Frühchen" als auch auf die Handprothese zu.
Am meisten überzeugt hat mich aber ...

zu *Wussten Sie schon?*, S. 147

5 Geniale Ideen und ihre Entstehungsgeschichten

HÖREN

Lesen Sie die Aussagen. Hören Sie dann, unter welchen Umständen einige weltbekannte Erfindungen entstanden sind. Welche Aussage ist jeweils richtig? Markieren Sie.

61 CD|AB

1 Currywurst
- a Hertha Heuwer suchte nach einer schmackhafteren Soße als Ketchup zu ihren Steaks.
- b Beim Mischen einer Soße nach amerikanischem Rezept entstand zufällig die Currywurstsoße.
- c Frau Heuwer bekam ein Patent auf die Soße.

62 CD|AB

2 Buchdruck
- a Für viele Fachleute ist die Erfindung des Buchdrucks wichtiger als andere Erfindungen.
- b Mit der Technik des Buchdrucks wurde viele Jahre lang nur die Bibel vervielfältigt.
- c Beim Buchdruck wird Farbe auf Platten gegossen, die von den Buchstaben aufgenommen wird.

63 CD|AB

3 Jeanshose
- a Levi Strauss wollte ursprünglich nach Gold graben, handelte dann aber mit Stoffen.
- b Für die Goldgräber entwickelte Levis Geschäftspartner eine Hose aus besonderem Material.
- c Die Hosen von Levi Strauss und seinem Partner wurden später auch gern zum Segeln angezogen.

64 CD|AB

4 Ohropax
- a Man suchte schon Anfang des 20. Jahrhunderts nach einem Lärmschutz.
- b Die Ohropax, die ein Berliner Apotheker entwickelte, waren aus Bienenwachs.
- c Der Begriff Ohropax stammt aus dem Lateinischen.

12

WIEDERHOLUNG GRAMMATIK

zu Lesen 1, S. 147, Ü3

6 Verrückt oder praktisch?

a **Was ist richtig? Markieren Sie.**

A 1 *Infolge / Außerhalb* (1) dieser Erfindung können Sie jetzt endlich auch im Regen mit Ihrem Hund spazieren gehen! Sie müssen sich *aufgrund / wegen* (2) ihres wertvollen Teppichs *trotz / dank* (3) der neuen Hundeleine mit Regenschirm keine Sorgen mehr machen.

☐ 2 Wie schafft man es, die Wohnung sauber zu halten *trotz / mangels* (4) großer Unlust, Staub zu saugen? *Mangels / Aufgrund* (5) der neuartigen Putzschuhe für Ihre Katze geht das jetzt: Einfach der Katze die Schuhe anziehen. Voraussetzung ist allerdings eine aktive Katze.

☐ 3 Benutzen Sie *innerhalb / außerhalb* (6) Ihres Hauses gern einen Tretroller, um schneller vorwärts zu kommen? Vor Kurzem sind Sie Mutter oder Vater geworden und *anstatt / wegen* (7) Ihres Tretrollers schieben Sie jetzt einen Kinderwagen? Bisher gab es *dank / mangels* (8) guter Ideen keine Alternative, jetzt gibt es eine: Tretroller mit integriertem Kinderwagen!

☐ 4 Diesen Hut mit Toilettenpapier-Rolle sollten Sie sich *mangels / während* (9) einer Erkältung anschaffen, denn in dieser Zeit putzt man sich ja *innerhalb / infolge* (10) weniger Minuten zigmal die Nase. Da ist diese Rolle sehr praktisch – und eitel sind Sie ja nicht, oder?

b **Ordnen Sie die Zeichnungen den Erfindungen in a zu.**

A

B

C

D

zu Lesen 1, S. 147, Ü3

7 Was man mit Erfindungen machen kann ÜBUNG 2, 3 GRAMMATIK

Ergänzen Sie *anlässlich, angesichts, hinsichtlich, mithilfe, mittels, oberhalb* oder *ungeachtet*. Manchmal passen mehrere Präpositionen.

Sehr geehrte Redaktion,

ich schreibe Ihnen anlässlich (1) Ihres Berichts über verrückte bzw. praktische Erfindungen. Ich habe mir – ______ (2) des lächerlichen Aussehens – einen Erkältungs-Hut gebastelt, da ich vor Kurzem starken Schnupfen hatte. ______ (3) des Papiers, das sich unweit meiner Nase ______ (4) meines Kopfes befand, konnte ich mir immer die Nase putzen und musste keine Taschentücher mehr suchen. Das war sehr praktisch. Ich muss Sie aber ______ (5) der Folgen warnen: Ich habe jetzt eine schmerzende, rote Nase, die ich ______ (6) einer Heilsalbe zu beruhigen versuche. ______ (7) dieses Eigenversuchs kann ich den Erkältungs-Hut nur bedingt weiterempfehlen.

Mit freundlichen Grüßen

Peter Donnershausen

12

zu Lesen 1, S. 147, Ü3

8 Beim Europäischen Patentamt GRAMMATIK

Schreiben Sie Sätze.

1 Europäische Patentamt / fördern / Zusammenarbeit / Patentorganisationen / innerhalb / Europa
2 Patentamt / hinsichtlich / Qualität und Effizienz / weltweit / Maßstäbe setzen / wollen
3 angesichts / Globalisierung / technischer Fortschritt / in Europa / gefördert werden / sollen
4 viele Erfinder / ihre Erfindung / mithilfe / Patentamt / schützen / lassen
5 innerhalb / bestimmte Frist / Anträge / geprüft werden / müssen
6 manche Anträge / außerhalb / Zuständigkeit / Patentamt / liegen
7 ungeachtet / einige Schwierigkeiten / Daniel D. / seine Erfindung / beim Patentamt / einreichen (Perfekt)
8 mit / diese Maschine / Menschen / mittels / ein Propeller auf dem Rücken / fliegen / können / sollen
9 sie / damit / ein Stück oberhalb / Köpfe / andere Menschen / sich bewegen / können
10 anlässlich / Erfinderpreis / Sonderausstellung / zum Thema „Verrückte Erfindungen" / veranstaltet werden
11 Europäische Patentamt / unweit / Deutsches Museum / München / sich befinden

1 Das Europäische Patentamt fördert die Zusammenarbeit der Patentorganisationen innerhalb Europas.

zu Schreiben, S. 148, Ü2

9 Die drehbare Spaghettigabel ÜBUNG 4, 5

GRAMMATIK

Formulieren Sie die kursiven Satzteile mit den Formen in Klammern um.

1 Was in keinem Haushalt fehlen sollte, ist eine Spaghettigabel mit einem Antrieb, *der gedreht werden kann.* (*sein* + Adjektiv + *-bar*)

Was in keinem Haushalt fehlen sollte, ist eine Spaghettigabel mit einem drehbaren Antrieb.

2 Mit dieser neuartigen Gabel *können sie ganz einfach und bequem vom Teller aufgenommen werden. (lassen + sich)*

3 *Man schaltet den Drehantrieb ein*, dann sticht man in die Spaghetti. *(nachdem)*

4 *Die Spaghetti wickeln sich auf die Gabel auf.* Gleichzeitig nehmen sie Soße auf. (*beim* + nominalisierter Infinitiv + Nomen)

5 Am besten schaltet man dann den Motor aus *und führt danach die Gabel zum Mund. (bevor)*

6 Man kann sich an der Gabel, *die sich schnell dreht*, am Mund verletzen. (Partizip I)

7 Sehr geeignet ist dieses Spezialbesteck auch für Menschen, die essen und *gleichzeitig stehen oder gehen.* (*im/beim* + nominalisierter Infinitiv)

8 Die Gabel *kann* durch Sonneneinstrahlung *aufgeladen werden, muss* aber mit der Hand *gespült werden.* (*sein* + Adjektiv + *-bar* / *sein* + *zu* + Infinitiv)

zu Hören, S. 149, Ü2

10 In der Forschung

WORTSCHATZ

a **Was passt zusammen? Ordnen Sie zu.**

1 Forschungs	quote
2 Treffer	vorhaben
3 Gen	stadium
4 Versuchs	technik
5 Experimentier	teilnehmer

(4 Versuchs — teilnehmer)

b **Ergänzen Sie die gefundenen Begriffe in den Definitionen.**

1 Wer bereit ist, bei Experimenten mitzumachen, ist ein Versuchsteilnehmer.

2 Wenn eine Technologie noch nicht auch ganz ausgereift ist, befindet sie sich im ______.

3 Wenn junge Wissenschaftler Unterstützung haben wollen, brauchen sie ein interessantes ______.

4 Wenn eine große Anzahl von Experimenten gelingt, hat man eine hohe ______.

5 Gewisse Grenzen der Forschung gibt es vor allem im Bereich der ______.

12

zu Hören, S. 149, Ü2

11 Zu den Risiken und Grenzen der modernen Wissenschaft ÜBUNG 6 WORTSCHATZ

Lesen Sie noch einmal nach, was Herr Catenhusen in einem Interview von HYPERRAUM.TV sagt. Was ist richtig? Markieren Sie.

Ethische Grenzen biotechnologischer Forschung

Die Schwierigkeit entsteht dann, wenn ich, und das kann die synthetische Biologie, Gene als Träger von Erbinformationen in ihrer chemischen Struktur so *vertausche / verändere* (1), dass dieses Tier, dieses Lebewesen, *Eigenschaften / Eigenheiten* (2) erhält, die es bisher so nicht hatte, die im Kontext eines Tieres auch bisher nicht in der Natur vorkommen. Und hier ist natürlich die Frage: Wie *gehe / handle* (3) ich dann mit Sicherheitsfragen um, weil ich eigentlich überhaupt keine Bewertungsgrundlagen für neuartige Eigenschaften habe. Und hier, denke ich, hilft uns ein *Blick / Gedanke* (4) auf die Chemie weiter, denn solange in der Chemie nur die in der Natur *erschienenen / vorkommenden* (5) Stoffe chemisch nachgebaut wurden, hielten sich eigentlich die Gefahren für Mensch und Umwelt sehr in *Grenzen / Barrieren* (6). Aber in dem Moment, wo wir in der Chemie erlebt haben, dass mithilfe der chemischen Synthese *neugierige / neuartige* (7) Stoffe, die es bisher in der Umwelt nicht gab, entwickelt wurden, da sind wir damals blind in die Entwicklung reingegangen und haben dann 100 Jahre später *festgehalten / festgestellt* (8), was alles an Schäden, im Grundwasser und ähnlichen Dingen, passiert war.

12

zu Sprechen, S. 150, Ü1

12 Mit anderen Worten WORTSCHATZ

Schreiben Sie die Sätze mithilfe folgender Ausdrücke neu.

jemandem zu etwas verhelfen • zum Einsatz kommen • sich einer Sache bedienen • ~~einer Sache im Wege stehen~~ • jemandem ins Handwerk pfuschen

1 Das lange geplante Forschungsprojekt kann jetzt durchgeführt werden.
Dem lange geplanten Forschungsprojekt steht nichts mehr im Wege.

2 Anfangs hatte der Projektleiter, Professor Siebenschlau, Bedenken, dass ihn Konkurrenten durch politische Einflussnahme an der Durchführung hindern könnten.
Anfangs hatte der Projektleiter, Professor Siebenschlau, Bedenken, dass ihm ______.

3 Der zufriedene Professor sorgt nun dafür, dass seine Mitarbeiter eine gute Bezahlung erhalten.
Er ______ seinen Mitarbeitern ______ einer guten Bezahlung.

4 Es soll bei dem Projekt mit einem superintelligenten Roboter gearbeitet werden.
Man will ______.

5 Natürlich werden auch altbewährte Methoden angewendet.
Natürlich ______ auch altbewährte Methoden ______.

zu Sprechen, S. 150, Ü1

13 Bewertungen in Kommentaren erkennen

KOMMUNIKATION

Lesen Sie im Kursbuch, S. 150, 1b, noch einmal die Kommentare aus dem Diskussionsforum. Woran erkennt man jeweils die positive bzw. negative Bewertung der Errungenschaften? Notieren Sie die Textstellen.

1 der.mit.hut: ..., warum nicht neben der Patchworkfamilie auch noch eine mit zwei Müttern
2 bealind: ______
3 Wotan: ______
4 Denkerin: ______

zu Sprechen, S. 151, Ü2

14 Ist das wirklich alles wünschenswert? ÜBUNG 7, 8

KOMMUNIKATION

a **Was ist richtig? Markieren Sie das passende Wort in der linken Spalte.**

	Funktion
In dem Artikel über das „Drei-Eltern-Baby" ist (1) von einem neuen Gesetz in Großbritannien. ☐ das Gespräch ☒ die Rede ☐ die Idee	1
Meines (2) spricht der Wunsch nach einem Kind auf Bestellung dafür, dass diese Menschen ihr Leben von A bis Z durchplanen wollen. ☐ Meinung ☐ Wissens ☐ Erachtens	
Diese Entwicklung halte ich für äußerst (3). ☐ bedenklich ☐ bedenkenswert ☐ dankbar	
Könnte man betroffene Menschen nicht auch durch psychologische Beratung (4)? ☐ unterstützen ☐ helfen ☐ erklären	
Der Bericht gibt außerdem Auskunft (5), warum manche Frauen sich dieser Prozedur unterziehen wollen. ☐ dazu ☐ darüber ☐ davon	
Dieser Argumentation kann ich nicht ganz (6). ☐ zustimmen ☐ beitragen ☐ zusagen	
Eine andere Möglichkeit, mit dem Problem (7), wären flexiblere Arbeitszeitkonten. ☐ zu gehen ☐ zu behandeln ☐ umzugehen	
Ich finde deine (8) sehr logisch und in sich schlüssig, bin aber nicht ganz deiner Meinung. ☐ Ansicht ☐ Behauptung ☐ Argumentation	

b **Welche Funktion haben die Sätze jeweils? Ergänzen Sie in a in der rechten Spalte.**

1 eine Meldung wiedergeben
2 etwas kommentieren
3 Alternativen nennen
4 eine Rückmeldung geben

12

zu Sprechen, S. 151, Ü2

15 Ein besonderes Hörerlebnis

HÖRBUCHTIPP / LESEN

a Lesen Sie, worum es in diesem Hörbuch/Roman von Andreas Eschbach geht. Ergänzen Sie dabei die fehlenden Wortteile.

Herr aller Dinge

Die bei d e n (1) Hauptfiguren könnten unterschiedlicher kaum se___ (2). Als Kinder bege______ (3) sich Hiroshi, ein Junge mit einem Tal____ (4) für die Reparatur von defekten techni______ (5) Gegenständen gepaart mit ein___ (6) Schwäche für Robo____ (7), und Charlotte, die üb___ (8) eine ungewöhnliche Bega_____ (9) für Fremdsprachen und einen besonderen „sechsten Sinn" verfügt, mit dem sie die Lebensgeschi______ (10) der Menschen hinter den Dingen erspürt. Er ist der Sohn einer japanischen Hausange_______ (11), sie die verwöhnte Tochter des französischen Botscha______ (12). Hiroshi und Charlotte verbr______ (13) heimlich viel Zeit mitein______ (14), doch der soziale Unter_______ (15) steht von Anfang an spürbar zwischen den beiden.

Da entwickelt Hiroshi eine Vision, wie die Arm___ (16) in der Welt zu überwinden wä___ (17) und es allen Mens______ (18) gleich gut geh___ (19) könnte. Vor all___ (20) mit dem Ziel, Charlottes Lie___ (21) zu gewinnen, macht er sich daran, seine Ideen Wirklichkeit wer____ (22) zu lassen. Tatsäc______ (23) gelingt es ihm, zum Schöp____ (24) von Robotern und Masch_____ (25) zu werden, die sich sel____ (26) reproduzieren können. Allerdings gelangt er dur___ (27) seine revolutionären Erfind______ (28) auf die Spur eines ural____ (29) Geheimnisses und Charlotte, die ein besonderes japani______ (30) Messer berührt, erspürt des____ (31) unfassbare Geschichte.

Die beiden, die die mei____ (32) Zeit ihres Lebens getre____ (33) voneinander verbringen und bis zum Ende des Rom____ (34) nie ein Paar wer____ (35), stoßen bei ihren Studien auf dass_____ (36) Geheimnis: auf die Exis_____ (37) einer hoch entwickelten Zivilisation vor unserer Zeitrechnung, eine Entdeckung, die nicht nur das Leben der beiden Protago_______ (38) zu bedrohen beginnt.

b **Lesen Sie nun eine Rezension zum Hörbuch. Welche Punkte hebt der Rezensent positiv hervor, was kritisiert er? Ergänzen Sie.**

Positive Punkte: ______________________

Kritik: ______________________

Es gelingt dem Sprecher Matthias Koeberlin, die Zuhörer mit seiner sanften Stimme und seinem warmen Ton in die Geschichte hineinzuziehen. Fast unmerklich gibt man sich seinem Charme hin und bleibt am Ball, obwohl der Autor Eschbach, der über ein enormes Fachwissen im Bereich der Nanotechnologie verfügt, die Vorstellungskraft seiner Leser bzw. Hörer manchmal sehr strapaziert. Die Geschichte von Hiroshi und Charlotte ist nicht nur die Geschichte von Liebenden, die nicht zusammenkommen können, sondern gleichzeitig auch ein äußerst spannender Thriller.

Matthias Koeberlin

zu Lesen 2, S. 152–153, Ü2

16 Wie wär's mit Mister Pepper?

HÖREN

CD1AB

Hören Sie ein Telefongespräch und ergänzen Sie die Informationen in Stichpunkten.

1 Anlass des Anrufs: Die Kundin sucht einen Roboter als Geburtstagsgeschenk.
2 Gewünschte Fertigkeiten des Roboters: ____________
3 Typische Haushaltsroboter können: ____________
4 Der Roboter „Pepper" ist: ____________
5 „Peppers" besondere Fähigkeit: ____________
6 Mögliches Hindernis für den Kauf von „Pepper": ____________
7 Der Angestellte will sich informieren über: ____________
8 Frage der Anruferin am Ende des Gesprächs: ____________
9 Art der Benachrichtigung: ____________

zu Lesen 2, S. 152, Ü2

17 Ähnliche Bedeutungen ÜBUNG 9

WORTSCHATZ

Was passt nicht? Streichen Sie durch.

1 das Weltall – das Universum – ~~das Sternenmeer~~ – der Weltraum
2 die Maske – die Mimik – der Gesichtsausdruck – die Körpersprache
3 dunkel – dunstig – finster – düster
4 der Proband – die Testperson – das Versuchskaninchen – der Tester
5 der Schöpfer – der Entscheider – der Entwickler – der Erfinder
6 kaltblütig – gefühllos – eiskalt – eisgekühlt

WIEDERHOLUNG GRAMMATIK

zu Lesen 2, S. 153, Ü3

18 Haushaltshelfer

a **Bilden Sie aus den unterstrichenen Partizipialkonstruktionen Relativsätze.**

1 Wir haben einen von selbst fahrenden und sich alleine reinigenden Staubsauger.
2 Der „Robbi" genannte Staubsauger ist klein und rund.
3 Er hat ausfahrbare, sich drehende Bürsten.
4 Die von „Robbi" gesaugten Teppiche und Böden sind alle sauberer als früher.
5 Er saugt auch die herumliegenden Katzenhaare komplett auf.

1 Wir haben einen Staubsauger, der von selbst fährt und sich alleine reinigt.

b **Bilden Sie aus den Relativsätzen Partizipialkonstruktionen.**

1 Der Roboter, der von meinem Mann angeschafft wurde, ist der beste Freund unserer Katze.
2 Unsere Katze, die ständig schnurrt, ist sehr glücklich, wenn sie auf „Robbi" durch die Wohnung fahren kann.
3 Unsere Nachbarn haben sogar einen Staubsauger-Roboter, der spricht.
4 Frau Hansen hat einen Wisch-Roboter. Er reinigt auch Böden, die stark verschmutzt sind.
5 Putz-Roboter, die singen, finde ich etwas übertrieben.

1 Der von meinem Mann angeschaffte Roboter ist der beste Freund unserer Katze.

zu Lesen 2, S. 153, Ü3

19 Partizipialsätze ÜBUNG 10, 11

GRAMMATIK ENTDECKEN

a **Formulieren Sie die unterstrichenen Partizipialsätze in Nebensätze mit *weil, obwohl, wenn* (2x), *indem* oder in Relativsätze um.**

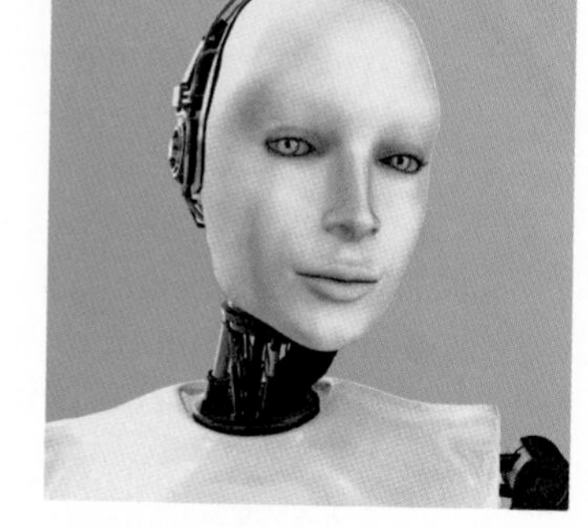

1 Vom sinnvollen Einsatz überzeugt entwickelten die Wissenschaftler einen Roboter, der Gefühle zeigen kann.
Weil sie vom sinnvollen Einsatz überzeugt waren, entwickelten die Wissenschaftler einen Roboter, der Gefühle zeigen kann.

2 Der erste Versuch war, obwohl gut durchdacht, ein Misserfolg, denn der Roboter konnte nicht lächeln.
Der erste Versuch war,
____
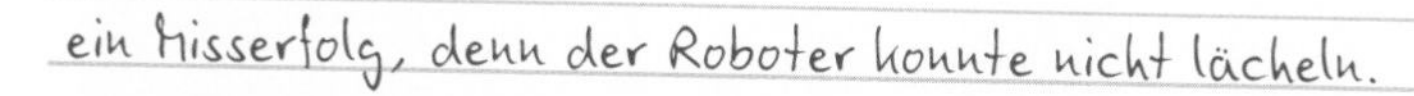
ein Misserfolg, denn der Roboter konnte nicht lächeln.

3 Mit Strom versorgt zeigt der Nachfolge-Roboter der Umwelt nun seine Gefühle.
____________________,
zeigt der Nachfolge-Roboter der Umwelt nun seine Gefühle.

4 Der Roboter, in einen robusten Metallkasten gepackt, spielt gern Fußball und spricht auch.
Der Roboter, ____________________,
spielt gern Fußball und spricht auch.

5 Mit Mund und Augen lächelnd wendet sich der Roboter seinen Kommunikationspartnern zu.
____________________,
wendet sich der Roboter seinen Kommunikationspartnern zu.

6 Abgesehen von einigen Anfangsschwierigkeiten war die Entwicklung eines Roboters mit Gefühlen ein voller Erfolg.
____________________,
war die Entwicklung eines Roboters mit Gefühlen ein voller Erfolg.

b **Was ist richtig? Markieren Sie.**

1 Eingeschobene Partizipialsätze werden ... abgetrennt.
[a] durch Kommata [b] nicht durch Kommata

2 Partizipialsätze, die sich in einen Relativsatz auflösen lassen, sind Informationen zu
[a] einem Verb. [b] einem Nomen.

12

zu Lesen 2, S. 153, Ü3

20 Gefühle für Roboter

GRAMMATIK

Formulieren Sie die unterstrichenen Nebensätze in Partizipialsätze mit Partizip II um.

1 Wenn man es genau nimmt, dürften Maschinen keine Gefühle im Menschen hervorrufen.
2 Der Roboter Sam, der von amerikanischen KI-Forschern entwickelt wurde, hat große blaue Augen und rote Lippen.
3 Wenn man es anders sagt, fühlen Menschen mit Robotern mit.
4 Roboter, die als Altenpfleger oder Küchengehilfen eingesetzt werden, müssen in der Lage sein, Gefühle zu interpretieren und bis zu einem gewissen Grad selbst zu zeigen.
5 Wenn man es mit früher vergleicht, sind Roboter heute schon zu erstaunlichen Dingen fähig.

1 Genau genommen dürften Maschinen keine Gefühle im Menschen hervorrufen.

zu Lesen 2, S. 153, Ü3

21 Science Fiction

GRAMMATIK

a **Was passt? Ordnen Sie zu.**

☐ obwohl ganz verschieden • ☐ Spannend erzählt und gut gemacht • ☐ ebenfalls einsam • ☐ Von seinen Freunden im Wald verlassen • [1] verfilmt von Steven Spielberg

Bei dem Film E.T., _(1)_, geht es um einen Extra-Terrestrischen (E.T.), der auf die Erde kommt. _(2)_ sucht E.T. Schutz bei einem Haus. Dort wird er vom 10-jährigen Elliot, _(3)_, gefunden. Zwischen Elliot und E.T., _(4)_, entwickelt sich bald eine enge Freundschaft. Die beiden erleben viele Abenteuer zusammen. _(5)_ gehört der Film inzwischen zu den Klassikern der Filmgeschichte.

b **Beschreiben Sie mit ähnlichen sprachlichen Mitteln wie in a einen interessanten Film Ihrer Wahl.**

zu Wortschatz, S. 154, Ü2

22 Wortbildung: Vorsilben *durch-*, *über-*, *um-* und *unter-*

ÜBUNG 12, 13

GRAMMATIK ENTDECKEN

Was passt? Ordnen Sie zu.

durch-

1 etwas dringt ... durch
2 durchdrungen sein von etwas — A
3 durch etwas laufen
4 etwas durchlaufen

A Auf einem Berggipfel ist Axel oft von einem Gefühl der Bewunderung erfüllt.
B Wer ganz nach oben will, muss verschiedene Stationen hinter sich bringen.
C Die Musik des Nachbarn hört man durch die dünne Wand.
D Die Flüssigkeit fließt durch den Filter.

über-

1 etwas geht in etwas über — E
2 etwas/jemanden übergehen
3 etwas springt über
4 etwas überspringen
5 jemand tritt zu etwas über
6 etwas übertreten

A Oskar hat von der SPD zu der Partei „Die Linke" gewechselt.
B Wer das Gesetz nicht beachtet, muss Strafe zahlen.
C Max ist so gut, dass er eine Klasse auslassen kann.
D Der Funke ist sofort von Anna auf Tobias hinübergehüpft, jetzt sind sie verliebt.
E Wasser verwandelt sich beim Erhitzen in Dampf.
F Die Chefin hat die Argumente des Betriebsrats nicht beachtet.

unter-

1 etwas unterziehen
2 sich einer Sache unterziehen — C
3 jemand hält etwas unter
4 sich unterhalten
5 jemanden/etwas unterhalten

A Paul muss den Lebensunterhalt seiner Exfrau finanzieren.
B Es ist kalt, ich trage ein Unterhemd unter meiner Bluse.
C Max hat Rückenprobleme und muss eine schmerzhafte Behandlung durchmachen.
D Alexandra benutzt ein Handtuch, damit ihre nasse Bluse nicht auf den Boden tropft.
E Christiane kann stundenlang mit ihrer Freundin sprechen.

um-

1 jemand fährt etwas um
2 etwas umfahren
3 jemand schreibt etwas um
4 etwas umschreiben — A

A Schwierige Wörter sollte ein guter Lehrer mit anderen Worten sagen.
B Elsa hat den Text ihrer Bachelorarbeit jetzt zum dritten Mal verändert.
C Michael ist so stark gegen das Fahrrad gefahren, dass es umgefallen ist.
D Wir konnten in einem Bogen um den Stau herumfahren.

zu Wortschatz, S. 154, Ü2

23 Chemische und menschliche Reaktionen

GRAMMATIK

a **Bilden Sie Sätze im Perfekt.**

1 chemischer Prozess / mehrere Stadien / durchlaufen
Der chemische Prozess hat mehrere Stadien durchlaufen.

2 Flüssigkeit / nicht / durch den kaputten Filter / durchlaufen

3 nach einiger Zeit / anfängliche Freundschaft von Anna und Paul / in Liebe / übergehen

4 Arbeiten dieses Wissenschaftlers / man / lange / übergehen

5 Hans / seine Doktorarbeit / zum fünften Mal / umschreiben

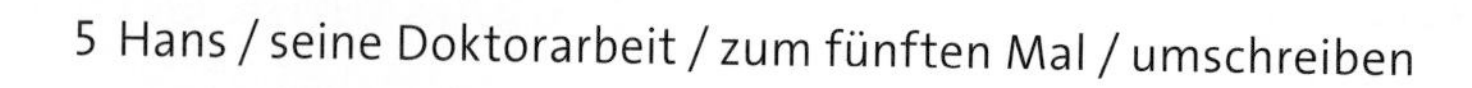

6 weil / Alexej / „Innovation" / nicht / verstehen, Anna / dieses Wort / umschreiben

7 Andreas / sein Konto / seit 3 Wochen / überziehen

8 wegen / Kälte / Martha / dicke Jacke / überziehen

9 Gärtner / Pflanzendünger / untergraben / um Erde fruchtbar machen

10 die Studierenden / das Ansehen des Professors / mit ihren Vorwürfen / untergraben

11 Bernd / sein Bett / gestern / zum dritten Mal / umstellen

12 Polizei / Gebäude mit den Bankräubern / umstellen

b **Ergänzen Sie die Verben im Infinitiv mit *zu* oder im Partizip II.**

~~unterziehen~~ • umfahren • überziehen • unterhalten • durchlaufen • überspringen • durchdringen • übertreten • umschreiben • übergehen • untergraben

1 Endlich konnten wir Beate überreden, sich einer Kur zu unterziehen.
2 Der Lektor hat den Autor aufgefordert, den Satz ______.
3 Anna hat beschlossen, zum katholischen Glauben ______.

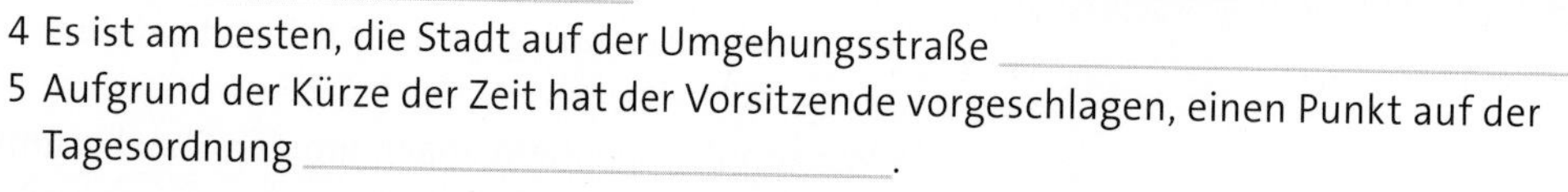

4 Es ist am besten, die Stadt auf der Umgehungsstraße ______.
5 Aufgrund der Kürze der Zeit hat der Vorsitzende vorgeschlagen, einen Punkt auf der Tagesordnung ______.

6 Leider dauern unsere Besprechungen immer länger als vorgesehen. Können wir uns darauf einigen, in Zukunft nicht mehr ________________.
7 Die dünnen Sohlen meiner Schuhe habe ich bald ________________.
8 Die Projektmitglieder sollten nicht den Fehler begehen, die Autorität des Projektleiters ________________.
9 Peter braucht dringend eine Gehaltserhöhung. Er hat eine große Familie ________________.
10 Seine Stimme ist leise. Beim Konzert ist sie nicht bis nach hinten ________________.
11 Der Wissenschaftler bittet seinen Chef, ihn bei der Beförderung nicht ________________.

zu Sehen und Hören, S. 155, Ü1

24 Skurrile Gebrauchsanweisungen ÜBUNG 14 SCHREIBEN

a **Lesen Sie die Gebrauchsanweisung für Weihnachtskerzen in d. Was ist hier wohl schiefgegangen? Notieren Sie Ihre Vermutung.**

Wahrscheinlich ist hier Folgendes passiert. …

b **Im Text gibt es Rechtschreibfehler, Grammatikfehler (falsche Endungen, falsche Wortstellung) und falsche Wortwahl. Markieren Sie jeweils mindestens vier Fehler.**

c **Welche Passagen sind für Sie ganz unverständlich? Unterstreichen Sie diese.**

d **Was verspricht die Anleitung? Notieren Sie die Punkte, die Sie verstehen.**

1 *Die Kerzen bringen deutsche Gemütlichkeit in Ihr Heim*
2 Man hat Erfolg ________________
3 Die Batterien ________________
4 Die Bedienung ist ________________
5 Die Kerzen stellt man ________________
6 An die Firma soll man sich wenden bei ________________
7 Leere Batterien kann man ________________

Mit sensationell Modell GWK 9091 Sie bekomen nicht teutonische Gemütlichkeit für trautes Heim nur, sondern auch haben Erfolg als moderner Mensch bei anderes Geschlecht. Nachdem Sie Weihnachtsgans aufgegessen und laenger, weil Batterie viel Zeit gut. Zum erreichen von Glückseligkeit unter finstrem Tann. Es gibt ganz einfach Handbedienung von GWK 9091:
1. Auspack und freu und laecheln fuer Erfolg mit GWK 9091.
2. Fuer eigene Weihnachtsfeierung setzen GWK 9091 auf Tisch. Kabel einsteck – fertig!
3. Wenn kaput oder Batterie nicht mehr zu Gemütlichkeit beschweren an: wir, Bismarckstrasse
4. Fuer neue Batterie alt Batterie zurueck fuer Sauberwelt in deutscher Wald.

e **Verfassen Sie eine kurze, verständliche Gebrauchsanweisung für die Weihnachtskerzen.**

Mit dem sensationellen Modell GWK 9091 bekommen Sie nicht nur deutsche Gemütlichkeit in Ihr trautes Heim, sondern haben als moderner Mensch auch …

12

— AUSSPRACHE: Kontrastakzentuierung

1 Widersprechen

a **Vergleichen Sie die folgenden Aussagen mit dem Kurzbericht „Lernfähige Mäuse am Flughafen" im Kursbuch, S. 148, 1a, und korrigieren Sie die Fehler.**

1 Mäuse haben einen schlechten Geruchssinn.
Nein, Mäuse haben einen ausgezeichneten Geruchssinn.

2 Ihre Lernfähigkeit macht Mäuse zu potenziellen Detektiven in Supermärkten.

3 Für den effektiven Einsatz der Mäuse wurde ein spezielles Training entwickelt.

4 Für die Mäuse ist das Verfahren weniger einschüchternd als schnüffelnde Spürhunde.

b **Arbeiten Sie zu zweit. Tragen Sie die falschen und die korrigierten Aussagen vor. Achten Sie dabei auf die richtige Betonung.**

66 CD AB

c **Hören Sie und vergleichen Sie.**

2 Trennbare und untrennbare Verben ÜBUNG 15

a **Bilden Sie zu der jeweiligen Bedeutung des Verbs einen Satz im Perfekt.**

1 durchbohren

a etwas durchdringen	Ich / durchbohren / mit meinen Blicken. Ich habe ihn mit meinen Blicken durchbohrt.
b ein Loch in etwas machen	Ich / durchbohren / das Brett.

2 überwerfen

a etwas locker umlegen	Ich / überwerfen / mir / eine Jacke.
b sich mit jemandem nicht mehr verstehen	Ich / mich überwerfen / mit meinem Team.

3 umschreiben

a die Bedeutung eines Wortes beschreiben	Ich / umschreiben / den Begriff „sozial".
b neu oder anders schreiben	Ich / umschreiben / die Geschichte.

67 CD AB

b **Hören Sie jeweils eine Variante der Verben aus a im Infinitiv. Markieren Sie anhand der Betonung, welche der vorgegebenen Bedeutungen jeweils gemeint ist.**

c **Lesen Sie nun die Sätze zu der jeweiligen Bedeutung des Verbs laut.**

68 CD AB

d **Hören Sie und vergleichen Sie.**

EINSTIEGSSEITE, S. 145

der Modellbau (Sg.)

fernsteuern

LESEN 1, S. 146–147

der Atem (Sg.)
der Bruchteil, -e
die Drohne, -n
der Finalist, -en
die Frequenz, -en
die Geste, -n
die Prothese, -n
das Unterfangen, -

sich beruhigen
sich herausstellen

ins Spiel kommen, kam, ist gekommen

anschmiegsam
beträchtlich
eigenhändig
erfinderisch
fieberhaft
unvergleichlich

rundum

angesichts (+ Gen.)
anlässlich (+ Gen.)
hinsichtlich (+ Gen.)
mithilfe (+ Gen.)
oberhalb (+ Gen.)
ungeachtet (+ Gen.)
unweit (+ Gen.)

SCHREIBEN, S. 148

der Antrieb, -e
der Behälter, -
das Gut, ¨-er
das Patent, -e
das Rauschgift, -e
der Scanner, -
der Sprengstoff, -e
die Trefferquote, -n

auslösen
durchschreiten, durchschritt, hat durchschritten
erteilen
großschreiben, schrieb groß, hat großgeschrieben

kostenpflichtig
potenziell
umsetzbar

gegebenenfalls

HÖREN, S. 149

der Eingriff, -e
die Evolution (Sg.)
das Experimentierstadium, die Experimentierstadien

Grenzen setzen
Grenzen überschreiten, überschritt, hat überschritten

gentechnisch

SPRECHEN S. 150–151

die Erbsubstanz, -en
die Errungenschaft, -en
das Gen, -e

umgehen mit, ging um, ist umgegangen
jemandem verhelfen zu, verhalf, hat verholfen

zum Einsatz kommen, kam, ist gekommen
jemandem ins Handwerk pfuschen
umstritten sein
sich einer Prozedur unterziehen, unterzog, hat unterzogen
im Wege stehen, stand, hat/ist gestanden

genetisch
strittig

LESEN, S. 152–153

das (Welt-) All (Sg.)
der Android, -en
die Mimik (Sg.)
das Modul, -e
der Proband, -en
der Raumfahrer, -
der Roboter, -
der Sensor, -en

ausrüsten mit
formen
suggerieren

autistisch
dunstig
finster
humanoid
kaltblütig
stumm

gewissermaßen

WORTSCHATZ S. 154

das Reagenzglas, ¨-er

durch etwas durchlaufen
etwas (z. B. Phasen) durchlaufen, durchlief, hat durchlaufen
in etwas (z. B. eine andere Materie) übergehen
etwas/jemanden übergehen, überging, hat übergangen (*hier:* auslassen)
etwas überspringen
etwas (z. B. eine Klasse) überspringen, übersprang, hat übersprungen (*hier:* auslassen)
zu etwas (z. B. eine andere Religion) übertreten
etwas (z. B. eine Regel) übertreten, übertrat, hat übertreten
etwas (z. B. ein Rad) umfahren
etwas (z. B. eine Baustelle) umfahren, umfuhr, hat umfahren
etwas (z. B. einen Text) umschreiben
etwas (z. B. ein unbekanntes Wort) umschreiben, umschrieb, hat umschrieben
jemanden unterhalten, unterhielt, hat unterhalten (*hier:* finanziell unterstützen)

durchdrungen sein (*hier:* erfüllt sein)

SEHEN UND HÖREN, S. 155

die Norm, -en
der Rohstoff, -e

LEKTIONSTEST 12

1 Wortschatz

Ergänzen Sie *anschmiegsam, eigenhändig, fieberhaft, kostenpflichtig, potenziell* und *strittig* in der richtigen Form. Schreiben Sie die Lösungen auf ein separates Blatt.

1 die ... Suche nach neuen Erkenntnissen
2 der ... Zusammenbau einer Drohne
3 die ... Methoden der Gentechnik
4 die ... Roboterpuppe für autistische Kinder
5 die ... Investoren in die neue Technologie
6 die ... Prüfung durch das Patentamt

Je 1 Punkt **Ich habe ______ von 6 möglichen Punkten erreicht.**

2 Grammatik

a **Ergänzen Sie *angesichts, anlässlich, mithilfe, oberhalb, ungeachtet* und *unweit*.**

______________ (1) des gelungenen Einsatzes von menschenähnlichen Robotern im Weltraum treffen sich derzeit Astronauten und Erfinder ______________ (2) der neuen Trainingsstation. ______________ (3) neuester Technik und genialer Programme konnten diese mit den Astronauten ausgezeichnet interagieren. ______________ (4) dieser erfolgreichen Mission überlegt man nun, wie man diese Roboter sinnvoll anderweitig nutzen kann. Denkbar wäre ein Einsatz bei autistischen Kindern. Dies scheint ______________ (5) der realen Kosten, die weit ______________ (6) der Budgetgrenze einer sozialen Einrichtung liegen würden, sehr sinnvoll.

Je 1 Punkt **Ich habe ______ von 6 möglichen Punkten erreicht.**

b **Formen Sie um und schreiben Sie die Lösungen auf ein separates Blatt.**

1 Eine steile Wand hochkletternd kann man gleichzeitig mit der Mini-Drohne ein Selfie machen.
2 Die Frühchen beruhigen sich, durch die Matratze mit der Mutter verbunden, sehr schnell.
3 Wenn man es so sieht, sind wir Menschen in vielen Bereichen schon heute ersetzbar.
4 Da der Erfinder die Absichten der Konkurrenten durchschaut, hält er seine Ideen geheim.

Je 1,5 Punkte **Ich habe ______ von 6 möglichen Punkten erreicht.**

c **Ergänzen Sie *überziehen* (2x), *durchbrechen* (2x) oder *umschreiben* (2x) in der richtigen Form.**

1 Im Simulator der Raumstation ist es Pflicht, sich einen Schutzanzug ______________.
2 Außerdem darf die vorgegebene Zeit in der Kammer nicht ______________ werden.
3 Das neue ferngesteuerte Fluggerät hat den Zaun des Nachbarn ______________.
4 Bei der Landung ist die Drohne allerdings in der Mitte ______________.
5 Der Professor versuchte, die Bedeutung des Wortes „humanoid" ______________.
6 Nun muss das Gerät verbessert und die Gebrauchsanweisung ______________ werden.

Je 1,5 Punkt **Ich habe ______ von 9 möglichen Punkten erreicht.**

3 Kommunikation

Ordnen Sie zu.

1 In dem Artikel
2 Diese Entwicklung
3 Man kann betroffene Personen
4 Der Bericht gibt außerdem Auskunft darüber,
5 Dieser Argumentation
6 Ich finde das Gesagte in sich sehr schlüssig,

A wer bereit für so eine Prozedur ist.
B halte ich für äußerst bedenklich.
C kann ich nicht wirklich zustimmen.
D bin aber selbst nicht ganz dieser Meinung.
E auch durch andersartige Hilfe unterstützen.
F ist von einer neuen Regelung die Rede.

Je 0,5 Punkte **Ich habe ______ von 3 möglichen Punkten erreicht.**

Auswertung: Vergleichen Sie Ihre Lösungen mit S. AB 204.
Ihre Erfolgspunkte tragen Sie unter jeder Aufgabe ein.

Ich habe ______ von 30 möglichen Punkten erreicht.

☺	😐	☹
30–26	25–15	14–0

12

LÖSUNGEN DER LEKTIONSTESTS

LEKTION 1

1 Wortschatz

1 zur Kenntnis
2 Beachtung
3 einer Sache
4 Aufmerksamkeit
5 eine Sache

2 Grammatik

a 1 soll
2 muss
3 dürfte
4 könnte
5 soll
6 müsste
7 will
8 kann nicht

b 1 hat ... zerschnitten
2 hat ... missachtet
3 hat ... entladen
4 demotiviert
5 zerbrochen
6 hat ... enträtselt
7 missdeutet hat
8 hat ... demaskiert

3 Kommunikation

B – A – C – E – D

LEKTION 2

1 Wortschatz

a 1 Anstrich
2 Pike
3 Kulissen
4 Weg
5 Faust
6 Probe

b 1 reizvoll
2 fachkundig
3 hautnah
4 liebenswert
5 nachhaltig
6 abgelegen

2 Grammatik

a 1 Wenn das Stellenangebot auch sehr reizvoll war, Antje hat darauf verzichtet.
2 Wie gesund die Speisen im Meier's auch sind, sie schmecken uns nicht.
3 Das neue Kurhaus ist toll ausgestattet und hat Flair, nur dass es etwas abgelegen ist.
4 Marc macht gern längere Segeltörns, außer wenn lauter „Neulinge" an Bord sind.
5 Ich kann an Pauschalreisen nichts Vorteilhaftes finden, außer dass sie oft sehr günstig sind.
6 Linda freut sich über Mitbringsel, es sei denn, sie sind geschmacklos.

b 1 kamen ... zur Sprache
2 übten ... Kritik
3 zur Verfügung standen
4 stießen ... auf ... Kritik
5 brachte ... zur Sprache
6 zur Verfügung zu stellen

3 Kommunikation

a Wenn ich verreise, steht die Erholung im Vordergrund.
b Als Unterkunft stelle ich mir eine Hütte vor.
c Ein Luxushotel kommt für mich gar nicht infrage.
d Aber eine kleine Familienpension würde ich auch in Kauf nehmen.

LEKTION 3

1 Wortschatz

1 einem etwas abverlangt
2 schmeichelt ihr
3 sie sich einprägen
4 stimulieren
5 versäumen
6 überlegen
7 töricht

2 Grammatik

a 1 Morgen habe ich leider keine Gelegenheit, dich anzurufen, da bin ich auf Fortbildung.
2 Während des Experiments ist es untersagt zu telefonieren. / ist Telefonieren untersagt.
3 Bei großer Nervosität wäre es ratsam, pflanzliche Beruhigungstropfen einzunehmen.
4 Einige Eltern sind bestrebt, ihre Kinder schon in jungen Jahren zum Leistungsdenken zu erziehen.
5 Wer Mitglied im Sportverein ist, hat das Recht, die Fitnessgeräte immer zu nutzen.
6 Manche Lehrer sind nicht imstande, das Potenzial ihrer Schüler richtig einzuschätzen.
7 Wer einen Vertrag unterschreibt, ist verpflichtet, die vereinbarten Inhalte zu befolgen.
8 Wenn Simone die Führerscheinprüfung nicht besteht, bleibt ihr nichts anderes übrig, als noch einmal anzutreten.

b 1 Das Leben in der Steinzeit war zu hart, um schwächere Menschen durchzufüttern. // Das Leben in der Steinzeit war zu hart, als dass man schwächere Menschen durchgefüttert hätte.
2 Ältere Personen sind oft zu stolz, um sich in ungewohnten Situationen helfen zu lassen.
3 Studenten wird an der Uni manchmal zu viel abverlangt, als dass sie ihr Lernpensum schaffen könnten.

3 Kommunikation

1 D
2 A
3 J
4 E
5 H
6 B
7 G
8 C
9 F
10 I

LEKTION 4

1 Wortschatz

1 das Gewerbe
2 der Versager
3 die Ambition
4 die Honorierung
5 das Honorar
6 die Hierarchie

2 Grammatik

a 1 Es ist fraglich, ob Björn seinen anstrengenden Job als DJ noch lange durchhält. // Ob Björn seinen anstrengenden Job als DJ noch lange durchhält, ist fraglich.
2 Vanessa gefällt es nicht, dass ihre Chefin oft unfreundlich zu den Kollegen ist. // Dass ihre Chefin oft unfreundlich zu den Kollegen ist, gefällt Vanessa nicht.
3 Im Hamburger Hafen gibt es auch nachts für viele Menschen viel zu tun.
4 Es freut mich sehr, dass Nils eine Gehaltserhöhung bekommen hat. // Dass Nils eine Gehaltserhöhung bekommen hat, freut mich sehr.
5 Es ist normal für einen Arzt, auch nachts zu arbeiten. // Für einen Arzt ist es normal, auch nachts zu arbeiten. // Auch nachts zu arbeiten, ist für einen Arzt normal.
6 Bei diesem Projekt geht es um die Verbesserung der Kommunikation.

b 1 tiefschwarze
2 topaktuellen
3 todschickes
4 extralange

3 Kommunikation

1 setzt auf
2 tut man dort
3 auch sehen, dass
4 mehr wert als
5 muss damit rechnen, dass
6 sieht die Zukunft

LEKTION 5

1 Wortschatz

1 Atelier
2 Leinwand
3 Galerist
4 Skizze
5 Bildhauer
6 Kurator
7 Epoche

2 Grammatik

a 1 Ich habe mich verlaufen.
2 Ich habe meine Wohnung verschönert.
3 Ich habe eine Holzplatte bemalt.
4 Ich habe das tolle Gemälde bestaunt.
5 Ich habe die Erklärung vereinfacht.
6 Ich habe mich verhört.

b 1 Tina fragte ihren Galeristen Sven, wie viele Werke von ihr er ausstellen werde.
2 Sven fragte zurück, ob sie ihre letzte Serie denn schon beendet habe.
3 Tina bat ihn nun, er möge sich ihre neuen Bilder mal ansehen. / ..., dass er sich ihre neuen Bilder mal ansehen möge.
4 Sven sagte, sie müsse sie ihm bis Anfang der Woche vorbeibringen.
5 Da meinte Tina, er dürfe/solle ihr nicht böse sein, wenn sie am Sonntag vor der Tür stehe. / stehen würde.

c 1 Laut
2 zufolge
3 Nach
4 Wie

3 Kommunikation

1 (eine) gelungene (Präsentation)
2 (Bilder) gefallen / Besonders (gefallen)
3 (noch) zum Aufbau (deines Vortrags)
4 (des Künstlers) zusammenhängen
5 (vielleicht) einige Zitate (aussagekräftiger)

LEKTION 6

1 Wortschatz

1 die Konkurrenz
2 das Potenzial
3 die Recherche
4 das Stipendium
5 das Prinzip
6 die Publikation

2 Grammatik

a 1 das
2 stattdessen
3 Das
4 fern
5 zuliebe
6 samt
7 dafür
8 darauf/dazu

b 1 das Experiment
2 Das Argument
3 Die ... Kompetenz
4 eine ... Intelligenz
5 einem ... Kommentar / – ... Kommentaren
6 des Bibliothekars

3 Kommunikation

Zustimmung: 1, 3
Ablehnung: 2, 4

LÖSUNGEN DER LEKTIONSTESTS

LEKTION 7

1 Wortschatz
- 1 die Währung
- 2 der Schuldner
- 3 der Gläubiger
- 4 die Insolvenz
- 5 die Konjunktur
- 6 das Wachstum
- 7 die Prognose
- 8 das Budget

2 Grammatik

a 1 Die häufige (1 P.)* Interpretation (1 P.) von Gedichten (1 P.) bereitet Schüler nicht auf das praktische Leben vor.
2 Die Eröffnung (1 P.) eines Kontos (1 P.) durch junge Erwachsene (1 P.) ist manchmal nicht ganz einfach.
3 Die zukünftige (1 P.) Behandlung (1 P.) dieses Themas (1 P.) in der Schule wäre wünschenswert.

b 1 Weil er (1 P.) sich früher (1 P.) überschuldet hat (1 P.) / Weil er (1 P.) früher (1 P.) überschuldet war (1 P.), bekommt Max keinen Kredit mehr.
2 Weil sie (1 P.) gestern (1 P.) mit ihrer Bank gesprochen hat (1 P.), kann Andrea ein Pferd kaufen.
3 Weil sich die Firma (1 P.) wirtschaftlich nicht positiv (1 P.) entwickelt / entwickelt hat (1 P.), muss die Firma Kurzarbeit einführen.

3 Kommunikation

A Dazu würde ich gern etwas sagen: ...; Lassen Sie mich darauf antworten: ...; Dazu hätte ich einen Vorschlag.
B Anders als in ... sind bei uns ...; In meinem Land werden weniger ... bezahlt als in ...; Das Preisniveau in meinem Land ist nicht vergleichbar mit ...
C Unter Armut verstehe ich, wenn ...; Derjenige gilt laut UN-Definition als arm, der ...

LEKTION 8

1 Wortschatz

1B; 2G; 3E; 4A; 5C; 6F; 7D

2 Grammatik

a 1 einschätzbare
2 zu belegende
3 ablenkbare

b 1 Auf Wunsch des Forschers sollen die Ergebnisse verschlüsselt gespeichert werden.
2 Die Stadtverwaltung will mehr Streetworker in sozialen Brennpunkten einsetzen.
3 Eltern sollen durch Psychologen in die Lage versetzt werden, ihre Kinder besser zu verstehen.
4 Die Therapeutin will Paare dazu bringen, sich offener zu begegnen.

c 1 Der Politiker bekommt das Projekt erklärt.
2 Der Patient bekommt viele Fragen gestellt.
3 Die Psychologiestudenten bekommen die therapeutischen Ansätze erläutert.

d 1 idealen
2 formell
3 infektiöse
4 traditionelle
5 akzeptable

3 Kommunikation
- 1 veranschaulicht
- 2 Unterschiede
- 3 Auge
- 4 ausfallen
- 5 Grund

LEKTION 9

1 Wortschatz
- 1 der Aussteiger
- 2 der Smog
- 3 die Metropole
- 4 die Hektik
- 5 die Urbanisierung

2 Grammatik

a 1 Bei einem positiven (1 P.) Verlauf (1 P.) der Tests (1 P.) ist das selbstfahrende Auto bald Wirklichkeit.
Bei positiv verlaufenden Tests ist ...
2 Wenn das selbstfahrende Auto / es (1 P.) realisiert (1 P.) wird (1 P.), erhöht es / das selbstfahrende Auto die Verkehrssicherheit.
Wenn man (1 P.) das selbstfahrende Auto/es (1 P.) realisiert (1 P.), erhöht ...
3 Obwohl diese Autos / sie (1 P.) ganz normal (1 P.) aussehen (1 P.), steckt in ihnen / diesen fahrerlosen Autos jede Menge Hightech.
4 Die Technik (1 P.) entwickelt sich erfreulich (1 P.), allerdings (1 P.) bleibt die Frage, was mit den Daten passiert, die das autonome Auto in jeder Sekunde sammelt.

b 1 glücklich über
2 gespannt darauf
3 bemüht um
4 überzeugt von
5 angewiesen auf

3 Kommunikation
- 1 einsteigen
- 2 erwidern
- 3 beziehungsweise
- 4 überzeugt
- 5 und zwar
- 6 hinterfragen

* 1 P. = 1 Punkt

LEKTION 10

1 Wortschatz
1 Bestseller; 2 Verlag; 3 Plot;
4 Gegenspieler; 5 Schauplatz;
6 Spannungsbogen

2 Grammatik
a 1 Verstanden habe ich den Roman nicht auf Anhieb, aber ich habe ihn zu Ende gelesen.
2 Es ist besser, einen Roman in einem Rutsch zu schreiben als in mehreren Etappen.
3 Bedauern muss man den Drehbuchautor nicht.
4 Den Film haben fast dreimal so viele Zuschauer gesehen wie ursprünglich erwartet.

b 1 woraufhin; 2 Seither; 3 zum; 4 Zwecks;
5 Währenddessen; 6 wofür; 7 Daraufhin

c 1 im Stehen; 2 beim Telefonieren;
3 am Diskutieren; 4 im Liegen

3 Kommunikation
1 A Der Roman „Ehre" erschien im Jahr 2014 und wurde von Elif Shafak verfasst.
2 C Was mich an dem Buch so gefesselt hat, ist die spannende Art der Schilderung.
3 B Das Romangeschehen spielt in einem kurdischen Dorf und in London.
4 B Außerdem erfährt man eine Menge über das uralte, immer noch gültige Wertesystem.

LEKTION 11

1 Wortschatz
1 Intention; 2 Hypothese; 3 Intellekt; 4 Wert;
5 Rücksprache; 6 Irritationen

2 Grammatik
a 1 Dadurch, dass (1 P.) ein Mann Socken in Sandalen trägt (1 P.), gilt er in vielen Ländern als unelegant.
Durch das Tragen (1 P.) von Socken in Sandalen (1 P.) gilt ein Mann in vielen Ländern als unelegant.
2 Durch ständiges (1 P.) Lächeln (1 P.) kann man seine wahren Absichten verbergen.
Dadurch, dass (1 P.) man ständig lächelt (1 P.), kann man seine wahren Absichten verbergen.
3 Tom hat nach dem Jahreseinkommen eines Kollegen gefragt, weswegen (1 P.) er als zu direkt gilt (1 P.), weil das in vielen Ländern ein Tabuthema ist.
Infolge seiner (1 P.) Frage (1 P.) nach dem Jahreseinkommen eines Kollegen gilt Tom als zu direkt, weil das in vielen Ländern ein Tabuthema ist.
4 Manche Deutschen haben ein derartig (1 P.) ausgeprägtes Gefühl für Pünktlichkeit, dass sie es schon seltsam finden (1 P.), wenn jemand nur fünf Minuten zu spät kommt.
Manche Deutschen haben ein ausgeprägtes Gefühl für Pünktlichkeit, weswegen (1 P.) sie es schon seltsam finden (1 P.), wenn jemand nur fünf Minuten zu spät kommt.
Infolge ihres (1 P.) ausgeprägten Gefühls (1 P.) für Pünktlichkeit finden es manche Deutschen schon seltsam, wenn jemand nur fünf Minuten zu spät kommt.
5 In einigen Ländern wird großer Wert auf akademische Titel gelegt, weswegen (1 P.) Sie Ihren Geschäftspartner zunächst mit dem Titel anreden sollten (1 P.), wenn er einen hat.
In einigen Ländern wird ein derartig großer Wert (1 P.) auf akademische Titel gelegt, dass (1 P.) Sie Ihren Geschäftspartner zunächst mit dem Titel anreden sollten (1 P.), wenn er einen hat.

b 1 Eines der größten; 2 erklären; 3 reagieren;
4 erschwert; 5 ältere; 6 einen der langsamsten;
7 erkältet; 8 wärmeren

3 Kommunikation
1 darauf achten; 2 ist es tabu;
3 betrifft meiner Einschätzung;
4 liegt man immer richtig; 5 ist es üblich

LEKTION 12

1 Wortschatz
1 fieberhafte; 2 eigenhändige; 3 strittigen;
4 anschmiegsame; 5 potenziellen;
6 kostenpflichtige

2 Grammatik
a 1 Anlässlich; 2 unweit; 3 Mithilfe; 4 Angesichts;
5 ungeachtet; 6 oberhalb

b 1 Während/Wenn man eine steile Wand hochklettert, kann man gleichzeitig mit der Mini-Drohne ein Selfie machen.
2 Die Frühchen beruhigen sich dadurch, dass / weil / indem sie durch die Matratze mit der Mutter verbunden sind, sehr schnell.
3 So gesehen sind wir Menschen in vielen Bereichen schon heute ersetzbar.
4 Die Absichten der Konkurrenten durschauend hält er / der Erfinder seine Ideen geheim.

c 1 ... einen Schutzanzug überzuziehen;
2 ... die Zeit ... nicht überzogen werden;
3 ... den Zaun ... durchbrochen;
4 ... in der Mitte durchgebrochen;
5 ... die Bedeutung ... zu umschreiben;
6 ... muss ... die Gebrauchsanweisung umgeschrieben werden.

3 Kommunikation
1F; 2B; 3E; 4A; 5C; 6D

Quellenverzeichnis

Cover: © Getty Images/OJO Images

S. 9: © iStockphoto/Squaredpixels
S. 12: © Thinkstock/iStock/konstantynov
S. 13: © fotolia/LaCatrina
S. 14: © Thinkstock/iStock/Dmitriy Shironosov; Text: *Jugendliche trennen nicht mehr zwischen online und offline* © dpa, 06.03.2014
S. 17: © Thinkstock/Blend Images/ERproductions Ltd
S. 18: © Thinkstock/Wavebreak Media
S. 19: oben © fotolia/Jürgen Fälchle; unten © Thinkstock/iStock
S. 21: oben © Thinkstock/iStock/Dmitriy Shironosov; unten © Interfoto/NG Collection
S. 22: Text: *Deutsche Komödien* von Wiebke Töbelmann aus *TV digital*
S. 25: © fotolia/Simonkr
S. 26: © Thinkstock/Wavebreak Media
S. 27: © Hueber Verlag/Meier; Text: *Berufsbezeichnungen in englischer Sprache verwirren Bewerber* © dpa, 21. 02. 2011
S. 28: © fotolia/Sven Ostheimer
S. 29: © iStock
S. 31: © PantherMedia/Michael Overkamp
S. 32/33: Text: *Sanfter Tourismus* von Brot für die Welt – Evangelischer Entwicklungsdienst, Evangelisches Werk für Diakonie und Entwicklung e. V., www.tourism-watch.de
S. 32: © Thinkstock/iStock/Bryan Busovicki
S. 33: © Thinkstock/iStock/CandyBox Images
S. 34: oben © Thinkstock/Creatas/Jupiterimages; unten © Thinkstock/iStock/mjbs
S. 35: von oben: © Thinkstock/iStock/Moma7, © MEV, © Thinkstock/iStock/dmodlin01
S. 36: von oben: © fotolia/Benicce, © fotolia/Yuri Arcurs, © BananaStock, © fotolia/andreaxt, © Thinkstock/Fuse
S. 37: Text: *Unternehmensgründung* von Martin Gadt, *www.computerbild.de*, 02. 11. 2013; © PantherMedia/Monkeybusiness Inc.
S. 38: © Thinkstock/iStock/hikesterson
S. 41: © Thinkstock/iStock/Klaus Nilkens
S. 42: oben © Thinkstock/iStock/RossellaApostoli; unten Cover: *Rabenschwarze Intelligenz* von Josef H. Reichholf © Piper Verlag
S. 43: © Thinkstock/iStock/samsonovs
S. 44: © Hueber Verlag/Meier
S. 45: © Thinkstock/Digital Vision/Christopher Robbins
S. 46: © Thinkstock/Wavebreak Media
S. 47: © Thinkstock/iStock/diego cervo
S. 48: © Thinkstock/iStock/CoreyFord
S. 49: © PantherMedia/werner.heiber
S. 50: oben © Thinkstock/iStock/monkeybusiness-images; unten © Thinkstock/iStock/nyul
S. 52: © fotolia/contrastwerkstatt
S. 53: Text: *Vom Frosch und der Maus* von Martin Luther
S. 54: oben © PantherMedia/Tomasz Pietrzak; unten: Screenshot aus *Das Wissen der Welt*, Kariem Saleh, 2008 © Filmakademie Baden-Württemberg
S. 57: © Thinkstock/iStock
S. 58: © iStock/Aleksandar Petrovic
S. 59: © Thinkstock/iStock/Vicki Reid
S. 60: oben © Hueber Verlag/Meier; unten © Thinkstock/iStock/simonkr
S. 61: oben © iStockphoto/Stock Shop Photography LLC; unten © fotolia/michaeljung
S. 62: © Thinkstock/iStock/LuckyBusiness; Text: *Lehrgang in Selbstlob* von Alexander Mühlauer, *Süddeutsche Zeitung*, 02. 11. 2011
S. 63: © Thinkstock/iStock/BartekSzewczyk
S. 64: © Thinkstock/iStock/maros_bauer
S. 67: © Thinkstock/iStock/dolgachov
S. 69: von oben: © Thinkstock/iStock/m-imagephotograph, © Thinkstock/iStock/progat, © Thinkstock/iStock/NADOFOTOS, © Thinkstock/iStock/Jani Bryson
S. 70: links © Thinkstock/Photos.com/Jupiterimages; rechts © Thinkstock/iStock/Szepy
S. 74: © iStock/EdStock; Text: *Überraschende Wirkung von Kunst* von Johanna Di Blasi, *Waldeckische Landeszeitung*, 22. 04. 2012
S. 75: oben © Thinkstock/iStock/Lefthand666; unten © PantherMedia/Dmitry Orlov
S. 76: © Thinkstock/BananaStock/Jupiterimages
S. 77: A © Götz Braun; B © Thinkstock/Steve Hix/Fuse; C © imago/ecomedia/robert fishman; D © Götz Braun
S. 79: © Thinkstock/moodboard
S. 80: © fotolia/Aleksandr Bedrin
S. 81: © fotolia/Matej Kastelic
S. 83: © iStock/mediaphotos
S. 85: von oben links: © Hueber Verlag/Florian Bachmeier, © Thinkstock/iStock/Vicki Reid, © Thinkstock/Comstock/Stockbyte Images, © Thinkstock/Purestock
S. 86: © fotolia/Fotoschlick
S. 89: oben © Thinkstock/iStock/gpointstudio; unten © Thinkstock/Digital Vision
S. 90: © Thinkstock/iStock/ViktorCap
S. 91: © Thinkstock/iStock/andhal
S. 93: oben © Thinkstock/iStock/lukas_zb; unten © Thinkstock/iStock/LuminaStock
S. 94: © Thinkstock/Photos.com
S. 95: oben © Thinkstock/iStock/XiXinXing; unten © Thinkstock/iStock/m-imagephotography; Text: *Ausländische Studierende* © DE Magazin Deutschland, www.deutschland.de
S. 97: oben © Thinkstock/iStock/Ridofranz; unten © Thinkstock/iStock/Daniel Ernst
S. 98: oben © Thinkstock/iStock/agencyby; unten © Thinkstock/Wavebreak Media
S. 100: © Hueber Verlag/Meier

S. 101: © Thinkstock/iStock/Icodacci
S. 105: © Thinkstock/iStock/ridofranz
S. 106: von oben: © Thinkstock/Stockbyte/altrendo images, © Thinkstock/Ingram Publishing, © Thinkstock/Purestock
S. 107: © Thinkstock/iStock/JackF
S. 108: oben © Thinkstock/iStock/weerapatkiatdumrong; unten © Thinkstock/iStock/monkeybusinessimages
S. 109: © David Oliveira; Text *Lebenslauf eines Rappers* aus *Ich war ein Gangster wie im Film* von Julia Amberger, taz vom 29. 10. 2012
S. 110: Text *Wach auf* © Zarko Jovasevic
S. 111: unten © Thinkstock/iStock/AdamGregor
S. 112: © Thinkstock/iStock/AndreyPopov
S. 113: © Thinkstock/iStock/gbh007
S. 115: oben © Thinkstock/Hemera/Cathy Yeulet; unten © Thinkstock/iStock/BsWei
S. 117: © fotolia/mapoli-photo
S. 118: © Thinkstock/iStock/pavalena
S. 121: unten © Thinkstock/iStock/PIKSEL
S. 122: oben © Thinkstock/Fuse; unten © Thinkstock/iStock/monkeybusinessimages
S. 123: oben © Thinkstock/Stockbyte/Comstock; unten © Thinkstock/iStock/veronicagomepola
S. 125: © Thinkstock/iStock/Catherine Yeulet; Text *Unterhaltung und Lebenshilfe* © dpa, 11. 07. 2006
S. 126: links © Thinkstock/iStock/Alen-D; rechts © Thinkstock/iStock/SnowWhiteimages
S. 129: © Dr. Nelia Schmid-König; Text *Was die Therapeutin meint* mit freundlicher Genehmigung von Dr. Nelia Schmid-König
S. 130: Cover *Familienaufstellungen* © J. G. Cotta'sche Buchhandlung Nachfolger GmbH
S. 131: © action press/Courtesy Everett Collection
S. 132: © Thinkstock/iStock/petrograd99
S. 133: © PantherMedia/Lightwave Stock Media
S. 137: © Thinkstock/iStock/bukki88
S. 138: oben © Thinkstock/iStock/Ximagination; unten © EyeWire
S. 139: oben © Dr. Anton Winterfeld; unten © action press/imagebroker.com
S. 140: © dpa Picture-Alliance/Karl-Heinz Schindler
S. 141: oben © fotolia/doble.d; unten © Thinkstock/iStock/beti gorse
S. 142: von oben: © fotolia/Gary, © fotolia/Denis Babenko, © Thinkstock/iStock/QQ7
S. 144: Avatar © Thinkstock/iStock/lianella; Dorf © fotolia/Udo Kruse
S. 145: © ddp images
S. 146: A © fotolia/Eléonore H
S. 147: B © Thinkstock/Hemera; C © MEV-Verlag/Meir Martin; D © PantherMedia/Thomas Lammeyer
S. 148: © Thinkstock/Hemera/Helder Monteiro
S. 150: © Thinkstock/Image Source
S. 153: unten © Glowimages/Heritage Images/Jewish Chronicle
S. 156: unten © Thinkstock/Wavebreakmedia/Wavebreakmedia Ltd.
S. 157: Cover *Traumsammler* © S. Fischer Verlag
S. 158: © Thinkstock/iStock/Jacob Wackerhausen
S. 159: unten © Thinkstock/iStock/Kesu01
S. 160: © Boje Buck/Lotus Film/Warner Bros. Entertainment GmbH
S. 161: Text A und B nach www.filmstarts.de (leicht geändert);
Text C und D von www.filmstarts.de
S. 162: © Thinkstock/iStock/yykaa
S. 163: Cover *Die Insel des Mondes* © t.mutzenbach design, München
S. 165: © Thinkstock/Wavebreakmedia/Wavebreakmedia Ltd.
S. 169: © PantherMedia/Erwin Wodicka
S. 170: © Thinkstock/iStock/7mirror
S. 172: © action press/Everett Collection, Inc.;
Text *Individualismus und Kollektivismus* aus *Intercultural Skills for Business* von Stephan Dahl
S. 173: von oben: © Hueber Verlag/Florian Bachmeir, © Thinkstock/iStock/Meinzahn, © Thinkstock/iStock/m-imagephotography
S. 175: © Thinkstock/iStock/vadimguzhva
S. 176: © Thinkstock/iStock/Zinkevych;
Text Benimmregeln nach *99 Tipps für Knigge-Profis* aus *Focus* 2/2006
S. 177: Avatare oben (5x) © Thinkstock/iStock/subarashii21; Frau unten © Thinkstock/Wavebreak Media/Wavebreakmedia Ltd.;
Mann unten © Thinkstock/iStock/JackFrog
S. 178: © Thinkstock/iStock/a-poselenov
S. 179: Sonne © Thinkstock/iStock/borsvelka
S. 180: © Thinkstock/iStock/kurkul
S. 181: © iStockphoto/bonniej
S. 182: © Hueber Verlag/Florian Bachmeier
S. 185: © Thinkstock/iStock/gyn9038
S. 186: © Thinkstock/Hemera/Andrea Danti
S. 190: oben © action press/HILGEMANN, GEORG; unten © Thinkstock/iStock/Valeriy Kachaev; Text *Ethische Grenzen biotechnologischer Forschung* © Hyperraum.TV
S. 192: Cover *Herr aller Dinge* © Bastei Lübbe AG, Köln; Matthias Koeberlin © action press/Coldrey, James
S. 194: © Thinkstock/Hemera/Sarah Holmlund
S. 196: oben © Thinkstock/moodboard/moodboard; unten © fotolia/Syda Productions
S. 197: © Thinkstock/iStock/Tuned_In
S. 198: © iStock/Intense_Media

Audios:

Track 42: mit freundlicher Genehmigung von Dr. Anton Winterfeld und dem Fraunhofer-Institut für Techno- und Wirtschaftsmathematik, Kaiserslautern
Track 47: *Der Panther* von Rainer Maria Rilke